Em outra vida, talvez?

Em
outra
vida,
talvez?

TAYLOR JENKINS REID

Em outra vida, talvez?

**Tradução de
CLAUDIA COSTA GUIMARÃES**

18ª edição

EDITORA RECORD
RIO DE JANEIRO • SÃO PAULO
2024

EDITORA-EXECUTIVA
Renata Pettengill

SUBGERENTE EDITORIAL
Mariana Ferreira

ASSISTENTE EDITORIAL
Pedro de Lima

AUXILIAR EDITORIAL
Júlia Moreira

CAPA
Renata Vidal

TÍTULO ORIGINAL
Maybe in Another Life

CIP-BRASIL. CATALOGAÇÃO NA PUBLICAÇÃO
SINDICATO NACIONAL DOS EDITORES DE LIVROS, RJ

R284e
18ª ed.

Reid, Taylor Jenkins
Em outra vida, talvez? / Taylor Jenkins Reid; tradução de Claudia Costa
Guimarães. – 18ª ed. – Rio de Janeiro: Record, 2024.
23 cm.

Tradução de: Maybe in Another Life
ISBN 978-65-5587-375-7

1. Ficção americana. I. Guimarães, Claudia Costa. II. Título.

21-73329

CDD: 813
CDU: 82-3(73)

Camila Donis Hartmann – Bibliotecária – CRB-7/6472

Copyright © 2015 by Taylor Jenkins Reid

Publicado originalmente por Washington Square Press, um selo da Simon & Schuster, Inc.
Direitos de tradução adquiridos mediante acordo com Taryn Fagerness Agency e Sandra
Bruna Agencia Literaria, SL.

Texto revisado segundo o novo Acordo Ortográfico da Língua Portuguesa.

Todos os direitos reservados. Proibida a reprodução, no todo ou em parte, através de
quaisquer meios. Os direitos morais da autora foram assegurados.

Direitos exclusivos de publicação em língua portuguesa somente para o Brasil
adquiridos pela
EDITORA RECORD LTDA.
Rua Argentina, 171 – Rio de Janeiro, RJ – 20921-380 – Tel.: (21) 2585-2000,
que se reserva a propriedade literária desta tradução.

Impresso no Brasil

ISBN 978-65-5587-375-7

Seja um leitor preferencial Record.
Cadastre-se no site www.record.com.br e receba informações sobre nossos lançamentos
e nossas promoções.

Atendimento e venda direta ao leitor:
sac@record.com.br

Para Erin, Julia, Sara, Tamara,
E todas as mulheres que sinto ter sido destinada a conhecer.
Que nos conheçamos em muitos universos.

Ainda bem que reservei uma poltrona no corredor, pois sou a última pessoa a entrar no avião. Eu sabia que iria me atrasar para o voo. Eu me atraso para praticamente tudo, e por isso reservei um assento de corredor. Detesto fazer as pessoas se levantarem para que eu possa me espremer até o meu lugar. Esse é também o motivo pelo qual não vou ao banheiro durante um filme, embora sempre sinta vontade de ir durante as sessões.

Ando pelo corredor estreito segurando a mala de mão junto ao corpo, tentando não esbarrar em ninguém. Bato no cotovelo de um homem e me desculpo, apesar de ele nem parecer notar. Quando mal chego a roçar o braço de uma mulher, ela me fuzila com os olhos como se eu a tivesse esfaqueado. Abro a boca para me desculpar, mas penso duas vezes.

Encontro meu assento com facilidade; é o único vago.

O ar é viciado. A música é de elevador. As conversas à minha volta são pontuadas pelos cliques dos compartimentos de bagagem sendo fechados com força.

Chego à minha poltrona e me sento, sorrindo para a mulher acomodada ao meu lado. Ela é mais velha e rechonchuda, com cabelos grisalhos e curtos. Enfio minha bolsa à minha frente e afivelo o cinto de segurança. Minha mesinha está fechada. Meus aparelhos eletrônicos estão desligados. Minha poltrona está na posição vertical. Quando a gente se atrasa com frequência, aprende a compensar o tempo perdido.

Olho pela janela. A equipe que transporta a bagagem está agasalhada com camadas sobressalentes de roupas e jaquetas neon. Fico satisfeita por estar indo para um lugar com um clima mais quente. Pego a revista de bordo.

Logo ouço o barulho da turbina e sinto as rodas que se encontram abaixo de nós começarem a girar. A mulher ao meu lado agarra os braços da poltrona enquanto subimos. Parece apavorada.

Não tenho medo de andar de avião. Tenho medo de tubarões, de furacões e de ser presa sem motivo. Tenho medo de nunca fazer nada significativo da vida. Mas não tenho medo de avião.

Os nós dos dedos dela estão brancos de tensão.

Enfio a revista de volta no bolso do encosto da poltrona.

— Não gosta de andar de avião? — pergunto a ela. Quando estou ansiosa, conversar ajuda. Se conversar também a ajudar, é o mínimo que posso fazer.

A mulher se vira e me olha enquanto deslizamos pelo ar.

— Não muito — responde, com um sorriso triste. — Não saio tanto de Nova York. É a primeira vez que voo até Los Angeles.

— Bem, se isso faz você se sentir melhor, eu ando muito de avião e posso te dizer que, em qualquer voo, só a decolagem e o pouso são realmente perigosos. Temos mais ou menos outros três minutos tensos e, em seguida, uns cinco minutos no final que podem ser desconfortáveis. O resto do tempo... é o mesmo que estar num ônibus. Resumindo: são só uns oito minutos ruins no total e, então, você estará na Califórnia.

Estamos inclinados. O ângulo é íngreme o bastante para que uma garrafa de água solta comece a rolar pelo corredor.

— Só oito minutos? — pergunta ela.

Faço que sim com a cabeça.

— Só. A senhora é de Nova York?

Ela assente.

— E você?

Dou de ombros.

— Eu estava morando em Nova York. Agora estou me mudando de volta para Los Angeles.

O avião despenca abruptamente para então voltar a ficar em linha reta enquanto atravessamos algumas nuvens. Ela respira fundo. Devo admitir que até eu fico um pouco enjoada.

— Mas eu só passei uns nove meses em Nova York — conto. Quanto mais eu falar, menos ela irá notar a turbulência. — Tenho me mudado bastante, ultimamente. Fiz faculdade em Boston. Então me mudei pra Washington, depois pra Portland, no Oregon. Em seguida, pra Seattle. Depois Austin, no Texas. E Nova York. A cidade onde os sonhos se tornam realidade. Mas não pra mim. Na verdade, cresci em Los Angeles. Então acho que posso dizer que estou voltando para o lugar de onde saí, mesmo sem achar que seja a minha casa.

— Onde está a sua família? — pergunta ela. A voz é tensa. Ela olha para a frente.

— Minha família se mudou pra Londres quando eu tinha 16 anos. Minha irmã mais nova, Sarah, foi aceita na escola Royal Ballet, e eles não puderam deixar de agarrar a chance. Eu fiquei em Los Angeles e terminei o colégio.

— Ficou morando sozinha? — Está funcionando. A distração.

— Morei com a família da minha melhor amiga até o fim do ensino médio. Aí fui pra faculdade.

O avião se nivela. O piloto relata nossa altitude. Ela solta os braços da poltrona e respira.

— Viu só? Igualzinho a um ônibus.

— Obrigada — diz ela.

— Disponha.

Ela olha pela janela. Eu pego a revista outra vez.

Ela se volta para mim.

— Por que você se muda tanto? Isso não é chato? — Ela se repreende imediatamente. — Olhe só pra mim. Foi só eu parar de hiperventilar para começar a agir como se fosse sua mãe.

Eu rio com ela.

— Imagine... tudo bem — digo. Eu não vivo me mudando de propósito. Ser nômade não é uma escolha consciente. Embora eu consiga enxergar que cada mudança seja fruto da minha própria decisão, de uma decisão que não é baseada em nada além da sensação constante de que não pertenço ao lugar onde estou, movida pela esperança de que existe de fato um lugar onde eu sinta que deveria estar, um lugar logo adiante, no futuro. — Eu acho que... não sei — confesso. É difícil colocar em palavras, principalmente para alguém que mal conheço. Mas, então, eu abro a boca e aquilo sai: — Nenhum lugar nunca me deu a sensação de lar.

Ela olha para mim e sorri.

— Eu sinto muito — diz ela. — Isso deve ser difícil.

Eu dou de ombros; é um impulso. Meu impulso é sempre ignorar algo ruim e correr em direção ao que acho bom.

Mas, atualmente, tenho me sentido estranha em relação aos meus impulsos. Não estou certa de eles que estejam me conduzindo aonde quero chegar.

Paro de encolher os ombros. Então, como não vou mesmo vê-la de novo depois deste voo, dou um passo além. Conto àquela mulher coisas que apenas recentemente disse a mim mesma.

— Às vezes, tenho medo de nunca achar um lugar que eu possa chamar de lar.

Ela coloca a mão sobre a minha e logo depois a recolhe.

— Vai encontrar, sim. Você ainda é jovem. Tem muito tempo.

Eu me pergunto se ela percebe que tenho 29 anos e se considera isso jovem ou se acha que sou mais nova do que pareço.

— Obrigada — digo. Depois pego os fones de ouvido dentro da bolsa e os coloco. — No fim do voo, durante os cinco minutos complicados da aterrissagem, talvez a gente possa falar sobre a minha falta de opções de carreira — brinco, rindo. — Isso certamente vai distrair você.

Ela abre um largo sorriso e solta uma gargalhada.

— Vou considerar isso um favor pessoal.

Quando atravesso o portão, Gabby está segurando uma placa que diz "Hannah Marie Martin" como se eu não fosse reconhecê-la, como se eu não soubesse que ela iria me buscar.

Corro na direção dela e, ao chegar mais perto, percebo que ela me desenhou ao lado do nome. É um desenho simples, mas não completamente pavoroso. A Hannah da ilustração tem olhos grandes e cílios longos, um narizinho minúsculo e uma linha reta no lugar da boca. Em cima da cabeça, os cabelos foram desenhados num dramático coque alto. A única coisa que chama atenção no meu corpo de boneca palito é um exagerado par de seios.

Não é necessariamente como eu me enxergo, mas admito que, se alguém me reduzisse a uma caricatura, eu seria seios grandes e um coque alto. Mais ou menos do mesmo jeito que o Mickey Mouse equivale a orelhas redondas e mãos enluvadas ou que o Michael Jackson pode ser meias brancas com mocassins pretos.

Eu preferiria ser retratada com meus cabelos castanho-escuros e meus olhos verde-claros, mas entendo que não dá para fazer muita coisa quanto às cores quando se está desenhando com uma caneta Bic.

Embora eu não tenha ido visitar Gabby desde que ela se casou, há dois anos, nós nos vimos todas as manhãs dos últimos domingos. Batemos papo por chamada de vídeo independentemente do que tivermos de fazer naquele dia ou do nosso nível de ressaca. De certa forma, é a coisa mais segura da minha vida.

Gabby é minúscula e parece um gravetinho. Seu cabelo está sempre curto, num corte *bob hair*, e não há nenhuma gordura sobrando em seu corpo, nem um grama para contar história. Quando a abraço, me lembro do quanto é estranho abraçar uma pessoa tão menor do que eu e de como parecemos diferentes à primeira vista. Eu sou alta, curvilínea e branca. Ela é baixa, magra e negra.

Ela não está usando nada de maquiagem, mas deve ser uma das mulheres mais bonitas ali no aeroporto. Eu não lhe digo isso porque sei o que ela iria responder. Diria que isso é desproposital. Que não deveríamos nos elogiar com relação à beleza ou competir para ver quem é mais bonita. Ela tem certa razão, então fico calada.

Conheço Gabby desde que tínhamos 14 anos. Sentamos ao lado uma da outra na aula de ciências da terra no primeiro dia do ensino médio. Nossa amizade aconteceu rápido e foi eterna. Éramos Gabby e Hannah, Hannah e Gabby, um nome raramente era mencionado sem o outro a reboque.

Fui morar com ela e com os pais, Carl e Tina, quando minha família se mudou para Londres. Carl e Tina me tratavam como se eu fosse filha deles. Acompanharam todo o meu processo de candidatura às faculdades, certificavam-se de que eu fazia o dever de casa e controlavam meu horário de dormir. Carl vivia tentando me convencer a fazer medicina, como ele e o pai. A essa altura, ele já sabia que Gabby não seguiria seus passos. Ela já sabia que queria trabalhar no serviço público. Acho que, para Carl, eu era sua última chance. Mas Tina, por outro lado, me encorajava a encontrar meu próprio caminho. Infelizmente, continuo sem saber ao certo que caminho é esse. Mas, naquela época, eu simplesmente pressupus que tudo iria se encaixar naturalmente, que os grandes acontecimentos da vida simplesmente ocorriam.

Depois que fomos para a faculdade, Gabby para Chicago, e eu para Boston, continuamos a nos falar o tempo todo, mas começamos a viver outras coisas. No primeiro ano, ela ficou amiga de uma menina negra da faculdade, que se chamava Vanessa. Gabby me contava dos passeios das duas ao shopping das redondezas e das festas que frequentavam. Eu estaria mentindo se dissesse que na época não fiquei preocupada, mesmo que apenas um pouco, com a possibilidade de que Vanessa pudesse se tornar mais próxima de Gabby do que eu jamais seria, que

Vanessa pudesse compartilhar algum segredo com a minha amiga do qual eu não fazia parte.

Perguntei a Gabby sobre isso certa vez, pelo telefone. Eu estava deitada no meu quarto do alojamento da faculdade, na minha cama de solteiro extragrande, com o telefone suado e quente encostado no ouvido, numa conversa que já durava horas.

— Você sente que a Vanessa te entende melhor do que eu? — perguntei. — Por vocês duas serem negras? — No minuto em que a pergunta saiu da minha boca, eu senti vergonha. Ela me parecera razoável dentro da minha cabeça, mas soou irracional ao ser pronunciada. Se palavras fossem objetos, eu teria me apressado em arrancá-las do ar e enfiá-las de volta na boca.

Gabby riu de mim.

— Você acha que gente branca te entende melhor do que eu só porque é branca?

— Não — respondi. — É claro que não.

— Então fique quieta.

E foi o que eu fiz. Se tem uma coisa que amo na Gabby é o fato de ela sempre saber quando eu devo me calar. Ela é, na verdade, a única pessoa que com frequência demonstra que me conhece melhor do que eu mesma.

— Me deixe adivinhar — diz ela agora, tirando a bolsa de viagem da minha mão num gesto de cavalheirismo. — Vamos ter que alugar um daqueles carrinhos de bagagem pra conseguir pegar todas as suas coisas.

Eu rio.

— Em minha defesa, estou me mudando para o outro lado do país.

Há muito tempo parei de comprar móveis ou objetos grandes. Costumo sublocar apartamentos mobiliados. Você aprende, depois de uma ou duas mudanças, que comprar uma cama da IKEA, montá-la para depois desmontá-la e vendê-la por cinquenta dólares seis meses depois é uma perda de tempo e de dinheiro. Mas eu ainda tenho *coisas*, algumas das quais já sobreviveram a diversas viagens para vários cantos do país. Eu me sentiria uma insensível se me livrasse delas agora.

— Aposto que tem pelo menos quatro hidratantes de laranja com gengibre aqui dentro — diz Gabby, pegando uma das minhas malas na esteira.

Eu balanço a cabeça.

— Só um. Estou quase sem.

Comecei a usar hidratante para o corpo mais ou menos na época em que nos conhecemos. Íamos ao shopping juntas e cheirávamos cada hidratante de todas as lojas. Mas eu sempre acabava comprando o mesmo. De laranja com gengibre. Em determinado momento, tive sete guardados.

Pegamos o restante da minha bagagem na esteira e colocamos todas as malas no carrinho que vamos empurrando com toda a força pelo aeroporto em direção ao estacionamento. Nós colocamos todas as malas em seu carrinho minúsculo e nos acomodamos em nossos assentos.

Papeamos enquanto ela sai do estacionamento e pega o caminho que nos conduzirá à autoestrada. Ela me pergunta sobre o voo e quer saber como foi deixar Nova York. Desculpa-se pelo quarto de hóspedes ser tão pequeno. Eu falo para ela deixar de ser ridícula e lhe agradeço por estar me hospedando em sua casa.

Não tenho como deixar de notar que a história se repete. Mais de uma década depois, novamente, vou ficar no quarto de hóspedes de Gabby. Já faz mais de dez anos e, no entanto, continuo pulando de um lugar para o outro, contando com a gentileza dela e de sua família. Dessa vez, são Gabby e o marido, Mark, em vez de Gabby e os pais. Isso só ressalta a diferença entre nós duas: o quanto ela mudou desde então e o quanto eu não mudei nada. Gabby é vice-presidente de desenvolvimento de uma organização sem fins lucrativos que cuida de adolescentes em situação de risco. Eu sou garçonete. E não particularmente das melhores.

Quando Gabby pega a autoestrada a toda, quando não está mais tão concentrada na direção, ou talvez quando está indo tão rápido que sabe que não vou poder me jogar do carro, ela faz a pergunta que está doida para fazer desde que me abraçou quando cheguei:

— E aí, o que que aconteceu? Você disse pra ele que estava indo embora?

Deixo escapar um ruidoso suspiro e olho pela janela.

— Ele sabe que não deve me procurar mais — respondo. — Sabe que não quero vê-lo nunca mais. Então acho que não faz a menor diferença onde ele pensa que estou.

Gabby olha para a frente, para a estrada, mas eu a vejo assentir com a cabeça, satisfeita comigo.

Preciso da aprovação dela neste momento. Atualmente, sua opinião a meu respeito é mais importante do que a minha. As coisas têm sido um pouco difíceis. E embora eu saiba que ela irá me amar sempre, também sei que, nos últimos tempos, tenho colocado seu apoio incondicional à prova.

Em grande parte porque comecei a dormir com um homem casado.

De início, eu não sabia que ele era casado. E, por algum motivo, achei que por esse motivo estava tudo bem. Ele nunca admitiu que era casado. Nunca usou aliança. A pele ao redor do dedo anular nem mesmo era mais clara — como as revistas nos dizem que fica o dedo de um homem casado. Ele era um mentiroso. E dos bons, aliás. E muito embora eu suspeitasse da verdade, achei que, se ele nunca dissesse nada, se nunca admitisse na minha cara, eu não era responsável pelo fato de aquilo ser verdade.

Suspeitei que alguma coisa estava acontecendo quando, em determinada época, ele ficou seis dias sem atender às minhas ligações e finalmente me telefonou como se não houvesse nada de estranho naquilo. Suspeitei da existência de outra mulher quando ele se recusou a me deixar usar seu telefone. Suspeitei que *eu* era a outra, na verdade, quando esbarramos com um colega de trabalho dele num restaurante no SoHo e, em vez de me apresentar ao cara, Michael falou que eu estava com alguma coisa entre os dentes e que deveria ir ao banheiro limpar. Eu fui, sim, ao banheiro, e não encontrei nada entre os dentes. Mas, para ser sincera, foi difícil me olhar no espelho por mais de alguns segundos antes de sair e fingir que não tinha entendido o que ele havia tentado fazer.

E Gabby, é claro, sabia de tudo isso. Eu fui admitindo para ela no mesmo ritmo em que ia admitindo para mim mesma.

— Acho que ele é casado — eu finalmente disse a ela há mais ou menos um mês.

Eu estava sentada na cama, ainda de pijama, conversando com ela pelo laptop e ajeitando o coque na cabeça.

Assisti ao rosto pixelado de Gabby assumindo uma expressão de censura.

— Eu avisei que ele era casado — falou ela, já meio sem paciência. — Falei isso há três semanas. Disse que você precisava parar com isso. Porque é errado. Porque ele é marido de outra mulher. Porque você não deve permitir que um homem te trate como amante. Eu te disse isso tudo.

— Eu sei, mas realmente achei que ele não fosse casado. Ele teria me contado se fosse, sabe? Então eu não achei que ele era. E não vou perguntar porque é muito ofensivo, né? — Esse era o meu raciocínio. Eu não queria insultá-lo.

— Você precisa parar com essa merda, Hannah. Estou falando sério. Você é uma pessoa maravilhosa que tem muito a oferecer ao mundo. Mas isso é errado. E você sabe disso.

Eu a escutei, depois deixei que todos os seus conselhos entrassem por um ouvido e saíssem pelo outro. Como se fossem direcionados a outra pessoa e não coubesse a mim guardá-los.

— Não — eu disse, balançando a cabeça. — Não acho que você esteja certa. Michael e eu nos conhecemos num bar em Bushwick numa quarta-feira à noite. Eu nunca vou a Bushwick. E raramente saio numa quarta-feira à noite. Nem ele! Qual a probabilidade de uma coisa dessas acontecer? De duas pessoas se conhecerem dessa forma?

— Você está brincando, né?

— Por que eu estaria brincando? Estou falando sobre destino. Sinceramente... Vamos dizer que ele seja casado...

— Ele é casado.

— Nós não temos certeza. Mas vamos dizer que ele seja casado.

— Ele é.

— Vamos *dizer* que ele seja casado. Isso não quer dizer que não estávamos destinados a nos conhecermos. Até onde sabemos, eu só estou seguindo o rumo natural do destino. Talvez ele seja, sim, casado, e tudo bem porque é assim que as coisas estavam destinadas a acontecer.

Deu para perceber que Gabby estava decepcionada comigo. Eu conseguia ver pelas sobrancelhas dela e pelos cantos dos lábios voltados para baixo.

— Olhe, eu nem sei se ele é casado — insisti. Mas eu sabia. Sabia, sim. E porque sabia, eu tinha de fugir para o mais longe que conseguisse ir. Então falei: — Sabe, Gabby, mesmo se ele for casado, isso não significa que eu não seja melhor pra ele do que essa outra pessoa. Vale tudo no amor e na guerra.

Duas semanas depois, a mulher dele descobriu que ele estava saindo comigo e me ligou aos berros.

Ele já havia feito isso antes.

Ela já descobrira outras duas.

E eu sabia que eles tinham dois filhos?

Não, eu não sabia disso.

É muito fácil racionalizar o que você está fazendo quando não conhece os rostos e os nomes das pessoas que talvez esteja magoando. É muito mais fácil escolher você mesma em vez de outra pessoa quando a coisa é abstrata.

E eu acho que foi por isso que mantive tudo no campo abstrato.

Até ali, eu vinha jogando o jogo do "Bem, mas". O jogo do "Nós não temos certeza disso". O jogo do "Ainda assim". Eu estava vendo a verdade através das minhas próprias lentes. Lentes essas que eram limitadas e cor-de-rosa.

Então, de repente, foi como se as lentes tivessem despencado do meu rosto e eu subitamente conseguisse enxergar, em desconcertante preto e branco, o que vinha fazendo.

Será que importa que, quando encarei a verdade de frente, fiz o que era honrado? Será que importa que, quando ouvi a voz da mulher dele, quando soube o nome dos filhos deles, nunca mais falei com ele?

Será que importa que eu possa enxergar, claro como o dia, minha própria culpa e que sinto um profundo remorso? Que uma pequena parte de mim se odeia por ter confiado na ignorância proposital para justificar o que eu suspeitava ser errado?

Gabby acha que sim. Ela acha que isso me redime. Já eu não tenho tanta certeza.

Assim que Michael saiu da minha vida, me dei conta de que eu já não tinha mais muita coisa em Nova York. O inverno foi severo e frio e só pareceu enfatizar o quanto eu estava sozinha numa cidade de milhões. Liguei várias vezes para os meus pais e para minha irmã Sarah na semana após meu término com Michael; não para falar sobre meus problemas, e sim para ouvir vozes amigas. Na maioria das vezes, as ligações caíam na caixa postal. Eles sempre retornavam. Eles sempre ligam. Mas eu nunca parecia saber direito quando podiam estar disponíveis. E, com grande frequência, devido ao fuso, tínhamos pouco tempo para nos falar.

Na semana passada, tudo simplesmente começou a desandar. A menina cujo apartamento eu estava sublocando me avisou com duas semanas de antecedência que ia precisar que eu saísse de lá. Meu chefe me passou uma cantada e deu a entender que os melhores turnos iam para as funcionárias que usavam os maiores decotes. Fiquei presa na linha G durante uma hora e 45 minutos quando o trem quebrou na avenida Greenpoint. Michael ficava me ligando e deixando mensagens de voz querendo se explicar, dizendo que pretendia deixar a mulher para ficar comigo, e fiquei com vergonha de admitir que isso fez com que eu me sentisse melhor até mesmo quando me fazia ficar péssima.

Então liguei para Gabby. E chorei. Admiti que as coisas em Nova York andavam bem mais difíceis do que eu jamais deixara transparecer. Confessei que aquilo não estava funcionando, que minha vida não estava tomando o rumo que eu havia imaginado. Disse a ela que eu precisava mudar.

E o que ela falou foi:

— Volte pra casa.

Levei um minuto para entender que ela queria dizer que eu deveria voltar para Los Angeles. Só para se ter uma ideia de quanto tempo faz que não penso na minha cidade natal como minha casa.

— Pra Los Angeles? — perguntei.

— É. Volte pra casa.

— Sabe, o Ethan mora aí. Voltou há alguns anos, eu acho.

— Então você vai vê-lo. Essa não seria a pior coisa que já aconteceu com você. Voltar a sair com um cara legal.

— Realmente aí *é* mais quente — comentei, olhando a neve suja de lama pela minha janelinha minúscula.

— Fez 22 graus aqui outro dia.

— Mas trocar de cidade não resolve o maior problema — observei, provavelmente pela primeira vez na vida. — Quero dizer, *eu* é que preciso mudar.

— Eu sei — concordou ela. — Venha pra casa. Mude aqui.

Foi a primeira vez em muito tempo que alguma coisa fez sentido.

Agora Gabby agarra minha mão por um instante e a aperta, mantendo os olhos na estrada.

— Estou orgulhosa de você por estar tomando as rédeas da sua vida — diz. — Só de pegar o avião essa manhã, você já está dando um jeito na sua vida.

— Você acha? — pergunto.

Ela faz que sim.

— Acho que Los Angeles vai te fazer bem, não concorda? Voltar às suas raízes. É um crime que a gente tenha morado tão longe uma da outra por tanto tempo. Você está corrigindo uma injustiça.

Eu rio dela. Estou tentando enxergar essa mudança como uma vitória em vez de uma derrota.

Por fim, entramos na rua de Gabby, e ela estaciona o carro rente à calçada.

Estamos em frente a um condomínio de casas numa rua íngreme e montanhosa. Gabby e Mark compraram uma casa no ano passado. Olho os números da fileira de casas e procuro a de número quatro para ver qual é a deles. Posso nunca ter estado aqui, mas há meses venho mandando cartões, guloseimas feitas por mim e diversos presentes para Gabby. Sei seu endereço de cor. Assim que enxergo o número na porta sob o brilho da luz do poste da rua, vejo Mark sair de casa e vir andando em nossa direção.

Mark é alto e dono de uma beleza convencional. Muito forte fisicamente, muito tradicionalmente masculino. Eu sempre tive uma queda por homens de olhos bonitos e com a barba por fazer e achava que Gabby também tivesse. Mas ela acabou com Mark, garoto-propaganda do que há de mais certinho e estável. É o tipo de cara que frequenta a academia por motivos de saúde. Eu nunca fiz isso.

Abro a porta do carro e pego uma das minhas malas. Gabby pega outra. Mark vem ao nosso encontro no carro.

— Hannah! — exclama, me dando um grande abraço. — Que bom te ver. — Ele tira as outras malas de dentro do carro e nós caminhamos em direção à casa. Entro na sala deles. É toda decorada em tons neutros com acabamentos em madeira. Uma decoração convencional mas linda.

— Seu quarto fica lá em cima — diz Gabby, e nós três subimos a escadaria estreita até o segundo andar. Há a suíte principal e um quarto do outro lado do corredor.

Gabby e Mark me conduzem até o quarto de hóspedes e nós colocamos as malas no chão.

O quarto é pequeno, mas tem espaço o bastante para uma pessoa. Tem uma cama de casal com uma colcha branca macia, uma escrivaninha e uma cômoda.

É tarde e tenho certeza de que tanto Gabby quanto Mark estão cansados, então faço o possível para ser rápida.

— Podem ir pra cama vocês dois. Eu me viro sozinha.

— Tem certeza? — pergunta Gabby.

Eu insisto.

Mark me dá um abraço e se dirige para o quarto deles. Gabby diz a ele que vai em um instante.

— Estou muito feliz por você estar aqui — diz ela. — Com toda essa história de você pular de uma cidade pra outra, eu sempre esperei que um dia pudesse voltar pra cá. Pelo menos por um tempo. Gosto de ter você por perto.

— Bem, agora você me tem — comento, sorrindo. — Talvez até mais perto do que tinha imaginado.

— Não seja boba. Por mim você pode morar no meu quarto de hóspedes até nós termos 90 anos. — Ela me dá um abraço e se dirige para o seu quarto. — Se acordar antes de mim, fique à vontade pra tomar café.

Depois que ouço a porta do quarto dela fechar, pego minha *nécessaire* e entro no banheiro.

A luz daqui de dentro é forte e inclemente; alguém até poderia dizer que é cruel. Há um espelho de aumento na pia. Eu o pego e o levo em direção ao rosto. Dá para perceber que preciso fazer as sobrancelhas, mas, de uma maneira geral, não tenho muito do que me queixar. Assim que coloco o espelho de volta no lugar, o ângulo pega o cantinho do lado esquerdo do meu olho.

Puxo a pele, meio que negando o que estou vendo. Deixo que ela volte para o lugar. Observo-a e a inspeciono.

Estou começando a ter pés de galinha.

Não tenho casa nem emprego. Não tenho um relacionamento estável nem mesmo uma cidade para chamar de lar. Não tenho a menor ideia do que gostaria de fazer da vida, a menor ideia de qual é o meu propósito, nem sinal de um objetivo de vida. E, no entanto, o tempo me pegou. Os anos que passei perdendo tempo com vários empregos em diversas cidades se refletem no meu rosto.

Eu tenho rugas.

Desvio o olhar do espelho. Escovo os dentes. Lavo o rosto. Decido que vou comprar um creme noturno e começar a usar filtro solar. Então, puxo as cobertas e me enfio na cama.

Minha vida até pode ser meio que um desastre. Talvez eu nem sempre tome as melhores decisões. Mas não vou ficar aqui deitada olhando fixamente para o teto a noite toda preocupada.

Em vez disso, durmo um sono profundo, acreditando que farei melhor amanhã. As coisas serão melhores amanhã. Amanhã eu vou dar um jeito nisso tudo.

Amanhã será, para mim, um novo dia.

A cordo num quarto claro e ensolarado, ouvindo o som de um telefone tocando.

— Ethan! — sussurro ao telefone. — São nove horas de uma manhã de sábado!

— É — diz ele, a voz rouca ainda mais rouca ao telefone. — Mas você ainda está no fuso da Costa Leste. É meio-dia pra você. Já devia estar de pé.

Continuo a sussurrar.

— Ok, mas a Gabby e o Mark ainda estão dormindo.

— Quando posso te ver? — pergunta ele.

Conheci Ethan no segundo ano do ensino médio, no baile de boas-vindas.

Eu ainda morava com os meus pais. Alguém havia oferecido um trabalho de babá a Gabby àquela noite, e ela decidiu aceitá-lo em vez de ir à festa. Acabei indo sozinha, não porque quisesse, mas porque meu pai me provocou dizendo que eu nunca ia a lugar nenhum sem ela. Eu fui apenas para provar que ele estava errado.

Passei a maior parte da noite encostada na parede, matando o tempo até poder ir embora. Estava tão entediada que pensei em ligar para Gabby e convencê-la a ir me encontrar depois do trabalho. Mas Jesse Flint passou a noite toda dançando agarradinho com Jessica Campos no meio da pista de dança. E Gabby era apaixonada por Jesse Flint, suspirava por ele desde que havíamos entrado no ensino médio. Eu não podia fazer isso com ela.

Com o avançar da noite, os casais começaram a se beijar no ginásio mal iluminado, e eu olhei para a única outra pessoa encostada na parede. Era um menino alto e magro, com cabelos desgrenhados e uma camisa amassada. A gravata estava frouxa. Ele retribuiu meu olhar, então caminhou até onde eu estava e se apresentou.

— Ethan Hanover — disse ele, estendendo a mão.

— Hannah Martin — repliquei, cumprimentando-o.

Ele cursava o penúltimo ano em outra escola. Disse que estava ali só para fazer um favor para a vizinha, Katie Franklin, que não tinha com quem ir à festa. Eu conhecia Katie razoavelmente bem, sabia que ela era lésbica e que ainda não estava pronta para contar isso aos pais. A escola toda sabia que ela e Teresa Hawkins eram mais do que amigas. Então pensei que não estaria magoando ninguém ao flertar com o garoto que ela havia levado para disfarçar.

Mas eu rapidamente esqueci que havia qualquer outra pessoa no baile. Quando Katie finalmente foi buscá-lo e deu a entender que era hora de irem embora, tive a sensação de que algo estava sendo tirado de mim. Fiquei tentada a estender a mão para agarrá-lo e reivindicá-lo só para mim.

Ethan deu uma festa na casa dos pais no fim de semana seguinte e me convidou. Gabby e eu não costumávamos ir a festas grandes, mas eu a fiz ir. Ele se empertigou no instante em que passei pela porta. Agarrou minha mão e me apresentou aos amigos. Perdi Gabby de vista em algum lugar perto dos petiscos.

Logo, Ethan e eu escapamos para o segundo andar e nos sentamos no primeiro degrau no topo da escada, quadril com quadril, conversando sobre nossas bandas favoritas. Ele me beijou ali, no escuro, a festa alucinada rolando logo abaixo dos nossos pés.

— Eu só dei essa festa pra ter uma desculpa pra te ligar e te convidar — confessou ele. — Foi idiotice minha?

Balancei a cabeça e o beijei outra vez.

Quando Gabby veio me buscar mais ou menos uma hora depois, meus lábios pareciam inchados, e eu sabia que estava com um chupão.

Perdemos a virgindade juntos um ano e meio depois. Foi no quarto dele quando os pais estavam viajando. Eu estava deitada, e ele ficou por cima. Ethan disse que me amava e ficava perguntando se eu estava bem.

Algumas pessoas falam da primeira vez como se fosse uma experiência hilariante ou patética. Eu não me identifico com essas descrições. Minha experiência foi com alguém que eu amava, alguém que também não tinha a menor ideia do que nós estávamos fazendo. Na primeira vez que eu fiz sexo, fiz amor. Ethan sempre teve um lugar no meu coração por conta disso.

Aí foi tudo para o espaço. Ele foi aceito na Universidade da Califórnia, em Berkeley. Sarah entrou para a escola Royal Ballet, e meus pais fizeram as malas e se mudaram para Londres. Fui morar com os Hudsons. Então, numa agradável manhã de agosto, uma semana antes do início do meu último ano do ensino médio, Ethan pegou o carro dos pais e partiu para o norte da Califórnia.

Aguentamos até o final de outubro antes de terminarmos. Na época, garantimos um ao outro que era só porque o timing não estava batendo e que a distância dificultava as coisas. Combinamos reatar no verão. Dissemos que aquilo não mudava nada; ainda éramos almas gêmeas.

Mas não foi nada diferente do que acontece em todas as faculdades, todo outono.

Comecei a pesquisar faculdades em Boston e em Nova York, uma vez que morar na Costa Leste facilitaria minha ida para Londres. Quando Ethan voltou para casa no Natal, eu estava saindo com um cara chamado Chris Rodriguez. Quando Ethan voltou para casa no verão, ele estava saindo com uma menina chamada Alicia Foster.

A pá de cal foi eu ter sido aceita na Universidade de Boston.

Logo havia quase 5 mil quilômetros entre nós e nenhum plano para encurtarmos a distância.

De vez em quando, Ethan e eu nos falávamos: um telefonema aqui, outro ali, uma ou duas danças juntos em casamentos de amigos em comum. Mas sempre persistiu certa tensão não declarada. Sempre houve a sensação de que não havíamos concluído nosso plano.

Depois de tantos anos, para mim, ele ainda brilha mais do que outras pessoas. Até mesmo depois de eu tê-lo esquecido, nunca fui capaz de apagar o fogo por completo, como se fosse uma chama piloto que permanecerá pequena e controlada, mas muitíssimo viva.

— Você está nessa cidade há 12 horas, de acordo com os meus cálculos — diz Ethan —, e de jeito nenhum vou deixar que passe outras 12 sem me ver.

Eu rio.

— Bem, a gente vai se ver logo, eu acho — digo. — A Gabby disse que tem um bar em Hollywood, e acho que vamos lá hoje à noite. Ela convidou vários amigos nossos do ensino médio pra que eu possa rever todo mundo. Está falando que é uma festinha de boas-vindas. O que não faz muito sentido. Sei lá.

Ethan acha graça.

— Mande uma mensagem com a hora e o lugar e eu estarei lá.

— Maravilha. Está ótimo então.

Eu começo a me despedir, mas a voz dele me interrompe:

— Ei, Hannah?

— Eu.

— Estou feliz que tenha decidido voltar pra casa.

Eu rio.

— Bem, eu já estava ficando sem novas cidades pra ir.

— Bom, prefiro pensar que você caiu em si.

E stou tirando as coisas de dentro da mala e atirando-as pelo quarto de hóspedes.

— Eu juro que vou arrumar isso tudo — digo a Gabby e Mark. Os dois já estão arrumados e esperam de pé ao lado da porta. Estão prontos para sair há pelo menos dez minutos.

— Não é um desfile de moda — comenta Gabby.

— É a minha primeira noite de volta a Los Angeles. Quero estar bonita.

Eu estava usando uma camisa preta e jeans pretos com brincos compridos e, é claro, um coque alto. Mas aí pensei: sabe, isso aqui não é Nova York. É Los Angeles. Fez 16 graus hoje à tarde.

— Eu só queria achar uma regata — digo e começo a vasculhar as roupas que atirei para o outro lado do quarto. Encontro uma azul-esverdeada e a visto. Calço sapatos pretos de salto. Olho no espelho e ajeito o coque. — Prometo que arrumo isso tudo quando a gente voltar.

Percebo que Mark está rindo de mim. Ele sabe que, às vezes, eu não faço exatamente o que digo que vou fazer. Tenho certeza de que, quando Gabby perguntou a ele se eu podia ficar aqui, o preparou dizendo: "Ela provavelmente vai espalhar as coisas dela pela casa inteira." Eu também não tenho a menor dúvida de que ele disse que estava tudo bem, então não me sinto tão mal assim.

Mas, na verdade, não acho que Mark esteja rindo por isso. Ele comenta:

— Para uma pessoa tão desorganizada, você está bem arrumadinha.

Gabby sorri para ele e, em seguida, para mim.

— Está mesmo. Está tipo... reluzente. — Ela põe a mão na maçaneta e continua: — Mas uma mulher não é avaliada pela sua aparência. —

Ela não consegue se conter. Essa coisa politicamente correta é só parte de quem ela é. Eu a amo por isso.

— Obrigada, gente — digo, seguindo-os até o carro.

Quando chegamos, o bar está razoavelmente tranquilo. Gabby e Mark se sentam, e eu vou até o bar comprar nossos drinques. Peço cerveja para o Mark e para mim e uma taça de Chardonnay para Gabby. A conta dá 24 dólares e eu pago com meu cartão de crédito. Não sei quanto tenho na minha conta corrente porque tenho medo de olhar, mas sei que tenho o bastante para sobreviver algumas semanas e arranjar um apartamento. Não quero ser aquela pessoa que fica contando trocados, especialmente quando Mark e Gabby foram fofos o bastante para me arrumarem um lugar para ficar, então simplesmente esqueço isso.

Levo as duas cervejas até a mesa e volto para pegar o vinho da Gabby. Quando eu me sento, outra mulher se juntou a nós. Lembro-me de tê-la conhecido no casamento da Gabby e do Mark há dois anos. O nome dela é Katherine, eu acho. Correu a maratona de Nova York há alguns anos. Eu me lembro de rostos e de nomes muito bem. Tenho facilidade em guardar detalhes sobre gente que só vi uma vez, mas faz muito tempo que aprendi a não comentar sobre isso. As pessoas se assustam.

Katherine estende a mão.

— Katherine — diz ela.

Aperto sua mão e digo meu nome.

— É um prazer te conhecer — diz ela. — Bem-vinda de volta a Los Angeles!

— Obrigada — respondo. — Na verdade, acho que já nos conhecemos.

— É mesmo?

— É, do casamento da Gabby e do Mark. Isso, isso mesmo — continuo, como se estivesse me lembrando disso naquele momento. — Você me contou que correu uma maratona em algum lugar, não foi isso? Boston ou Nova York?

Ela sorri.

— Nova York! Isso mesmo! Que ótima memória.

E agora Katherine gosta de mim. Se eu tivesse falado logo de cara "Ah, nós já nos conhecemos. Você usou um vestido amarelo no casamento deles e disse que correr a maratona de Nova York foi a coisa mais difícil, porém mais compensadora, que já fez na vida", Katherine me acharia superesquisita. Aprendi isso da maneira mais difícil.

Alguns amigos antigos do ensino médio aos poucos começam a chegar, as garotas das quais Gabby e eu éramos amigas: Brynn, Caitlin, Erica. Eu grito e berro a plenos pulmões quando vejo cada uma delas. É tão bom rever rostos conhecidos, estar num lugar familiar e saber que as pessoas que você conheceu quando tinha 15 anos ainda gostam de você. Brynn parece mais velha, Caitlin parece mais magra e Erica não mudou nada.

Alguns dos amigos de Mark do trabalho aparecem com suas esposas e logo estamos amontoados numa mesa pequena demais para todos nós.

As pessoas começam a comprar drinques umas para as outras. As rodadas ficam por conta dessa ou daquela pessoa. Tomo minha cerveja e algumas Cocas Diet devagarinho. Eu bebia bastante em Nova York. Bebia bastante com Michael. A mudança começa agora.

Estou comprando mais uma rodada de bebidas quando vejo Ethan entrar.

Ele é ainda mais alto do que me lembro e está usando uma camisa de botão de algodão azul e jeans escuros. Seu cabelo está curto e em desalinho, e ele está com a barba por fazer. Ethan era fofo no ensino médio. Agora está bonito. Suspeito que só vá ficar mais gato com a idade.

Eu me pergunto se já tem pés de galinha como eu.

Observo enquanto ele olha à sua volta, me procurando na multidão. Pago os drinques que já estão na minha mão e caminho em sua direção. Exatamente quando começo a achar que ele nunca vai me ver, seu olhar finalmente cruza com o meu. Seu rosto se ilumina, e ele abre um grande sorriso.

Ele se move rapidamente em minha direção, e a distância que nos separa é quase que instantaneamente reduzida a nada. Ele coloca os braços em volta de mim e me aperta com força. Coloco as bebidas sobre o balcão rapidamente para não as derramar.

— Oi — diz ele.

— Você veio! — digo.

— *Você* veio! — ecoa ele.

Eu o abraço outra vez.

— É muito, muito bom ver você — diz ele. — Linda como sempre.

— Muito obrigada.

Gabby caminha até nós dois.

— Gabby Hudson — diz ele, inclinando o corpo para a frente para abraçá-la.

— Ethan! Que bom te ver.

— Vou pegar uma bebida e encontro vocês daqui a um minuto — fala ele.

Eu assinto com a cabeça, e Gabby e eu nos viramos em direção à nossa mesa.

Ela olha para mim com as sobrancelhas erguidas.

Eu reviro os olhos.

Temos uma conversa inteira sem trocarmos uma palavra.

Logo a música está tão alta e o bar tão cheio que fica difícil conversar.

Estou tentando ouvir o que Caitlin está dizendo quando Ethan se aproxima da mesa. Ele para ao meu lado, descansando o braço ao lado do meu sem o menor sinal de desconforto. Ele beberica a cerveja e se vira para Katherine, um tentando ouvir o outro acima da música. Olho de soslaio e o pego observando Katherine com muita atenção, gesticulando como se estivesse contando uma piada. Observo enquanto ela inclina a cabeça para trás e ri.

Ela é mais bonita do que eu havia me dado conta. Antes me pareceu comum. Agora vejo que é bem impressionante. Os longos cabelos louros foram escovados até ficarem lisos. O vestido azul-safira lhe cai bem, dando-lhe uma elegância descompromissada. E parece que ela não precisa usar sutiã.

Eu não posso ir a lugar nenhum sem sutiã.

Gabby me pega pela mão e me arrasta até a pista de dança. Caitlin se junta a nós, em seguida vêm Erica e Brynn. Dançamos algumas músicas antes de eu ver Ethan e Katherine se aproximarem do nosso grupo. Mark fica atrás com os demais, tomando sua cerveja devagar.

— Ele não dança? — pergunto a Gabby.

Gabby revira os olhos. Eu rio, e o olhar de Katherine, que está rodopiando, cruza com o meu. É Ethan quem a está girando.

Eu me pergunto se ele vai levá-la para casa e me surpreendo com o fato de a ideia me incomodar, com a falta de sutileza do que sinto.

Ele ri quando a música acaba. Eles se afastam e Ethan a cumprimenta com um *high five*. O gesto parece mais amigável do que romântico.

Olhando para ele agora — recordando como era nosso relacionamento, como eu gostava de mim quando estava na companhia dele, como me sentia bem em relação ao mundo e ao lugar que eu ocupava nele com Ethan ao meu lado, como doeu quando ele foi para a faculdade —, eu me lembro da sensação de realmente amar alguém. Pelos motivos certos. Da maneira certa.

Gabby bate no meu ombro, me trazendo de volta à realidade. Eu me viro para ela. Está tentando me dizer alguma coisa. Não consigo ouvi-la.

— Um pouco de ar! — grita ela, apontando para uma saída. Ela se abana como se tivesse um leque. Eu sorrio e saio atrás dela.

No instante em que pisamos do lado de fora, entramos num mundo completamente diferente. O ar é fresco, e a música é abafada, contida pela construção.

— Como está se sentindo? — pergunta Gabby.

— Eu? Bem, por quê?

— Nada, não.

— Então o Mark não dança, é? — indago, mudando de assunto. — Você ama dançar! Ele não te leva pra dançar?

Ela balança a cabeça, unindo as sobrancelhas.

— Definitivamente, não. Ele não é esse tipo de cara. Tudo bem. Quer dizer, ninguém é perfeito, a não ser você e eu — brinca ela.

A porta se abre e Ethan sai do bar.

— Sobre o que vocês duas estão conversando aqui fora? — pergunta.

— Sobre o Mark não gostar de dançar — respondo.

— Na verdade, estou indo lá ver se consigo fazê-lo ir pra pista uma vez na vida — diz Gabby e sorri para mim ao sair.

Agora somos só Ethan e eu sozinhos aqui fora.

— Você parece estar sentindo frio — diz ele, sentando-se no banco vazio. — Eu te ofereceria a minha camisa, mas não estou usando nada por baixo.

— Assim você pode acabar com o seu traje — comento. — Eu achei que devia usar uma regata, já que estou em Los Angeles, mas...

— Mas estamos em fevereiro — comenta ele. — E estamos em Los Angeles, não na linha do equador.

— É impressionante como essa cidade me parece nova, apesar de eu ter vivido aqui por um bom tempo — digo, me sentando ao lado dele.

— É, mas você tinha 18 anos quando foi embora. Está com quase 30.

— Eu prefiro dizer *29*.

Ele ri.

— É bom ter você de volta. Não moramos na mesma cidade há. Acho que há quase 13 anos.

— Uau! — exclamo. — Agora me sinto ainda mais velha do que quando você disse que eu tinha quase 30 anos.

Ele ri outra vez.

— E como você está? — pergunta ele. — Está bem? Está legal?

— Estou Ok. Tenho algumas coisas pra resolver.

— Quer falar sobre isso?

— Talvez — respondo, sorrindo. — Em algum momento?

Ele assente com a cabeça.

— Eu adoraria escutar. Em algum momento.

— O que está rolando entre você e a Katherine? — indago, com a voz animada. Estou tentando soar bem descontraída e estou conseguindo.

Ethan balança a cabeça.

— Ah... Nada não. Ela só começou um papo comigo e fiquei satisfeito em diverti-la. — Ele sorri para mim. — Não foi ela quem eu vim ver.

Nós nos olhamos, nenhum dos dois desvia o olhar. Seus olhos estão em mim, focados nos meus, como se eu fosse a única outra pessoa do mundo. Eu me pergunto se ele olha para todas as mulheres daquela forma.

Então ele inclina o corpo em minha direção e me dá um beijo na bochecha.

Aquela sensação, dos lábios dele na minha pele, faz com que eu me dê conta de que passei anos procurando-a sem nunca encontrar. Aceitei ter relacionamentos sem compromisso, casos de amor passageiros e um caso com um homem casado em busca daquele momento em que o coração da gente salta no peito.

E eu me pergunto se devo beijá-lo de verdade, se devo inclinar a cabeça só um pouquinho e encostar meus lábios nos dele.

Gabby e Mark saem do bar.

— Oi — chama Gabby, antes de nos olhar fixamente. — Ah, desculpem.

— Não — digo. — Oi.

Ethan ri.

— Você é o Mark, certo? — pergunta ele, levantando-se para cumprimentá-lo. — Ethan. Ainda não fomos apresentados formalmente.

— É mesmo. É um prazer te conhecer.

— Desculpem — intervém Gabby. — Temos que ir andando.

— Acabei de saber que tenho uma coisa logo cedo — revela Mark.

— Num domingo? — pergunto.

— É, tem uma coisa lá no trabalho que preciso fazer.

Olho para o relógio. Já passa da meia-noite.

— Ah, ok — digo, começando a me levantar.

— Na verdade, posso te levar pra casa — oferece Ethan. — Pra casa da Gabby mais tarde, caso queira fica mais um pouco. Como você quiser.

Flagro um sorriso discreto tomando o rosto de Gabby por meio segundo.

Rio para mim mesma. É tão óbvio, não é mesmo?

Ao voltar para Los Angeles, não estou meramente tentando construir uma vida melhor com o apoio da minha melhor amiga. Também voltei a me perguntar se Ethan e eu temos ou não questões pendentes entre nós.

Passamos anos separados. Vivemos duas vidas muito diferentes. E estamos de volta bem aqui. Flertando, alheios à festa, enquanto todo mundo está dançando.

Será que vamos ou não? e *Se eu permitir que ele me leve para casa, será que isso vai ter um significado maior para mim do que para ele?*

Olho para Ethan, depois olho para Gabby.

A vida é longa e repleta de um número infinito de decisões. Preciso acreditar que as pequenas escolhas não importam, que vou acabar onde tenho de acabar independentemente do que fizer.

Meu destino irá me encontrar.

Então, eu decido...

33

Então eu decido voltar para casa com Gabby.

Não quero tomar nenhuma decisão precipitada.

Eu me viro e dou um abraço em Ethan. Posso ouvir, pela porta, que o DJ colocou para tocar "Express Yourself", da Madonna, e por um instante eu meio que me arrependo da minha decisão. Adoro essa música. Sarah e eu a cantávamos no carro o tempo todo. Minha mãe nunca nos deixava cantar a parte que fala sobre lençóis de cetim. Mas nós adorávamos essa música. Escutávamos sem parar.

Penso em voltar atrás, como se o universo estivesse me mandando ficar e dançar.

Mas não fico.

— É melhor eu ir pra casa — digo a Ethan. — Está tarde, e eu quero me acostumar com o horário da Costa Oeste, entende?

— Entendo perfeitamente — diz ele. — Eu me diverti muito essa noite.

— Eu também! Eu te ligo?

Ethan faz que sim enquanto caminha para se despedir de Gabby com um abraço. Ele aperta a mão de Mark, vira-se para mim e sussurra no meu ouvido:

— Tem certeza de que não consigo te convencer a ficar?

Balanço a cabeça e sorrio para ele.

— Desculpe — respondo.

Ele sorri e suspira sutilmente, com uma expressão de quem aceitou a derrota.

Voltamos ao bar e nos despedimos de todos: Erica, Caitlin, Brynn, Katherine e do restante do pessoal que conheci esta noite.

— Eu podia jurar que você ia ficar com o Ethan — comenta Gabby ao voltarmos para o carro.

Balanço a cabeça.

— Você acha que me conhece muito.

Ela me olha como quem duvida do que digo.

— Está bem, você me conhece perfeitamente. Mas eu só acho que se as coisas entre mim e Ethan tiverem que acontecer, vão acontecer no seu devido tempo, entende? Não precisamos apressar as coisas.

— Então você quer que alguma coisa aconteça?

— Não sei! Talvez? Em algum momento? Acho que eu deveria estar com um cara sincero, estável e bacana como ele. Ele me parece ser um passo na direção certa em relação aos homens.

Quando chegamos ao carro, Mark abre a porta para nós e diz a Gabby que vai pegar o Wilshire Boulevard até em casa.

— Parece ser o mais tranquilo, né? Menos trânsito?

— É — concorda Gabby. Ela se vira e me pergunta se eu já ouvi falar da instalação de luzes urbanas do Museu de Arte do Condado de Los Angeles.

— Não. Acho que não.

— Acho que você vai gostar muito — diz ela. — Tem alguns anos isso. Vamos passar por ela, então eu te mostro. Tudo isso faz parte da campanha pra você se apaixonar por Los Angeles de novo, aliás.

— Estou animada pra ver — afirmo.

— As pessoas vivem dizendo que Los Angeles não tem cultura — diz Gabby. — Então vou provar que estão erradas pra que você queira ficar aqui.

— Não sei se você se lembra, mas eu morei aqui durante quase vinte anos.

— Eu ia te perguntar... — Ela se vira para mim enquanto Mark está olhando para a frente, dirigindo. — Como estão os seus pais e a Sarah?

— Meus pais estão bem. A Sarah agora está na London Ballet Company e mora com o namorado, George. Eu ainda não o conheci, mas meus pais gostam dele, então isso é bom. Meu pai está bem no trabalho, então acho que a minha mãe está pensando em trabalhar só meio expediente.

Meus pais não me mandam dinheiro de nenhuma forma tradicional. Mas há anos me dão uma quantia tão grande na época do Natal que tenho a sensação de estar recebendo um bônus de fim de ano. Não sei quanto dinheiro minha família, de fato, tem, mas certamente me parece muito.

— Sua família não vem mais aos Estados Unidos? — pergunta Mark.

— Não — respondo. — Eu é que sempre vou visitá-los.

— Qualquer desculpa é válida pra ir a Londres, né? — comenta Mark.

— É, sim — concordo, embora isso não seja exatamente verdade. Eles nunca se ofereceram para vir aos Estados Unidos, e, como são eles que compram a passagem, não posso opinar muito.

Viro-me para a janela e fico olhando as ruas passando. São ruas que eu não frequentava quando era adolescente. Estamos numa parte da cidade que não conheço muito bem.

— Você se divertiu essa noite? — pergunta Gabby.

— Eu me diverti, sim — respondo, ainda olhando para as calçadas e para as vitrines das lojas pelas quais passamos. — Suas amigas daqui são ótimas, e foi maravilhoso rever as meninas do colégio. A Caitlin perdeu tipo uns 15 quilos?

— Fez Vigilantes do Peso, eu acho — comenta Gabby. — Está muito bem. Embora estivesse bem antes também. As mulheres não precisam ser magras para terem valor.

Vejo Mark sorrir para mim pelo retrovisor e sorrio para ele também. É uma coisa nossa esse revirar de olhos diante da atitude sempre politicamente correta de Gabby. Começo a rir, mas me controlo. Ela não está errada. As mulheres não precisam ser magras para terem valor. Caitlin era a mesma pessoa antes de perder peso. Só que é engraçada essa necessidade de Gabby de sempre explicitar as coisas. Ela nunca deixa de fazer isso.

O telefone de Gabby apita, e ela o pega. Observo-a ler a mensagem de texto e imediatamente esconder o telefone. Ela é péssima em esconder as coisas de mim.

— O que foi? — pergunto.

— O que foi o quê?

— No seu telefone.

— Nada.

— Ah, fala sério, Gabby — insisto.

— Não é nada importante. Não significa nada.

— Me dá aqui.

Relutante, ela me entrega o telefone. É uma mensagem de texto de Katherine.

Indo pra casa com o Ethan. Acha a ideia péssima?

Meu coração fica apertado. Desvio o olhar e entrego o telefone de volta para Gabby sem pronunciar uma única palavra.

Ela se vira para mim.

— Ei — chama ela, baixinho.

— Eu não estou triste — digo, mas a minha voz sai fina e aguda. O som dela reflete exatamente isto: tristeza.

— Ah, fala sério — diz ela.

Eu rio.

— Está tudo bem. Ele pode fazer o que quiser. — Ainda bem que não fiquei na rua com ele até mais tarde tentando descobrir se ainda existia alguma coisa entre nós. — Eu não quis ficar com ele até mais tarde especificamente porque não queria que fosse um casinho de uma noite. Se é que iria acontecer alguma coisa entre a gente. Então, pronto. Isso me poupa a vergonha.

Gabby olha para mim com a testa franzida.

Eu rio de modo defensivo, como se quanto mais eu risse, mais conseguisse afastar sua piedade.

— Ele é um cara legal. Não estou dizendo que não seja, mas, sabe, se as coisas vão ser desse jeito com ele, acho que não preciso disso.

Olho outra vez pela janela e depois imediatamente de volta para Gabby.

— Na verdade, eu gosto da Katherine — comento. — Ela parece ser legal.

— Se me permitem — intervém Mark —, não sei muita coisa sobre o histórico de vocês dois, mas só porque ele está dormindo com outra pessoa não significa necessariamente...

— Eu sei — concordo. — Mas mesmo assim... Pra mim fica claro que é melhor deixar nós dois no passado. Quer dizer, nós namoramos há uma eternidade. Está tudo bem.

— Quer mudar de assunto? — pergunta Gabby.

— Quero, sim. Por favor.

— Bem, que tal sairmos pra tomar café da manhã amanhã enquanto o Mark vai trabalhar?

— Ótimo — concordo, me virando para a janela mais uma vez. — Vamos falar de comida.

— Aonde levo a Hannah? — pergunta Gabby a Mark, e os dois começam a listar um monte de restaurantes dos quais eu nunca ouvi falar. Mark pergunta se gosto de cafés da manhã doces ou salgados.

— Você está perguntando se gosto de panquecas ou de ovos?

— Exato.

— Ela gosta de pãezinhos de canela — diz Gabby no exato momento em que eu respondo:

— Eu gosto de lugares que servem pãezinhos de canela.

Quando eu era pequena, meu pai costumava me levar a uma loja de rosquinhas chamada Primo's Donuts que vendia pães de canela grandões e quentinhos. Íamos até lá comprar um todo domingo de manhã. Então, eu fui ficando mais velha, e nós fomos ficando mais ocupados. Por fim, meus pais gastavam muito tempo levando Sarah para os vários ensaios e recitais, então foi ficando mais difícil encontrarmos tempo para ir. Mas, quando conseguíamos, eu sempre pedia um pãozinho de canela, que eu simplesmente amo.

Quando fui morar com a família de Gabby, Tina costumava comprar latas de pãezinhos de canela e assá-los para mim nos fins de semana. A parte de baixo sempre queimava, e ela colocava pouquíssimo da cobertura que já vinha pronta no pacote, mas eu não me importava. Até mesmo um pãozinho de canela ruim é um bom pãozinho de canela.

— Com bastante cobertura — digo a Mark. — Não me importo se isso equivale às calorias de um dia inteiro. Gabby, se você estiver disposta, posso tentar achar uma Primo's e nós vamos lá amanhã.

— Combinado — diz ela. — Ok, estamos perto do museu. Logo ali na frente, à direita. Já quase dá pra ver as luzes, bem ali.

Olho para a frente, para além de sua cabeça, e acho que estou vendo aquilo ao qual ela se refere. Passamos direto pelo sinal verde e paramos num vermelho na frente do museu e, então, eu consigo enxergar perfeitamente.

Poste após de poste, fileiras deles, posicionados bem próximos uns dos outros e acesos. Não se trata dos postes que se veem hoje em dia, do tipo que se projeta em direção ao céu para então se curvar por cima da rua. Estes são *vintage*. Lembram algo no qual Gene Kelly se penduraria quando estivesse cantando na chuva.

Olho para a instalação, fitando-a pela janela com determinação. Suponho que haja nela grande simplicidade e beleza. Há algo de mágico em luzes urbanas contra um pano de fundo de uma noite escura. E talvez haja aqui uma metáfora, algo sobre a luz no meio do... Mas que inferno. Estou mentindo. A verdade é que não entendi.

— Na verdade — sugere Gabby —, por que não saímos do carro? Pode ser, Mark? Podemos estacionar e tirar uma foto rápida perto das luzes? Na primeira noite da Hannah de verdade de volta a Los Angeles?

Mark assente e, quando o sinal fica verde, estaciona rente à calçada. Saltamos do carro e vamos para o meio das luzes.

Ficamos tirando fotos uma da outra, nos revezando. Gabby e eu ficamos entre duas fileiras de luzes para que Mark tire fotos de nós duas abraçadas. Exibimos sorrisos imensos. Nos beijamos nas bochechas. Nos colocamos de cada um dos lados do poste de luz e fazemos caretas para a câmera. Então eu me ofereço para tirar uma foto de Mark e Gabby juntos.

Troco de lugar com Mark, sacando meu próprio telefone para tirar a foto. Gabby e Mark ficam pertinho, agarradinhos, posando sob as luzes dos postes. Chego só um pouco para trás, tentando encontrar o enquadramento que quero.

— Esperem aí — digo. — Quero pegar tudo. — Não consigo me afastar o suficiente para pegar o topo dos postes, então caminho até a beirada da calçada. Ainda não estou longe o bastante, então aperto o botão do sinal para poder ir para o meio da rua.

— Só um segundo! — grito para eles.

— É melhor que fique boa — berra Gabby.

O sinal fica vermelho. A mão vermelha se transforma num homenzinho de luz verde, e eu vou até a faixa de pedestre.

Eu me viro. Enquadro minha foto: Mark e Gabby no meio de um mar de luzes. Aperto o obturador. Verifico a foto. Começo a tirar outra por via das dúvidas.

Quando ouço o guincho dos pneus, já é tarde demais para correr.

Sou atirada até o outro lado da rua. O mundo rodopia. Então tudo fica chocantemente tranquilo.

Olho para as luzes. Olho para Gabby e para Mark. Os dois correm até mim, as bocas abertas, os braços estendidos. Acho que estão gritando, mas não consigo ouvi-los.

Não sinto nada. Não consigo sentir nada.

Acho que estão me chamando. Vejo Gabby estender a mão em minha direção. Vejo Mark pegar o celular.

Sinto cheiro de metal.

Estou sangrando. Não sei onde.

Minha cabeça parece pesada. Meu peito está comprimido, como se o mundo todo estivesse descansando sobre ele.

Gabby está muito assustada.

— Estou bem — digo a ela. — Não se preocupe. Estou bem.

Ela apenas olha para mim.

— Vai ficar tudo bem — digo a ela. — Acredita em mim?

Então seu rosto vira um borrão, o mundo mergulha em silêncio e as luzes se apagam.

Então eu decido ficar na rua com Ethan.

Estou ansiosa para passar um tempo ao lado de um cara bacana, para variar.

Viro para me despedir de Gabby e de Mark. No mesmo segundo, "Express Yourself" começa a tocar no bar e eu sei que tomei a decisão certa. Eu simplesmente adoro essa música. Sarah e eu costumávamos fazer os nossos pais a escutarem repetidamente no carro, cantando a plenos pulmões. Preciso ficar e dançar.

— Você não se importa, não é? — pergunto, abraçando Gabby. — Só quero ficar mais um pouquinho. Ver aonde a noite me leva.

— Claro que não. Aproveite! — responde ela, quando me despeço de Mark com um abraço. Dá para perceber o sorrisinho malicioso no rosto dela, que só eu consigo ver. Reviro os olhos, mas deixo escapar um pequeno sorriso no último minuto. Gabby e Mark se dirigem à porta.

— Então — começa Ethan, virando-se para mim —, a noite é toda nossa. — Ele diz aquilo com um tom escandalizado, e eu tenho a sensação de que voltamos a ser adolescentes.

— Dança comigo? — pergunto.

Ele sorri e abre a porta do bar. Segura-a para que eu possa passar.

— Vamos nessa.

Só temos um minuto até a música terminar e outra começar a tocar. A nova tem um não-sei-o-quê espanhol, um ritmo latino. Sinto meus quadris começarem a se mexer sem a minha permissão. Estão sacudindo de um lado para o outro, para trás e para a frente, testando o ambiente. Logo eu me solto e permito que meu corpo se mova do jeito que quer. Ethan enlaça a parte mais baixa das minhas costas com o braço. Sua perna roça sutilmente na parte interna da minha. Ele se desloca para a frente e para trás, então me puxa rapidamente em direção ao seu corpo. Ele me gira. Nós nos esquecemos de todo mundo à nossa volta e ficamos assim, música após música, nos mexendo juntos. Nossos rostos ficam próximos, mas não se tocam. De vez em quando, eu o pego me olhando e fico levemente vermelha.

Ao final da noite, quando a pista já não tem mais quase ninguém e o bar vai esvaziando, olho à minha volta e percebo que o restante do grupo já foi para casa.

Ethan pega a minha mão e me conduz para fora. Quando nossos pés tocam a calçada, longe da barulheira do bar, sinto os efeitos de uma noite passada num espaço pequeno com a música alta. O mundo externo parece silencioso se comparado ao bar. Meus olhos estão um pouco secos. As plantas dos meus pés estão me matando de tanta dor.

Ethan me conduz rua abaixo enquanto os outros clientes do bar vão saindo lentamente.

— Onde está o seu carro? — pergunto.

— Eu vim andando. Moro a poucas quadras daqui. Por aqui — diz ele. — Tive uma ideia.

Eu cambaleio, tentando acompanhá-lo. Está caminhando rápido demais, e meus pés estão muito doloridos.

— Espere, espere, espere — peço.

Inclino o corpo para a frente e tiro os sapatos. A calçada está imunda. Vejo nela bolotas de chiclete tão velhas que já se transformaram em manchas pretas no concreto. Mais adiante, uma árvore se enraizou com tanta firmeza no solo que rachou a calçada, deixando-a cheia de dentadas e fendas. Como meus pés estão doendo muito, pego os sapatos e sigo Ethan.

Ethan olha para os meus pés e para onde está.

— O que você está fazendo?

— Meus pés estão doendo. Não consigo andar com esses sapatos. Está tudo bem. Vamos.

— Quer que eu te carregue no colo?

42

Eu começo a rir.

— O que há de tão engraçado? — pergunta ele. — Eu posso te carregar.

— Eu estou bem. Não é a primeira vez que caminho por uma cidade descalça.

Ele ri e começa a caminhar outra vez.

— Como eu ia dizendo... Tive uma ótima ideia.

— E que ideia é essa?

— Você estava dançando — diz ele, me puxando para a frente.

— Isso é óbvio.

— E estava bebendo.

— Um pouquinho.

— E suou um bocado.

— É... Eu diria que sim?

— Mas tem uma coisa que você não fez.

— Ok...

— Não comeu.

No instante em que ele diz aquilo, me sinto subitamente esfomeada.

— Ah, meu Deus, e onde podemos comer? — pergunto.

Ele aperta o passo em direção a um movimentado cruzamento mais adiante. Começo a sentir um cheiro. Uma coisa defumada. Corro com ele, os pés golpeando o concreto imundo com cada passo até chegarmos a uma multidão formada na calçada.

Olho para Ethan. Ele me conta o que é aquele cheiro.

— Salsichas. Enroladas. Em bacon.

Ele atravessa a multidão e caminha até a carrocinha de cachorro-quente e pede dois. O carrinho mais parece uma carrocinha de sorvete sofisticada que alguém poderia empurrar num parque. Mas a mulher que está atendendo mantém o controle sobre os pedidos de todos os semibêbados espalhados pela rua.

Ethan volta com as nossas salsichas agasalhadas em pãezinhos. Coloca uma debaixo do meu nariz.

— Cheire isso.

Eu cheiro.

— Já sentiu um cheiro tão maravilhoso, tão tarde da noite, em alguma outra cidade?

Neste exato segundo, eu sinceramente não consigo pensar em nenhuma vez.

— Não — respondo.

Dobramos o quarteirão e entramos numa rua residencial. Os barulhos da multidão e a fumaça da carrocinha desapareceram. Ouço grilos. *Embora esteja no meio de uma cidade.* Tinha me esquecido disso sobre Los Angeles. Tinha me esquecido de que é urbana e suburbana ao mesmo tempo.

A rua é ladeada por palmeiras tão altas que é preciso inclinar a cabeça para trás, olhando para cima, para vê-las por inteiro. Sobem e descem os quarteirões em direção ao norte e ao sul. Ethan caminha em direção a uma delas e ao gramado que a cerca. Senta-se no estreito meio-fio, coloca os pés no asfalto e se encosta na palmeira. Faço o mesmo, ao seu lado.

A essa altura, as solas dos meus pés estão pretas. Só posso imaginar o quanto vou deixar o boxe de Gabby imundo amanhã de manhã.

— Me dê esse cachorro-quente logo — digo, estendendo a mão e esperando que Ethan me entregue o que ele decidiu ser o meu.

Ele me dá.

— Obrigada — digo. — Pelo jantar. Ou café da manhã. Não sei bem o que é.

Ele assente com a cabeça, já tendo dado uma mordida. Depois de engolir, diz:

— Ah, cometi um erro de principiante. Devia ter comprado água pra gente também.

O mundo está começando a entrar um pouco mais em foco agora que deixamos o bar. Consigo escutar melhor. Enxergar melhor. E, talvez, o mais importante de tudo, consigo saborear este delicioso cachorro-quente com salsicha gloriosamente embrulhada em bacon.

— Eu sei que já virou um clichê — começo —, mas bacon realmente deixa tudo mais gostoso.

— É, eu sei. Não quero parecer pretensioso, mas acho que percebi isso antes de todo mundo. Eu amo bacon há anos.

Eu rio.

— Você gostava de bacon na época em que era só comida de café da manhã.

Ele ri e passa a usar uma voz afetada.

— Agora mudou. Ficou tão comercial.

— Pois é — concordo. — Você provavelmente comia bacon com rosquinhas em 2003.

— Brincadeiras à parte, eu realmente acho que saquei essa coisa do bacon misturado com doce antes de todo mundo.

Começo a rir dele entre as mordidas.

— Estou falando sério! Quando eu era pequeno, sempre colocava maple syrup no meu bacon. Maple syrup mais bacon é igual a... bacon doce. Não precisa me agradecer, América.

Rio dele e coloco a mão em suas costas.

— Sinto informar que as pessoas fazem isso há anos.

Ele olha diretamente para mim.

— Mas ninguém me falou isso. Eu descobri sozinho — argumenta ele. — A ideia foi minha.

— De onde você acha que as pessoas pegaram inspiração pra fazer rosquinhas com maple syrup e bacon ou bacon com açúcar mascavo? No país inteiro, há anos, as pessoas colocam maple syrup no bacon e acham isso o máximo.

Ele sorri para mim.

— Você acaba de estragar a única coisa que eu já considerei ser uma realização pessoal.

Eu rio.

— Ah, fala sério. Você está falando com uma mulher que não tem carreira nem casa, quase não tem dinheiro e tem zero potencial. Não vamos falar sobre realizações pessoais.

Ethan se vira para mim. O cachorro-quente dele já acabou há muito tempo.

— Você não pensa assim de verdade.

Normalmente eu faria piada. Mas piadas dão muito trabalho. Balanço a cabeça de um lado para o outro como se estivesse decidindo.

— Não sei. Eu meio que penso isso, sim.

Ethan balança a cabeça também, mas eu continuo falando.

— Quer dizer, eu nunca imaginei que a minha vida tomaria esse rumo, não mesmo. Aí eu olho pra alguém como a Gabby ou como você e tenho tipo a sensação de ter ficado pra trás. Não é nada de mais — digo, finalmente me dando conta de que estou me queixando. — É só algo no qual eu tenho que me empenhar. Quer dizer, acho que só estou na esperança de, qualquer dia desses, encontrar uma cidade na qual eu queira mesmo morar.

— Eu sempre achei que você devia morar aqui — diz Ethan, olhando nos meus olhos.

Eu sorrio, mas, como Ethan não desvia o olhar, fico nervosa. Bato levemente com as mãos nas minhas coxas.

— Bem — começo —, vamos indo?

Ethan fica olhando para o chão por um momento. Então, ele parece despertar, voltar a si.

— É — concorda ele. — Vamos voltar. — Ele se levanta, assim como eu, nossos corpos mais próximos do que qualquer um dos dois havia esperado. Posso sentir o calor de sua pele.

Começo a me afastar, e ele segura minha mão levemente para me deter. Ele me olha nos olhos. Eu desvio o olhar primeiro.

— Tem uma coisa que eu quero te perguntar já faz um tempo — diz ele.

— O que é?

— Por que nós terminamos?

Olho para ele e sinto a cabeça inclinar para o lado, mesmo que ligeiramente. Estou sinceramente surpresa com a pergunta. Rio baixinho.

— Bem — começo —, acho que é isso o que as pessoas de 18 anos fazem. Terminam namoros.

A tensão não se dissipa.

— Eu sei — ele diz —, mas a gente teve algum bom motivo pra isso?

Olho para ele e sorrio.

— Se a gente teve um bom *motivo*? — repito a pergunta. — Não sei. Na verdade, adolescentes não precisam de bons motivos pra nada.

Ele ri e começa a caminhar na direção de onde viemos. Ando junto com ele.

— Você partiu meu coração — diz ele, sorrindo para mim. — Sabe disso, não sabe?

— O quê? Ah, não, não, não — protesto. — Eu é que fiquei com o coração partido. Eu é que fui descartada quando o meu namorado foi embora pra faculdade.

Ele balança a cabeça olhando para mim, sorrindo mesmo sem querer.

— Quanta mentira — diz ele. — Foi *você* quem terminou *comigo*.

Sorrio e balanço a cabeça também.

— Acho que estamos diante de outra versão da história — digo. — *Eu* queria ficar com você.

— Que ridículo! — reclama ele. As mãos estão enterradas nos bolsos, os ombros encurvados para a frente. Ele caminha lentamente. — Isso é completamente ridículo. Uma mulher parte o seu coração, volta pra sua cidade uma década depois e coloca a culpa em você.

— Tá bem, tá bem. — Eu acabo cedendo. — Podemos concordar em discordar.

Ele olha para mim e balança a cabeça.

— Não! — exclama, rindo. — Eu não aceito.

— Ah, você está sendo teimoso — reclamo.

— Não estou, não. Eu tenho provas.

— Provas?

— Evidências nuas e cruas.

Paro onde estou e cruzo os braços.

— Essa vai ser ótima. Qual é a sua prova?

Ele para de andar também e se aproxima um pouco mais.

— Prova A: Chris Rodriguez. — Ele cita meu namorado do último ano.

— Ora, por favor — digo. — O que o Chris Rodriguez prova?

— Que a sua fila andou primeiro. Eu voltei de Berkeley no Natal pronto pra bater na sua porta e seduzir você — continua ele. — E no instante em que chego à cidade, me contam que você está saindo com o Chris Rodriguez.

Eu rio e reviro os olhos só um pouquinho.

— O Chris não significou nada. Eu nem estava mais com ele quando você voltou pra casa no verão. Sabe, eu pensei que, talvez, você estando em casa durante aqueles três meses...

Ele ergue e baixa as sobrancelhas para mim, mostrando sua aprovação.

Eu rio, ligeiramente envergonhada.

— Bem, de qualquer forma, não importava, né? Você estava com a Alicia.

— Só porque achei que você estava com o Chris — argumenta ele. — Foi o único motivo pelo qual fiquei com ela.

— Que coisa mais feia! — repreendo-o.

— Bem, eu não sabia disso naquela época! — defende-se ele. — Achei que a amasse. Sabe, eu tinha 19 anos e a lucidez de uma maçaneta de porta.

— Então vai ver que a amava mesmo. Talvez tenha sido você quem me superou.

Ele faz que não com a cabeça.

— Que nada. Ela terminou comigo quando as aulas começaram naquele ano. Disse que precisava de alguém que lhe dissesse que ela era a única.

— E você não podia fazer isso?

Ele olha bem para mim.

— Não.

O silêncio volta a reinar por mais um tempo. Nenhum de nós tem muito o que dizer. Ou talvez seja mais certo afirmar que nenhum de nós sabe *o que* dizer.

— Então nós partimos o coração um do outro — concluo, por fim. Começo a caminhar outra vez.

Ele me acompanha e sorri.

— Concordo em discordar — afirma.

Continuamos nossa caminhada, paramos no sinal vermelho e esperamos o sinal de pedestre abrir.

— Eu nunca transei com o Chris — confesso isso a ele enquanto vamos avançando cada vez mais pelo bairro residencial.

— Não?

— Não — repito, balançando a cabeça.

— Algum motivo pra isso?

Meneio a cabeça, tentando encontrar as palavras para explicar o que senti na época.

— Eu... eu não conseguia suportar a ideia de dividir aquilo com alguém que não fosse você. Não me parecia certo fazer aquilo com qualquer um.

Eu tinha 21 anos quando transei com outro cara. Foi com Dave, meu namorado da faculdade. Não transei com ele por achar que ele talvez significasse alguma coisa para mim da mesma forma que Ethan havia significado. Transei porque *não* transar estava ficando esquisito. Para ser sincera, em algum momento, parei de pensar que a pessoa tinha de ser especial, que aquilo era algo sagrado.

— Aposto que você não rejeitou as investidas da Alicia — digo, provocando Ethan. Por um instante, acho que o vejo ruborizar.

Ele me leva até um prédio coberto de hera, numa rua escura e silenciosa. Abre a porta do saguão e me deixa entrar primeiro.

— Aí você me pegou — diz. — Sinto vergonha de admitir que houve momentos na minha vida em que ser rejeitado pela mulher que eu amava só serviu pra me encorajar a dormir com outras. Não é a minha melhor característica. Mas entorpece a dor.

— Imagino que sim.

Ele me guia até seu apartamento, no segundo andar.

— Mas isso não significa nada — continua ele. — Dormir com a Alicia não quis dizer que eu não amasse você. Que eu não teria largado tudo pra estar com você. Se eu achasse... Bem, você sabe aonde estou querendo chegar.

Olho para ele.

— Sei, sim.

Ele abre a porta e faz sinal para que eu entre. Olho para ele e entro no apartamento. É um conjugado, mas dos grandes, o que o torna aconchegante sem parecer apertado. É organizado, mas não necessariamente limpo. Quero dizer que está tudo em seu devido lugar, embora eu consiga ver bolotas de poeira nos cantos, a mancha de um copo d'água na mesa de centro de madeira escura. As paredes foram pintadas de um azul profundo, porém discreto. Há uma TV de tela plana afixada à parede que fica de frente para o sofá e estantes sobrecarregadas de livros cobrem cada espaço disponível. A roupa de cama é de um cinza escuro e clemente. Será que eu sabia, naquele tempo, que ele se transformaria nesse tipo de adulto? Bom, não sei.

— Foi muito difícil esquecer você — diz ele.

— Foi mesmo? — Estou com um nó na garganta, mas tento disfarçar sendo galanteadora e natural. — E o que havia de tão difícil pra esquecer?

Ele atira as chaves numa mesa de canto.

— Três coisas — responde ele.

Eu sorrio, deixando que ele saiba que estou pronta para escutá-lo.

— Isso vai ser ótimo!

— Estou falando sério. Está pronta pra ouvir? Porque eu não estou brincando.

— Estou pronta.

Ethan ergue o polegar para começar a contagem.

— Um — começa —, você sempre usava o cabelo preso, exatamente como está agora, nesse coque alto. Muito de vez em quando, você o soltava. — Ele faz uma pausa, então volta a falar. — Eu sempre amei esse momento. O instante que o seu cabelo se soltava, quando ele caía no seu pescoço e ao redor do seu rosto.

Eu me pego remexendo o coque no topo da cabeça. Tenho de me fazer parar de ajustá-lo.

— Ok — digo.

— Dois — recomeça ele —, você tinha gosto de canela com açúcar.

Dou uma gargalhada. Se não tinha certeza antes, agora sei que está sendo sincero.

— Por causa dos pãezinhos de canela.

Ele faz que sim.

— Por causa dos pãezinhos de canela.

— E qual é a terceira coisa? — pergunto. Não tenho certeza se quero saber. É como se a terceira coisa que ele vai dizer pudesse, indubitável e irrevogavelmente, trazer à tona todas aquelas sensações adolescentes, todo aquele rubor nas bochechas e os batimentos cardíacos acelerados. As sensações adolescentes são as mais inebriantes, aquelas que têm o poder de nos deixar impotentes.

— Você cheirava a tangerina — conclui.

Olho bem para ele.

— Laranja com gengibre.

— Isso — concorda ele. — Você sempre cheirava a laranja com gengibre. Ele se aproxima ligeiramente do meu pescoço. — Ainda tem esse cheiro.

Ele está perto o suficiente para que eu também consiga sentir o seu cheiro — uma mistura de sabão em pó com suor.

Já consigo sentir as bochechas começarem a arder, os batimentos acelerarem.

— Você também tem um cheiro bom — digo e não me afasto.

— Obrigado.

— No ensino médio você cheirava a Tide.

— Acho que era o sabão que a minha mãe usava.

— Quando você foi embora, eu ficava cheirando as suas camisas velhas — confesso. — Costumava dormir com elas.

Ele presta atenção no que digo. Absorve minhas palavras, meus sentimentos e os cospe de volta na forma de fatos.

— Você me amava — afirma.

— É — concordo. — Amava, sim. Eu te amava tanto que às vezes aquilo queimava dentro do meu peito.

Ele inclina o corpo para a frente, ligeiramente.

— Quero beijar você.

Eu respiro fundo.

— Tá.

— Mas não quero fazer isso se... Não quero que seja só por hoje.

— Eu não sei o que é — digo —, mas não é só por hoje.

Ele sorri e se aproxima de mim.

De início é suave, o toque de lábio sobre lábio, mas eu me aproximo mais e, quando o faço, aquilo nos domina por completo.

Nós nos encostamos na porta fechada, meus ombros roçam no alizar.

Seus lábios se movem do mesmo jeito que se moviam naquela época, seu corpo provoca em mim a mesma sensação de antigamente e, até onde é possível duas pessoas voltarem o relógio, até onde é possível apagarem o tempo, é o que fazemos.

Até chegarmos à sua cama, a sensação é de que nunca nos separamos. Parece que nunca terminamos, que meus pais nunca foram embora, que eu nunca namorei Chris Rodriguez e que Ethan nunca conheceu Alicia Foster. Parece que eu nunca senti o frio de Boston nas mãos ou o vento de Washington nos cabelos. Que nunca senti a chuva de Portland e de Seattle nos ombros ou o calor de Austin na pele. É como se Nova York e todas as suas desilusões jamais tivessem penetrado o meu coração.

A sensação é de que, uma vez na vida, eu finalmente tomei uma decisão acertada.

TRÊS DIAS DEPOIS

Abro os olhos.

Minha cabeça está pesada. O mundo está envolto em névoa. Minha visão entra em foco lentamente.

Estou numa cama de hospital. Minhas pernas estão esticadas à minha frente; um cobertor as cobre. Meus braços estão esticados ao longo do corpo. Há uma mulher loura diante de mim com uma expressão estoica, porém gentil, no rosto. Tem uns 40 anos. Não tenho certeza, mas não acho que já a tenha visto antes.

Está usando um jaleco branco e segura uma pasta.

— Hannah? — chama ela. — Mexa a cabeça se estiver me ouvindo, Hannah. Não tente falar ainda. Apenas faça que sim.

Faço que sim com a cabeça. Só aquele pequeno aceno já dói. Sinto a dor descer pelas costas. Sinto uma dor entorpecida pelo corpo todo, e ela parece aumentar exponencialmente.

— Hannah, sou a Dra. Winters. Você está no Angeles Presbyterian. Você foi atropelada por um carro.

Assinto com a cabeça outra vez. Não estou completamente certa de que devo fazer isso, mas é o que faço.

— Podemos entrar em detalhes mais tarde, mas eu quero falar da questão mais importante primeiro, ok?

Balanço a cabeça novamente. Não sei o que mais fazer.

— Em primeiro lugar, numa escala de um a dez, qual é o nível da sua dor? Dez sendo tanta que você acha que não vai aguentar nem mais um segundo. Um sendo que você se sente perfeitamente bem.

Tento falar, mas ela me impede.

— Mostre com os dedos. Não os levante. Não mexa os braços. Apenas mostre com as mãos paralelas ao corpo.

Olho para as minhas mãos e escondo quatro dedos da esquerda.

— Seis? — pergunta ela. — Está bem.

Ela escreve alguma coisa na pasta e começa a mexer em uma das máquinas atrás de mim.

— Vamos fazer com que chegue a um. — Ela sorri. É um sorriso tranquilizador. Ela parece acreditar que tudo vai ficar bem. — Logo você vai ter mais facilidade pra mexer os braços e o tronco, e falar não vai ser tão difícil quando começar a se movimentar. Você perdeu sangue e sofreu fraturas. Estou hipersimplificando, mas é o bastante por ora. Você vai ficar bem. De início, vai ser difícil andar. Vai ter que praticar um pouco antes que isso volte a ser uma coisa natural pra você, mas vai voltar. Um dia vai voltar a ser natural. É isso que eu quero que você lembre dessa conversa.

Aceno com a cabeça. Dói menos desta vez. O que quer que ela tenha feito, agora dói menos.

— Bem, você ficou inconsciente por três dias. Parte desse tempo foi devido à pancada que sofreu na cabeça quando aconteceu o acidente, mas também porque anestesiamos você para a cirurgia.

Ela fica em silêncio por um instante, e eu a vejo olhar para o lado. Vira-se de volta para mim.

— É perfeitamente normal se você não se lembrar do acidente. Pode levar um tempo para que sua memória volte. Você se lembra do que aconteceu?

Abro a boca para responder.

— Apenas faça que sim ou que não com a cabeça por enquanto — diz ela.

54

Faço que não, ligeiramente.

— Tudo bem. Isso é completamente normal. Nada com que deva se preocupar.

Faço que sim para que ela saiba que compreendo.

— Agora, como eu disse, podemos falar dos detalhes dos seus ferimentos e da sua cirurgia quando estiver se sentindo um pouco mais forte. Mas tem uma última coisa que eu quero ter certeza de que você tem ciência, o mais rápido possível.

Olho fixamente para ela, esperando o que tem a dizer.

— Você estava grávida quando sofreu o acidente.

Ela pega o meu prontuário e consulta uma folha de papel.

Espere aí, o que ela acabou de dizer?

— Ao que parece, estava mais ou menos na décima semana. Você sabia? Faça que sim ou que não, se quiser.

Posso sentir meu coração começar a bater mais rápido. Eu nego, movendo a cabeça.

Ela assente, num gesto compreensivo.

— Tudo bem — diz. — Isso é mais comum do que você imagina. Quando a mulher não está tentando engravidar e seu ciclo nem sempre é regular, é possível não saber nesse estágio da gravidez.

Continuo a fitá-la sem ter certeza do que exatamente está acontecendo neste instante; fico muda de perplexidade.

— O bebê não sobreviveu — diz ela. — O que, infelizmente, também é comum.

Ela espera que eu reaja, mas eu não tenho reação. Minha mente está vazia. Só consigo sentir meus olhos piscarem rapidamente.

— Eu sinto muito — continua ela. — Imagino que seja muita coisa pra você digerir de uma vez. Dispomos de vários recursos aqui no hospital que podem ajudar você a lidar com tudo o que aconteceu. A boa notícia, e eu realmente espero que você consiga enxergar a boa notícia, é que vai estar de volta ao seu normal logo, fisicamente falando.

Ela olha para mim. Desvio o olhar. Então faço que sim com a cabeça. Percebo que meu cabelo está solto em torno do rosto. Devo ter perdido o prendedor. Fico meio desconfortável com ele assim, solto. Quero ele de volta num coque.

Por acaso ela acabou de dizer que eu perdi um bebê?

Eu perdi um bebê?

— Ouça o que vamos fazer — diz a médica. — Tem muita gente que sentiu a sua falta nesses últimos dias. Muita gente que tem estado animada à espera desse momento, o instante em que você acordou.

Fecho os olhos lentamente.

Um bebê.

— Alguns pacientes precisam de um tempo sozinhos assim que acordam. Não estão prontos pra ver a mãe e o pai, a irmã e os amigos.

— Minha mãe e meu pai? — começo a dizer, mas minha voz é tão ininteligível quanto um sussurro. Sai rouca e cheia de ar.

— Você passou um tempo com um tubo na garganta. Falar vai ser difícil, mas vai conseguir mais rápido quanto mais você tentar. Vá com calma. Comece com uma ou duas palavras de cada vez, está bem? Faça que sim e que não com a cabeça quando puder.

Faço que sim, mas não consigo resistir.

— Eles estão aqui? — pergunto. Falar dói. Dói em volta da garganta.

— Estão. Mãe, pai, irmã, Gabby, é isso? Ou... Sarah? Sua irmã é a Sarah e sua amiga é a Gabby?

Sorrio e faço que sim.

— Então... precisa de um tempo sozinha? Ou está pronta pra ver a sua família? Levante o braço direito para um tempo sozinha. O esquerdo para a família.

Dói, mas minha mão esquerda voa para cima, mais alto do que eu achei que iria.

56

A bro os olhos.
Minha cabeça está pesada. O mundo está envolto em névoa. Minha visão entra em foco lentamente.

Então abro um largo sorriso porque, bem na minha frente, olhando diretamente para mim, está Ethan Hanover.

Eu me espreguiço lentamente e afundo ainda mais a cabeça no travesseiro. A cama dele é tão macia. O tipo de cama da qual nunca queremos levantar. E acho que, nos últimos dias, realmente não me levantei.

— Oi — diz ele, baixinho. — Bom dia.

— Bom dia — digo. Estou grogue. Minha garganta está arranhando. Eu pigarreio. — Oi — digo. Agora minha voz soa melhor.

— Você não comeu um só pãozinho de canela desde que chegou — comenta ele. — Isso dá um total de três dias sem pãezinhos de canela. — Ele está debaixo das cobertas e sem camisa. Os cabelos estão revoltos e desgrenhados. A barba por fazer já cresceu mais. Sinto o cheiro do seu hálito atravessar a curta distância que separa seu travesseiro do meu. Deixa a desejar.

— Seu hálito está horrível — provoco. Não tenho a menor dúvida de que o meu esteja igual. Depois que digo isso, cubro a boca com a mão. Falo por entre os dedos. — Talvez devêssemos escovar os dentes.

Ele tenta afastar a minha mão do rosto, mas eu não deixo. Em vez disso, mergulho debaixo das cobertas. Estou usando uma de suas camisas e uma calcinha que peguei ontem na mala que ficou na casa de Gabby. Fora a ida à casa dela para pegar umas coisas, Ethan e eu não saímos deste apartamento desde que viemos para cá no sábado à noite.

Ele mergulha debaixo das cobertas para me pegar e agarra minhas mãos, mantendo-as afastadas do meu rosto.

— Vou beijar você — avisa.

— Não — digo. — Não, estou com bafo. Me liberte do seu abraço de super-homem e me deixe escovar os dentes.

— Por que está levando isso tão a sério? — pergunta ele, rindo, sem me soltar. — Você está com bafo. Eu estou com bafo. Vamos ter bafo juntos.

Coloco a cabeça para fora das cobertas tentando respirar ar puro e volto para baixo delas.

— Está bem — concordo, soltando o ar em cima do rosto dele.

— Eca! — reclama ele. — Completamente revoltante.

— E se o meu hálito fedesse desse jeito todas as manhãs? Você ainda ia querer ficar comigo? — pergunto, caçoando dele.

— Ia, sim! — responde ele para, então, me beijar de verdade. — Você não é muito boa nesse jogo.

Começamos essa brincadeira no domingo à noite. O que poderia fazer as coisas desandarem entre nós? O que conseguiria estragar esta coisa fantástica que temos?

Até aqui, decidimos que, se eu me tornasse uma imitadora do Elvis e insistisse com ele para que comparecesse a todos os meus shows, ele ainda assim ia querer estar comigo. Se eu decidisse comprar uma cobra de estimação e batizá-la de Bartholomew, ele ainda ia querer estar comigo. A halitose perpétua, pelo visto, tampouco seria um empecilho.

— E se tudo que eu colocasse na máquina de lavar encolhesse?

Isso não é uma hipótese. É bem real.

— Não tem problema — diz ele, afastando-se de mim e se levantando da cama. — Eu lavo a minha própria roupa.

Eu me recosto outra vez, coloco a cabeça no travesseiro.

— Mas e se eu disser a palavra "quipom" errado toda vez?

— Claramente não haveria problema porque você acaba de falar errado. — Ele apanha a calça jeans do chão e a veste.

— Não falei, não! — reclamo. — "Qui-pom".

— É "cu-pom". — Ele coloca a camisa.

— Ah, meu Deus! — exclamo, me sentando com as costas eretas e completamente ultrajada. — Por favor, me diga que você está brincando. Diga que você não pronuncia "cu-pom".

— Eu não posso dizer uma coisa dessas — começa ele — porque seria mentira.

— Então é isso. É esse o obstáculo que está no nosso caminho.

Ele atira minha calça em cima de mim.

— Sinto muito, mas não. Você vai ter que superar isso. Se te faz se sentir melhor, não vamos usar cupons pelo resto das nossas vidas, ok?

Eu me levanto e visto a calça. Fico com a camisa dele, mas pego o sutiã do chão e o coloco por baixo. É tão bizarro e tão canhestro — vestir um sutiã enquanto ainda se está de camisa — que na metade do processo eu me pergunto por que simplesmente não tirei a camisa primeiro.

— Tá bem — concordo —, se você prometer que nunca mais vamos voltar a falar de cupons, está certo, podemos ficar juntos.

— Obrigado — diz ele, pegando a carteira. — Calce os sapatos. — Solto os cabelos brevemente de forma a poder refazer o coque. Ele me fita por um instante enquanto eles caem. Sorri quando os prendo outra vez.

— Aonde vamos? Por que estamos saindo da cama?

— Eu já falei — diz ele, calçando os sapatos. — Você não comeu nenhum pãozinho de canela em três dias.

Começo a rir.

— Então ande logo, mocinha. — Ele agora está completamente vestido e pronto para sair. — Não tenho o dia todo.

Eu calço os sapatos.

— Tem, sim.

Ele dá de ombros. Pego a bolsa e saio pela porta com tanta rapidez que ele tem de correr para me alcançar. Até chegarmos à garagem, ele já passou na minha frente, mesmo que por pouco, e abre a porta do carro para mim.

— Você anda muito cavalheiro — comento, enquanto ele se acomoda no assento do motorista e liga o carro. — Não me lembro desse cavalheirismo todo quando estávamos na escola.

Ele dá de ombros mais uma vez.

— Eu era adolescente — justifica. — Espero ter amadurecido desde então. Vamos?

— Rumo aos pãezinhos de canela! — exclamo. — De preferência com bastante cobertura.

Ele sorri e sai da pista de acesso.

— Seu desejo é uma ordem.

M eu pai está sentado à minha direita segurando a minha mão. Minha mãe está ao pé da cama olhando fixamente para as minhas pernas. Sarah está de pé ao lado da morfina.

Gabby entrou com eles há uma hora. Foi a única que logo me olhou nos olhos. Depois de me abraçar e de falar que me amava, disse que nos deixaria a sós para conversarmos. Prometeu que voltaria logo. Foi embora para que minha família tivesse alguma privacidade, mas também acho que precisava de um tempo para se recompor. Percebi, quando se virava para sair, que estava secando os olhos e que fungava.

Acho que está difícil olhar para mim.

Dá para perceber que minha mãe, meu pai e Sarah já choraram hoje. Seus olhos estão sem vida. Eles parecem cansados e pálidos.

Eu não os via desde o Natal do ano retrasado e é estranho vê-los diante de mim neste momento. Estão nos Estados Unidos. Los Angeles. Nós quatro, a família Martin, não se reúne em Los Angeles desde meu penúltimo ano do ensino médio. Desde então, nossas reuniões anuais de família acontecem no apartamento onde eles moram em Londres, um lugar ao qual Sarah se refere, muito casualmente e sem a menor ironia, como um "flat".

Mas agora eles estão aqui no meu mundo, no meu país, numa cidade que um dia foi nossa.

— A médica disse que logo, logo você vai voltar a andar — comenta Sarah, mexendo nervosamente na grade da cama. — O que eu acho que é uma boa notícia, não é? Sei lá. — Ela para e olha para o chão. — Não sei o que dizer.

Sorrio para ela.

61

Está usando jeans preto e um suntuoso suéter creme. Seus longos cabelos louros foram escovados e alisados. Eu e ela temos a mesma cor de cabelo natural, um castanho escuro. Mas entendo por que ficou loura. Ela fica bem loura. Eu tentei uma vez, mas, cruzes, você sabia que tem de ir ao salão para retocar as raízes a cada seis semanas? Quem tem dinheiro e tempo para isso?

Sarah está com 26 anos. Acho que talvez poderia parecer um pouco mais comigo, ter um pouco mais de curvas, se não passasse o dia todo dançando. Em vez disso, é musculosa e, no entanto, de alguma forma, graciosa. Sua postura é tão ereta que, se você não a conhecesse bem, talvez suspeitasse que fosse um robô.

É o tipo de pessoa que faz tudo como manda o figurino, da maneira certa. Gosta de roupas chiques, de comidas refinadas e de alta-cultura.

No Natal, há alguns anos, ela me deu uma bolsa Burberry de presente. Eu lhe agradeci e fiz de tudo para não arranhá-la, não estragá-la. Mas já a havia perdido por volta de março. Eu me senti mal, mas também pensei assim: *Bem, no que ela estava pensando ao me dar uma bolsa Burberry?*

— Trouxemos revistas pra você — diz ela agora. — Das boas, inglesas. Pensei que, se eu estivesse numa cama de hospital, ia querer o que tem de melhor.

— Eu... nós já estamos felizes por você estar bem — diz minha mãe. Está prestes a chorar outra vez. — Você nos deu um baita susto — acrescenta. Os cabelos dela são naturalmente louro escuro. Ela é mais clara do que o restante da família.

Meu pai tem cabelos muito pretos, tão cheios e brilhosos que eu costumava dizer que as caixas da tintura para cabelos Just For Men deveriam ter uma foto dele. Foi só quando já estava na faculdade que me ocorreu que ele provavelmente usava Just For Men. Está apertando a minha mão desde que se sentou. Agora ele a aperta com mais força por um instante para enfatizar o que minha mãe diz.

Faço que sim com a cabeça e sorrio. É esquisito. Eu me sinto estranha. Não tenho nada para dizer a eles e, ainda que eu não pudesse mesmo dizer coisa alguma, me causa estranheza que estejamos todos aqui sentados, sem nos falarmos.

Eles são minha família, e eu os amo. Mas não diria que somos especialmente próximos. E, de vez em quando, vendo os três juntos, com suas afetações não americanas parecidas e suas revistas inglesas, me sinto um peixe fora d'água.

— Estou com sono — declaro.

O som da minha voz faz todos entrarem em estado de atenção.

— Oh, tudo bem — diz minha mãe. — Vamos deixar você dormir.

Meu pai se levanta e beija a minha têmpora.

— É isso? É pra irmos? Pra deixarmos você dormir? Não é pra ficarmos, é? Enquanto você dorme? — pergunta minha mãe enquanto Sarah e meu pai começam a rir dela.

— Maureen, ela está bem. Nossa filha pode dormir sozinha, e nós vamos estar na sala de espera se ela precisar de nós. — Meu pai pisca para mim.

Eu assinto com a cabeça.

— Vou deixar isso aqui com você — diz Sarah, tirando um monte de revistas de dentro da bolsa. Ela as coloca sobre a bandeja que fica ao lado da minha cama. — É só, sabe, caso você acorde e queira ver fotos da Kate Middleton. Quer dizer, é o que eu faria o dia inteiro se pudesse.

Eu sorrio para ela.

E eles vão embora.

E estou finalmente só.

Eu estava grávida.

E agora não estou mais.

Perdi um bebê que nem sabia que existia. Perdi um bebê que não havia planejado e que não queria.

Como se chora a perda de uma coisa dessas? Como se chora a perda de uma coisa que você nem sabia que tinha? Algo que nunca quis, mas algo real, algo importante. Uma vida.

Minha mente retorna ao passado para pensar em *quando* fiquei grávida. Retorna aos momentos em que tomei a pílula mais tarde do que pretendia ou da vez em que uma, sem querer, rolou para debaixo da cama e eu não consegui encontrá-la. Penso em quando disse a Michael que devíamos usar camisinha por precaução durante alguns dias, e ele falou que não se importava. E, por algum motivo, achei que tudo bem. Eu me pergunto em que momento específico aconteceu. Em que momento cometemos um erro que fez um bebê.

Um bebê que agora se foi.

Pela primeira vez desde que despertei, começo a chorar.

Perdi um bebê.

Fecho os olhos e me permito ser varrida pela emoção. Escuto o que meu coração e minha mente estão tentando me dizer.

Estou aliviada e arrasada. Estou com medo. Estou com raiva. Não sei se alguma coisa vai ficar bem.

As lágrimas escorrem pelo meu rosto com tanta intensidade que não tenho como segurar todas. Escorrem até a minha camisola hospitalar. Meu nariz começa a escorrer. Não tenho a capacidade física de limpá-lo com a manga.

Minha cabeça dói com a pressão. Viro-me para o travesseiro e enterro o rosto na fronha. Dá para senti-la ficando molhada.

Ouço a porta abrir e não me dou ao trabalho de ver quem é. Eu sei quem é.

Ela deixa escapar um suspiro e se deita ao meu lado na cama. Não me viro para olhar seu rosto. Não preciso ouvir sua voz. Gabby.

Deixo aquilo explodir. O medo, a raiva e a confusão. A dor, o alívio e o nojo.

Alguém me atropelou com o carro. Alguém passou por cima de mim. Quebraram meus ossos, romperam minhas artérias e mataram o bebê que eu ainda não amava.

Gabby é a única pessoa no mundo em quem confio para desabafar minha dor.

Eu uivo para dentro do travesseiro. Ela me abraça com mais força.

— Deixe sair — diz ela. — Deixe sair.

Respiro com tanta força que fico exaurida. Estou tonta de oxigênio e de angústia.

Então viro a cabeça em direção a ela. Vejo que também esteve chorando.

Isso faz com que eu me sinta melhor de alguma maneira. Como se ela pudesse carregar parte da dor por mim, como se fosse capaz de tirar um pouco da dor de mim.

— Respire — diz ela. Ela me olha nos olhos e inspira lentamente para, então, expirar lentamente. — Respire — repete. — Igual a mim. Vamos.

Não compreendo por que está dizendo aquilo até me dar conta de que não estou respirando. O ar está preso em meu peito. Estou prendendo todo o ar nos pulmões. E, quando percebo o que estou fazendo, eu o solto. Ele transborda de dentro de mim como se uma barragem tivesse se rompido.

O ar volta com um arquejo. Um arfar audível e dolorido.

E eu me sinto, talvez pela primeira vez desde que despertei, viva. Eu estou viva.

Eu estou viva hoje.

— Eu estava grávida — falo, voltando a chorar. — De dez semanas. — É a primeira coisa de verdade que digo desde que despertei e sinto o quanto aquilo estava me rasgando por dentro, como uma bala ricocheteando nas minhas entranhas.

Falar não é tão difícil quanto achei que seria. Acho que consigo falar perfeitamente bem. Mas não preciso dizer mais nada.

Não preciso dizer a Gabby que eu não sabia. Não preciso dizer a Gabby que não teria estado pronta para o bebê que não tenho.

Ela já sabe disso. Gabby sempre sabe. E talvez, sendo direta, ela sabe que não há nada a dizer.

Então ela me abraça e escuta enquanto eu choro. E, a cada poucos minutos, me lembra de respirar.

E eu respiro. Porque estou viva. Posso estar destroçada e com medo. Mas estou viva.

E than e eu estamos dando a volta no quarteirão do café ao qual ele quer ir. Apesar de ser uma terça-feira e de se pensar que a maioria das pessoas estaria trabalhando, a rua está abarrotada de carros.

— Quando vai voltar a trabalhar, aliás? — pergunto a ele. Ethan já faltou duas vezes dizendo que estava doente.

— Volto amanhã. Ainda tenho uns dias de férias pra tirar, então não tem problema.

Não quero que ele volte a trabalhar amanhã, ainda que ele claramente deva. Mas... eu tenho curtido muito essa folga do mundo real. Gosto de me esconder no apartamento dele, de viver num casulo de corpos aquecidos e delivery de comida.

— E se eu comer tanto pãozinho de canela e acabar engordando 180 quilos? E aí?

— Aí, o quê? — pergunta ele. Só está me escutando parcialmente. Está concentrado em encontrar um lugar para estacionar.

— E então, isso acabaria com tudo? Seria um fator decisivo?

Ele ri de mim.

— Pode tentar o quanto quiser, Hannah, mas não há fatores decisivos entre nós.

Eu me viro e olho pela janela.

— Ah, ainda vou encontrar o seu ponto fraco, Sr. Hanover. Mesmo se for a última coisa que eu fizer na vida.

Ele ri quando diminui a velocidade para parar num sinal vermelho e olha para mim.

— Eu sei o que significa sentir saudades de você — diz ele. O sinal fica verde, e ele acelera em direção à avenida. — Então você vai ter que encontrar um problema bem insuperável pra que eu deixe você ir embora de novo.

Sorrio para ele, mesmo sem ter certeza se ele consegue me ver. Tenho feito isto um bocado ultimamente: sorrir.

Finalmente encontramos uma vaga relativamente próxima ao café.

— É por isso que as pessoas vão embora dessa cidade, sabia? — comento, enquanto ele faz contorcionismo com o carro para caber na vaga.

Ele vira a chave e a tira da ignição e então salta do carro.

— Você não precisa me dizer isso — retruca ele. — Eu odeio essa cidade a cada vez que tenho que ficar dando voltas numa quadra como se fosse um urubu.

— Bem, só estou querendo dizer que, em Nova York, tem o metrô. Em Austin, você pode estacionar onde quiser. O metrô de Washington é tão limpo que daria pra comer direto do chão.

— Nenhum lugar é perfeito. Mas, quer saber, não comece a colecionar motivos pra já ir embora.

— Não é isso que estou fazendo — respondo, ligeiramente na defensiva. Não quero ser aquela pessoa que todo mundo acha que não vai permanecer onde está.

— Ok. Que bom.

Ele se vira e abre a porta do café, deixando que eu entre primeiro. Entramos na fila e, por acaso, ela serpenteia justamente ao redor da vitrine da confeitaria. Vejo os pãezinhos de canela na prateleira de cima. Têm a metade do tamanho da minha cabeça. A cobertura é farta.

— Uau — exclamo.

— Não é? Quero te trazer aqui desde que descobri esse lugar.

— Há quanto tempo foi isso? — pergunto, caçoando dele.

Ele sorri. Por um instante, me pergunto se está com vergonha.

— Há muito tempo. Não pense que precisa me enganar pra eu admitir que passei anos a fim de você. Sou autoconfiante o bastante pra ser direto quanto a isso. — Sorrio para ele quando o vejo rir e dar um passo à frente. — Um pãozinho de canela, por favor — diz à moça do caixa.

— Espere aí, você não vai querer um?

— São enormes! — diz Ethan. — Achei que podíamos dividir um.
Olho bem para ele.

Ele ri.

— Por favor — diz ele para a atendente —, vão ser dois pãezinhos de canela. Desculpe.

Tento pagar, mas Ethan não me deixa.

Pegamos algumas garrafinhas de água e nos sentamos próximos à janela esperando a atendente esquentar os pães. Mexo no porta--guardanapos.

— Se eu não tivesse ficado com você até mais tarde no sábado, você teria tentado dormir com a Katherine? — pergunto. Isso não sai da minha cabeça desde aquela noite. Estou tentando ser melhor em fazer as perguntas que quero fazer em vez de evitá-las.

Ele começa a bebericar a água. Dá para perceber que ficou desconcertado com a pergunta.

— Do que está falando?

— Você estava flertando com ela. E aquilo me incomodou. Eu só quero ter certeza de que isso... de que isso seja só entre mim e você, e que não estamos... que não tem mais ninguém.

— Até onde eu sei, não existe outra mulher no mundo. Eu gosto de você. Só de você.

— Mas se eu não tivesse ficado...

Ethan coloca a água em cima da mesa e me encara.

— Escute, eu fui àquele bar na esperança de conseguir te encontrar sozinha, na esperança de conversar com você, de ver como você estava. Experimentei dez camisas até encontrar a certa. Comprei chiclete e enfiei no bolso de trás pro caso de eu ficar com mau hálito. Fiquei na frente do espelho arrumando o cabelo pra ficar com cara de desarrumado. Pra você. Você é a única. Dancei com a Katherine porque fiquei nervoso conversando com você. E como quero ser sincero, vou admitir que não sei o que teria feito se você tivesse me dado o fora no sábado, mas qualquer coisa que eu talvez tivesse feito, teria sido porque achei que você não estava mais interessada em mim. Se você estiver interessada, eu estou. E estou interessado só em você.

— Eu estou interessada em você — confirmo. — Muito interessada.

Ele sorri.

Nossos pãezinhos chegam naquele momento. O aroma de especiarias e de açúcar é... relaxante. Eu me sinto como se estivesse em casa.

— Talvez esse tempo todo — digo a Ethan — eu estivesse procurando um lar sem me dar conta de que o meu lar é onde tiver pãezinhos de canela.

Ethan ri.

— Tipo, se você queria rodar o país todo atrás daquele lugar que é só seu, eu teria te falado há muitos anos que o seu lugar é na frente de um pãozinho de canela.

Pego garfo e faca e faço a minha incisão, bem no coração da espiral. Levo o garfo à boca.

— Acho bom que esteja gostoso — aviso, antes de finalmente saboreá-lo.

É absolutamente delicioso. Maravilhosa, indulgente, incrivelmente delicioso. Baixo os talheres e olho para o teto, saboreando o momento.

Ele ri de mim.

— Ficaria surpreso se eu terminasse esse pãozinho todo sozinha? — pergunto.

— Não desde que insistiu em pedir um só pra você — responde ele, mordendo seu pãozinho. Observo enquanto mastiga, despreocupadamente, como se fosse um sanduíche de presunto, ou algo assim. Ele até cede à minha paixão por doces, mas não a compartilha.

— E se eu comer o seu também? — pergunto.

— Aí, sim, eu ficaria chocado.

— Desafio aceito — digo, embora nenhuma das sílabas saia com clareza. Tenho um pedaço grande de pão na boca. Sem querer, cuspo canela em cima dele.

Ethan leva a mão à bochecha para limpá-la. Numa escala de um a dez, estou mais ou menos num seis em termos de vergonha. Acho que fico vermelha. Engulo.

— Desculpe — digo. — Não foi um dos meus momentos mais refinados.

— Meio nojento — diz ele, me provocando.

Balanço a cabeça.

— E isso? Se eu adquirir o hábito de cuspir nacos de pãozinho de canela em cima de você, as coisas vão desandar entre a gente?

Ethan olha para a mesa e balança a cabeça.

— Pare com isso, tá? Você e eu. Já está acontecendo. Pare de tentar encontrar as falhas. Talvez não haja falhas nessa história. Consegue lidar com isso?

— Consigo — digo. — Consigo, sim.

Eu consigo, não consigo? Eu consigo lidar com isso, sim.

Notei que, nas séries de televisão, o horário de visita só acontece num período preestabelecido. "Desculpe, senhor, o horário de visita terminou" e coisa e tal. Talvez seja verdade no restante do hospital, mas aqui, em qualquer que seja o andar onde estou, ninguém parece se importar com isso. Meus pais e Sarah ficaram comigo até as nove. Só foram embora porque insisti que voltassem para o hotel. Minha enfermeira, Deanna, entrou aqui e saiu o dia todo e em momento algum lhes disse que o horário de visita tinha terminado e que precisavam ir embora.

Gabby apareceu há umas duas horas. Insistiu em acampar no sofazinho horroroso que tem aqui no quarto. Eu disse a ela que não precisava passar a noite comigo, que eu ficaria bem sozinha, mas ela nem me ouviu. Falou que já tinha avisado ao Mark que ia dormir aqui. Então me deu o buquê de rosas que ele lhe pediu que me entregasse. Colocou-o sobre a bancada e me entregou o cartão. Depois arrumou sua cama improvisada e ficou conversando comigo enquanto ia fechando os olhos.

Dormiu tem mais ou menos meia hora. Está roncando há pelo menos vinte minutos. Eu, pessoalmente, adoraria dormir, mas estou ansiosa demais, inquieta. Não me mexo nem me levanto desde que estava de pé em frente ao LACMA há quatro dias. Quero me levantar e me locomover. Quero mexer as pernas.

Mas não posso. Mal consigo erguer os braços acima da cabeça. Acendo um pequeno abajur ao lado da minha cama e abro uma das revistas de Sarah. Folheio as páginas. Vejo fotos lustrosas de mulheres usando trajes absurdos em locais esquisitos. Uma das sessões de fotos parece ter sido feita na Sibéria, com mulheres usando biquínis de bolinha. Pelo visto, bolinhas estão na moda. Pelo menos na Europa.

Deixo a revista de lado e ligo a TV outra vez com o volume baixo. Não me surpreendo ao constatar que está passando *Law & Order*. Eu ainda hei de encontrar algum horário no qual não esteja.

Ouço o familiar tema musical da série no momento em que um enfermeiro entra no meu quarto.

É alto e forte. Cabelos e olhos escuros, rosto bem barbeado. O uniforme hospitalar é azul-marinho, e sua pele tem um bronzeado marcante. Está usando uma camiseta branca por baixo do uniforme.

Só agora penso que Deanna provavelmente não trabalha 24 horas por dia. Talvez esse cara seja o enfermeiro da noite.

— Ah — sussurra ele. — Não vi que tinha companhia.

Noto que tem uma tatuagem grande no antebraço. Parece ser algum tipo de escrita formal, em letras cursivas grandes, mas não consigo discernir exatamente o que está escrito.

— Não precisa se preocupar. Ela não vai acordar, não — sussurro para ele.

Ele olha para Gabby e se encolhe.

— Nossa — diz baixinho. — Ela parece uma escavadeira.

Sorrio para ele. Tem razão.

— Não vou demorar — diz ele, deslocando-se em direção aos meus aparelhos. Estou ligada nessas coisas o dia todo, a ponto de começar a achar que fazem parte de mim.

Ele começa a ticar itens da lista que traz, da mesma forma que Deanna fez mais cedo. Dá para ouvir o barulho da caneta na prancheta. *Tique. Tique. Tique. Rabisco.* Coloca meu prontuário de volta no lugar. Eu me pergunto se há alguma menção ali de que eu perdi um bebê. Afasto o pensamento da cabeça.

— Você se importa? — pergunta ele, indicando o estetoscópio em sua mão.

— Ah — digo. — Claro. Faça o que precisar fazer.

Ele baixa a gola da minha camisola e desliza uma das mãos entre a minha pele e o tecido, pousando o estetoscópio sobre o meu coração. Pede que eu respire normalmente. Deanna fez isso mais cedo e eu nem notei. Mas agora, com ele, a sensação é íntima, quase inadequada. Porém é claro que não é. É óbvio que não é. Ainda assim, fico ligeiramente envergonhada. Ele é bonito, tem a minha idade, e sua mão se encontra sobre o meu peito nu. Tenho plena consciência de não estar usando sutiã. Viro a cabeça para não encará-lo. Ele cheira a sabonete masculino, algo que teria o nome de Corrida Alpina ou Pureza Ártica.

Ele tira o estetoscópio da minha pele quando fica satisfeito com suas averiguações. Rabisca alguma anotação no prontuário. Eu me vejo desesperada para mudar o clima. Um clima do qual ele, provavelmente, nem está ciente.

— Há quanto tempo trabalha aqui? — pergunto, sussurrando de maneira a não acordar Gabby. Gosto de ter que sussurrar. Assim não dá para perceber que minha voz está falhando.

— Ah, trabalho aqui desde que me mudei pra Los Angeles, há uns dois anos — responde ele, baixinho, olhando o prontuário. — Sou do Texas.

— De onde? — indago.

— Lockhart — responde ele. — Você nunca deve ter ouvido falar. É uma cidadezinha nos arredores de Austin.

— Eu morei em Austin — comento. — Por um tempinho.

Ele olha para mim e sorri.

— É mesmo? E quando veio para cá?

É difícil responder isso de maneira sucinta, e não tenho voz para lhe contar a história toda, então simplifico.

— Eu cresci aqui, mas me mudei de volta pra cá na semana passada.

Ele tenta disfarçar, mas percebo seus olhos se arregalarem.

— Na semana passada?

Faço que sim.

— Sexta-feira passada, à noite.

— Sério?

— Parece meio injusto, não é?

Ele balança a cabeça e olha outra vez para o prontuário. A caneta dele faz *click*.

— Não, você não pode pensar assim — diz, erguendo outra vez os olhos para mim. — Por experiência própria, posso te dizer que se sair por aí tentando descobrir o que na vida é justo, ou se você merece ou não determinada coisa, vai se embrenhar por um caminho difícil de sair.

Olho para ele e abro um sorriso.

— Talvez você tenha razão — concordo, então fecho os olhos. Conversar exige mais energia do que eu imaginava.

— Quer que eu traga alguma coisa pra você? — sussurra ele antes de sair.

Balanço a cabeça ligeiramente.

— É... na verdade... um prendedor de cabelo? — Aponto para a cabeça. Meus cabelos estão caídos nos ombros. Estou deitada em cima deles. Detesto me deitar sobre os meus cabelos.

— Isso é fácil. — Ele saca um do bolso da camisa. Olho para ele, surpresa. — Eu encontro isso pelo hospital inteiro. Quem sabe um dia eu te conto sobre o elaborado sistema de lembretes e como os prendedores me ajudam com ele. — Ele se aproxima da cama e coloca um na minha mão. Consigo vislumbrar a tatuagem um pouquinho melhor, mas continuo sem conseguir decifrá-la.

— Obrigada — digo. Inclino o corpo para a frente, tentando conseguir um bom ângulo, tentando juntar o cabelo todo. Mas é difícil. Meu corpo todo dói. Erguer os braços alto o bastante parece impossível.

— Espere — pede ele. — Se me permite.

— Bem — começo —, não quero um rabo de cavalo.

— Tá... Não vou precisar fazer trança, vou? É que parece complicado.

— Só um coque. Alto. — Aponto para o topo da cabeça.

Não me importo se o coque vai ficar bonito. Só quero meus cabelos longe do pescoço. Quero-os presos e sem me atrapalhar.

— Muito bem. Chegue um pouquinho para a frente se conseguir. — Ele começa a juntar os meus cabelos. — Acho que isso é o começo de um completo desastre.

Eu rio e impulsiono o corpo para a frente. Eu me encolho de dor.

— Vamos aumentar a dosagem dos seus analgésicos. O que você acha? — pergunta ele. — Não deveria estar sentindo tanta dor assim.

Concordo acenando com a cabeça.

— Tá, mas acho que já colocaram esse negócio no máximo.

— Ora, que nada. Dá para aumentar um pouquinho mais. — Ele deixa meus cabelos caírem por alguns instantes e caminha até o meu soro. Não consigo ver o que está fazendo; está às minhas costas. E logo está à minha frente outra vez, juntando meus cabelos. — Quer dizer, é possível que você comece a falar coisas esquisitas e a ter alucinações — brinca —, mas é melhor do que sentir dor.

Sorrio para ele.

— Muito bem, então é só eu juntar essa cabeleira toda e colocar no alto da sua cabeça e depois passar um elástico em volta?

— É.

Ele inclina a cabeça em direção à minha e nossos rostos ficam bem próximos um do outro. Sinto cheiro de café em seu hálito. Sinto alguns puxões e uma leve pressão. Ele já conseguiu prender parte do cabelo e está puxando o restante com força perto do couro cabeludo.

— Mais solto? Talvez? — peço.

— Mais solto? Ok. — Seus braços estão na frente do meu rosto, mas a tatuagem está virada para o outro lado. Aposto que é um nome de mulher. Ele parece ser o tipo de cara que conheceu uma mulher em alguma ilha exótica, se casou com ela e agora eles têm quatro filhos lindos e moram numa casa com uma cozinha gourmet. Ela provavelmente prepara jantares maravilhosos que incorporam todos os grupos de alimentos e eu aposto que têm árvores frutíferas no quintal. E não estou falando só de laranjas. Limões, limões sicilianos, abacates. Acho que a dose da medicação está muito alta.

— Muito bem — diz ele. — *Voilà*, eu acho. — Ele se afasta de mim ligeiramente para admirar sua obra.

Pela expressão em seu rosto, dá para perceber que meu coque está ridículo. Mas a *sensação* está correta. A sensação é a de um coque alto.

Eu me sinto como eu mesma pela primeira vez hoje. O que... é ótimo. Eu me sinto ótima. Além de estar, definitivamente, doidona.

— Estou com cara de boba? — pergunto.

— Acho que não é o meu melhor trabalho — confessa ele. — Mas você fica bem assim.

— Obrigada.

— De nada. Bem, se precisar de outros penteados, é só apertar a campainha. Vou estar aqui pelas próximas oito horas.

— Está bem. Meu nome é Hannah.

— Eu sei — diz ele, sorrindo. — Eu sou o Henry.

Quando ele se vira para sair, eu finalmente consigo enxergar a tatuagem. *Isabelle.*

Caramba, todos os que prestam já foram fisgados por Isabelles.

Deito a cabeça no travesseiro, me deleitando com o espaço livre atrás do pescoço.

A cabeça de Henry aparece outra vez na porta.

— Qual é o seu sabor de flan preferido? — pergunta.

— Provavelmente chocolate — respondo. — Ou tapioca? Gosto do de baunilha também.

— Então, todos? Você gosta de todos os sabores de flan? — pergunta ele, caçoando de mim.

Eu rio.

— Chocolate — digo. — Chocolate é bom.

— Tenho um intervalo às duas da manhã — diz ele, olhando para o relógio. — Se ainda estiver acordada, embora eu espero que não esteja, para o seu próprio bem, eu trago flan de chocolate.

Sorrio e faço que sim com a cabeça.

— Seria bom — sussurro.

O andar está silencioso, e Gabby ronca tão alto que eu tenho certeza de que não vou conseguir dormir, então estarei completamente desperta quando Henry voltar.

Ligo a TV. Zapeio pelos canais.

Então, acordo de manhã ao som da voz de Gabby perguntando:

— De onde veio esse flan de chocolate?

Deitada no sofá de Ethan, olho fixamente para o teto. Hoje ele foi trabalhar. Eu passei a manhã arrumando o apartamento. Não as bagunças *dele*, é claro. As minhas. Minhas roupas estavam jogadas por cima dos móveis. A pia da cozinha estava cheia de louça suja que era, em sua maioria, se não toda, minha. Tinha cabelo, meu, é claro, grudado num emaranhado de tranças nas paredes do boxe. Mas, agora, está tudo impecável, e eu sou forçada a admitir que não tenho nada para fazer. Com Ethan de volta ao trabalho e a vida retornando ao normal, eu me dou conta de que não tenho o normal.

Gabby virá me buscar assim que sair do escritório, por volta das seis. Vamos jantar na casa dos pais dela. Mas, até lá, não tenho nada o que fazer.

Ligo a TV de Ethan e passo de um canal para outro. Verifico o DVR em busca de qualquer coisa que talvez chame minha atenção. Não encontro nada e desligo a TV. O silêncio parece amplificar a voz que está dentro da minha cabeça me dizendo que preciso fazer alguma coisa da vida.

Flertar e passar os dias na cama e comer pãezinhos de canela com o antigo namorado do ensino médio é uma maneira maravilhosa de passar o tempo. Mas o que está acontecendo entre mim e Ethan não soluciona os desafios que se encontram à minha frente.

Pego uma caneta e um pedaço de papel em cima da escrivaninha de Ethan e começo a rabiscar um plano.

Sou o tipo de pessoa dada a improvisos. Alguém que deixa a vida levá-la. Mas essa abordagem não vem dando muito resultado para mim. Faz com que eu pague as contas trabalhando como garçonete e durma com homens casados. Não quero mais isso. Quero experimentar a ordem em vez do caos.

Eu consigo fazer isso. Consigo ser uma pessoa organizada, não consigo? Quer dizer, eu limpei este apartamento inteirinho hoje. Agora está organizado e arrumado. Nem parece ter sido atingido pelo Furacão Hannah. E talvez seja porque não preciso ser um furacão.

Quero construir uma vida aqui. Em Los Angeles. Então, vou começar fazendo uma lista.

De repente, começo a me sentir enjoada. Meu estômago fica embrulhado. Mas aí o telefone toca e minha mente vagueia.

É a Gabby.

— Oi. Você não vai acreditar! Estou fazendo uma lista. Um projeto de vida de verdade, organizado.

— Quem está falando e o que você fez com a Hannah? — pergunta ela, rindo.

— Se você quiser sua amiga de volta, preste bastante atenção — continuo. — Preciso de um milhão de dólares em notas não marcadas e que não sejam sequência.

— Preciso de tempo para juntar uma quantia dessas.

— Você tem 12 horas.

— Oh — lamenta-se ela. — Eu definitivamente não consigo fazer isso em 12 horas. Pode matá-la. Tudo bem. Ela vai gostar do paraíso. — Por que levei tanto tempo pra perceber que devo morar na mesma cidade que ela?

— Ei! — reclamo, achando graça.

Ela começa a rir também.

— Ohhhh, Hannah, é você! Eu não fazia ideia.

— Tá bem, tá bem. Depois não me venha choramingar quando *você* for sequestrada.

Ela dá outra risada.

— Liguei pra avisar que vou passar aí um pouco mais cedo. Provavelmente por volta das cinco, se você estiver liberada. Vamos passar na minha casa e depois podemos ir pra Pasadena e ver os meus pais por volta das sete.

— Ótimo. Vou correr e terminar essa lista — digo, então desligamos.

Olho para a folha de papel que está à minha frente. Está escrito: "Comprar um carro." Foi a primeira coisa que escrevi. A única coisa.

Rapidamente, rabisco: "Arrumar um emprego", aí fico em dúvida se escrevo ou não: "Procurar um apartamento." A verdade é que, com Ethan e Gabby, eu tenho opções de hospedagem. Parece justo supor que eu vá encontrar um jeito. Mas, então, decido que não, que vou, sim, incluir isso na lista. Não vou esperar para ver o que acontece. Vou traçar um plano. Ser proativa.

Carro.

Emprego.

Apartamento.

Parece tão simples, escrito assim, em ordem. Por um instante, analisando a lista, penso: *só isso?* Então me dou conta de que simples e fácil não são a mesma coisa.

Quando Gabby passa para me buscar, já estou de pé na calçada à sua espera.

Entro no carro, e Gabby sai dirigindo.

Ela olha para mim e balança a cabeça, achando graça. Estou sorrindo de orelha a orelha.

— Eu cantei ou não cantei a pedra? — pergunta ela.

— Que pedra? — pergunto, às gargalhadas.

— Você e Ethan.

Balanço a cabeça.

— Simplesmente aconteceu — falo. — Eu não *sabia* que ia acontecer.

— Mas eu não disse que ia?

— Nem uma coisa nem outra. Mas a questão é que estamos juntos agora.

— Juntos? — repete ela, rindo. — Tipo *juntos*?

Eu abro um sorriso.

— Isso, nós estamos *juntos*.

— Então eu posso supor que, além de uma carona de vez em quando e de algumas refeições, eu te perdi para o seu namorado recém-adquirido?

Balanço a cabeça.

— Não, dessa vez, não. Não tenho mais 17 anos. Tenho uma vida pra construir. Romance é ótimo, mas é só uma parte de uma vida equilibrada, sabe?

Gabby leva a mão ao coração e sorri. Eu começo a rir. Não estava tentando tranquilizá-la. Só não acho que ter um ótimo namorado resolva todos os meus problemas.

Ainda tenho um monte de problemas para resolver.

Deanna aparece para checar como estou e traz meu café da manhã. Um pouco depois que ela sai, a Dra. Winters entra e senta-se com Gabby e comigo para discutir os detalhes das minhas lesões, agora que estou um pouco mais estável. Meus pais estão a caminho e sei que eles querem estar presentes para isso, mas eu não aguento esperar. Preciso saber.

A Dra. Winters explica que o acidente me fez lesionar a artéria femoral, quebrar a perna direita e a pélvis. Eu estava inconsciente e fui levada às pressas para o centro cirúrgico para que estancassem o sangramento e cuidassem da fratura. Perdi uma quantidade considerável de sangue e sofri uma pancada forte na cabeça quando caí. Ao me contar tudo isso, ela continua a enfatizar que todos os meus ferimentos são razoavelmente comuns num atropelamento por carro de tal magnitude e que eu vou ficar bem. Saber o quanto o acidente foi grave só faz com que seja mais difícil que eu acredite que vou ficar bem. Mas suponho que o fato de ser difícil de entender não torna uma coisa menos verdadeira.

Quando a Dra. Winters termina de repassar algumas perguntas de memória, diz que vou voltar para casa numa cadeira de rodas. Não vou poder caminhar durante algumas semanas enquanto minha pélvis cicatriza. E, mesmo assim, vou ter de começar bem devagar e com muita delicadeza. Vou precisar de fisioterapia para exercitar os músculos que foram lesionados e vou sentir dor... bem, quase que o tempo todo.

— Há um longo caminho pela frente — diz a médica. — Mas será uma caminhada constante. Eu não tenho nenhuma dúvida de que um dia, mais cedo do que imagina, você vai conseguir dar a volta no quarteirão correndo.

Eu rio dela.

— Bem, nunca dei a volta no quarteirão correndo, então, agora que as minhas pernas estão imobilizadas, me parece ser um bom momento pra começar.

— Você está achando graça — começa ela, se levantando —, mas eu tenho pacientes que eram completamente sedentários e que começaram a treinar pra maratonas quando ficaram bons das pernas. Algo nessa temporária e chocante perda de mobilidade pode encorajar as pessoas a verem do que são capazes.

Ela afaga minha mão e caminha em direção à porta.

— Não deixe de avisar aos enfermeiros se precisar de alguma coisa. E, se tiver mais perguntas, é só me chamar — diz.

— Obrigada — agradeço à médica e em seguida me viro para Gabby. — Ótimo. Então eu não só estou incapacitada de caminhar sozinha até o banheiro como, se não começar a sonhar com maratonas e com Nikes, sou uma preguiçosa.

— É, acho que foi isso mesmo que ela disse. Se você não começar a treinar nesse exato instante pra maratona de Los Angeles, sua vida será um desperdício e é melhor você desistir.

— Nossa, a Dra. Winters sabe ser babaca — afirmo, e imediatamente ouvimos uma batida à porta. Por um instante, fico apavorada. Será que é a Dra. Winters? Eu não quis dizer aquilo. Só estava brincando. Ela é superbacana. Gosto dela.

É Ethan.

— Posso entrar? — pergunta ele. — Cheguei em boa hora?

Ele saca um enorme buquê de lírios detrás das costas.

— Oi — digo. Amo lírios. Eu me pergunto se ele se lembrou disso ou se foi coincidência.

— Ei — diz ele. Sua voz é suave, como se falar alto demais pudesse me machucar. Ele não se desgrudou da porta. — Será que...? Por acaso estou...?

— Está tudo bem — garante Gabby. — Entre. Sente-se aqui. — Ela vai para o meu outro lado.

Ele se aproxima e me entrega as flores. Eu as aceito e as cheiro. Ele sorri para mim como se eu fosse a única pessoa no mundo.

Olhando para ele, eu me lembro. De início quase como se fosse um sonho para, então, à medida que a lembrança fica mais nítida, aquilo ir se assentando.

Eu me lembro de Gabby me passar o telefone. Lembro-me de baixar a cabeça para olhá-lo. De ver a mensagem de Katherine.

Indo pra casa com o Ethan. Acha a ideia péssima?

Enterro o rosto nas flores em vez de olhar diretamente para ele. Em um hospital, onde tudo é tão frio e sem cheiro, onde o ar é viciado, o perfume dos lírios é quase tão intoxicante quanto uma droga. Inspiro o perfume das flores outra vez, com mais intensidade, para inalar o máximo de vida e de frescor que elas têm. A ironia não me passa despercebida. As flores foram cortadas. Pela sua própria definição, estão morrendo.

— Mmm — murmuro. *Ele não nos leva a sério. Não está interessado num "nós" se foi para casa com ela. Isso é o Michael todo outra vez. Sou eu tendo de aprender que é preciso encarar de frente a verdade de uma situação. Ele quase me beijou e, então, foi para casa com outra garota.* — Que cheiro delicioso.

— Como você está? — pergunta ele, sentando-se na poltrona ao lado da cama.

— Estou bem — respondo. — Sério.

Ele me encara por um instante.

— Você pode levá-las embora? — peço, entregando as flores a Gabby. — Na verdade, não tenho lugar nenhum pra...

— Ah — diz ela. — Deixe eu pegar água e um recipiente. Está bem assim? — Ela estava buscando um motivo para nos deixar a sós, e uma desculpa perfeita acabara de cair em seu colo. Ela passa pela porta e sorri para mim.

— Então — começa ele, respirando profundamente.

— Então — repito.

Ficamos os dois em silêncio, olhando um para o outro. Dá para perceber que ele está preocupado comigo. Dá para perceber como é difícil para ele olhar para mim e me ver nesta cama de hospital. Eu também sei que não é sua culpa eu estar incomodada com a lembrança de ele ter levado Katherine para casa. Não tínhamos compromisso nenhum um com o outro, não havíamos feito promessa alguma.

Além do mais, talvez essa lembrança esteja tão fresca para mim porque acabei de me lembrar dela, porque ela ficou temporariamente perdida na nebulosidade da minha mente, embora tenha acontecido há dias. Para ele, não é mais novidade.

Falamos ao mesmo tempo.

— Como você está, de verdade? — pergunta ele.

— Como você tem andado? — indago.

Ele ri.

— Por acaso você acaba de me perguntar como eu tenho andado? Quero saber como *você* tem andado. Essa é a questão. Eu tenho estado doente de preocupação com você.

— Eu estou bem — respondo.

— Você quase me matou de susto, sabia? Tem ideia do quanto iria partir meu coração ter que viver num mundo sem você?

Eu sei que deveria acreditar nele. Sei que está dizendo a verdade. Mas o fato é que tenho medo de que, se acreditar demais nele, vou acabar me permitindo acreditar, muito facilmente, no que desejar acreditar a seu respeito. Não quero fazer o que teria feito anteriormente. Não quero acreditar no que alguém diz e ignorar o que essa pessoa faz. Não quero enxergar apenas o que gostaria de ver.

Quero ser realista, uma vez na vida. Quero ter os pés no chão. Quero tomar decisões inteligentes.

Então, quando Ethan sorri para mim e faz com que eu me sinta como se eu tivesse inventado o mundo, quando ele se aproxima e sinto o calor do seu corpo e o cheiro do sabão em pó em suas roupas, exatamente como era no ensino médio, tenho de ignorar a sensação. Pelo meu próprio bem.

— Eu estou bem. Sério — asseguro a ele. — Não se preocupe. Foram só uns ossos quebrados. Mas estou bem.

Ele agarra minha mão. Eu me encolho. Ele percebe e afasta a mão.

— Estão te tratando bem? Dizem que comida de hospital deixa a desejar.

— É — admito. — Uma boa refeição não cairia mal. Embora o flan não seja dos piores.

— Já sabe quanto tempo vai ficar aqui? Quero saber quando posso passear com você outra vez.

Eu rio por educação. É esse tipo de coisa. Esse tipo de coisa galanteadora e charmosa. É esse o tipo de coisa que mexe comigo.

— Vai demorar um pouco — respondo. — Talvez seja melhor você encontrar outra garota pra curtir as baladas.

— Não — diz ele, sorrindo. — Acho que prefiro esperar por você.

Não, não prefere.

Fico torcendo para Gabby voltar com as flores, mas ela não dá nem sinal.

— Bem — começo —, não espere. — Meu tom é educado, mas não especialmente simpático. Considerando que o que eu disse não foi das coisas mais simpáticas, para início de conversa, acho que deixei claro o que penso.

— Ok — diz ele. — Acho que talvez eu deva ir andando. Você provavelmente precisa descansar, e eu tenho que voltar pro trabalho...

— Isso. Claro.

Ele se dirige à porta e se vira.

— Você sabe que eu faria qualquer coisa por você, não sabe? Se precisar de qualquer coisa...?

Faço que sim com a cabeça.

— Obrigada.

Ele assente e olha para o chão, então outra vez para mim. Está com cara de quem vai dizer alguma coisa, mas não diz. Ele dá apenas um tapinha no batente da porta e a atravessa.

Gabby volta no mesmo instante.

— Desculpe, eu não quis ouvir a conversa, mas voltei com as flores há um tempinho e deu pra ouvir que estavam conversando. Não quis...

— Está tudo bem — digo a ela enquanto Gabby coloca as flores sobre a bancada próxima à porta. Eu me pergunto onde ela conseguiu encontrar um vaso. É bonito. As flores são lindas. A maioria dos homens teria trazido cravos.

Ela olha para mim.

— Você está chateada com a história da Katherine.

— Pelo visto, você escutou, sim, a conversa.

— Eu não disse que não tinha escutado. Só falei que não tive a intenção.

Eu acho graça.

— Não estou *chateada* com a história da Katherine — afirmo, me defendendo. — Só confirmou pra mim que tentar alguma coisa com ele outra vez... talvez não seja uma boa ideia.

Ela segura a minha mão por um momento.

— Ok — diz Gabby.

Pego o controle remoto e ligo a TV. Gabby pega a bolsa.

— Vai embora?

— Vou. Preciso voltar pro escritório, tenho uma reunião. Mas a sua família está quase chegando. Eles me mandaram uma mensagem de texto há alguns minutos dizendo que estavam estacionando. Você passa um tempo com eles, então eu saio do trabalho, pego uma muda de roupa pra amanhã e volto pra cá, pra nossa festa do pijama de todas as noites.

— Você não precisa passar a noite aqui.

Ela faz uma careta para mim como se eu estivesse mentindo.

— É sério — digo, rindo. — Meus pais podem ficar. Sarah pode ficar. Ou ninguém precisa ficar. Estou falando sério. Vá pra casa. Dê um pouco de atenção ao Mark. Eu estou bem.

Minha mãe enfia a cabeça pelo vão da porta.

— Oi, querida! — diz. — Oi, Gabrielle! — acrescenta ao vê-la.

— Oi, Maureen — cumprimenta Gabby, dando-lhe um abraço. — Eu já estava de saída. — Da porta, dirige-se a mim: — Eu te ligo mais tarde. A gente conversa.

Dou um sorriso para ela.

— Tá.

Minha mãe entra um pouco mais. Meu pai se junta a ela.

— Oi, gente — eu os cumprimento. — Como vocês estão?

— Como estamos? — pergunta meu pai. — Como *nós* estamos? — Ele se vira para minha mãe. — Está ouvindo essa menina? Ela é atropelada por um carro e, quando consegue falar, a primeira coisa que pergunta é como *nós* estamos.

Ele se aproxima de mim e me abraça com delicadeza. Todo mundo parece querer me lembrar disso, mas *Como você está?* é uma pergunta perfeitamente razoável para se fazer a outro ser humano como cumprimento.

— Incrível — concorda minha mãe. Ela fica do meu outro lado.

— A Sarah vai subir daqui a um minuto — diz meu pai.

— Ela fica frustrada tentando fazer baliza — sussurra minha mãe. — Aprendeu a dirigir onde se estaciona do lado esquerdo da rua.

— Não dá pra parar o carro no estacionamento daqui? — pergunto. Meu pai ri.

— Dá pra ver que você nunca visitou ninguém num hospital. Os preços são exorbitantes.

Esses são meus pais mesmo. Sarah aparece na porta.

— Conseguiu? — indaga minha mãe.

— Sim — responde Sarah. Ela respira fundo. — Oi — diz ela para mim. — Como está?

— Estou bem.

— Está com cara de quem está melhor do que ontem — comenta meu pai. — Está mais corada.

— E a sua voz está boa — acrescenta minha mãe.

Sarah dá um passo à frente.

— Nem consigo dizer como é bom olhar pra você e saber que está bem. Ouvir a sua voz. — Ela percebe que minha mãe está ficando com os olhos marejados. — Mas a má notícia é que seu coque está um horror — acrescenta ela. — Venha aqui. — Ela pega a minha cabeça nas mãos e puxa meus cabelos do elástico.

— Vá com calma — peço a ela. — Tem uma pessoa conectada a esse cabelo.

— Você está ótima — diz ela. — Espere. — Ela para. — Você está bem, não está? A Gabby disse que o dano foi todo nas pernas.

— Isso, isso — confirmo. — Pode continuar.

Ela solta meu cabelo e caminha em direção à bolsa.

— Preciso pentear seu cabelo. Ninguém aqui escova o seu cabelo?

Ela saca uma escova de dentro da bolsa e começa a passá-la pelos meus cabelos. A sensação é gostosa, a não ser pelos momentos nos quais ela encontra grandes nós perto do couro cabeludo. Eu me encolho de dor enquanto ela os ataca, tentando desembaraçá-los.

— Você se lembra de quando era pequena — começa minha mãe, sentando-se —, de quando ficava com aqueles nós imensos tentando fazer trança?

— Não lembro, não — respondo. — Mas, se a sensação era remotamente parecida com a da Sarah puxando meu couro cabeludo, dá para entender por que apaguei isso da memória.

Não escuto nada do que ela resmunga e não posso ver seu rosto porque ela está atrás de mim, mas tenho certeza de que Sarah está revirando os olhos.

— É, você também odiava isso naquela época e eu te disse pra parar de mexer no cabelo se não quisesse que eu o desembaraçasse. Você me disse que queria cortá-lo todo. Eu te disse que não.

— É óbvio — conclui Sarah enquanto baixa a escova e prende os meus cabelos num coque no alto da cabeça.

— Pode levantar mais? — pergunto. — Não gosto quando consigo sentir o coque bater na cama. — Ela solta meu cabelo e tenta outra vez.

— Ok, bem, para encurtar a história — continua minha mãe.

— Um pouquinho tarde pra isso — brinca meu pai. Ela o fuzila com os olhos. O tipo de olhar que mulheres e mães vêm dando aos maridos e pais há séculos.

— Como eu ia dizendo — continua ela, voltando ao assunto —, você entrou na cozinha quando eu não estava prestando atenção e cortou o próprio cabelo.

— Ah, é verdade — digo, recordando-me vagamente de ter visto fotos do meu cabelo cortado rente à cabeça. — Acho que já me contou essa história.

— Ficou tão curto. Acima das orelhas! — diz ela. — Eu corri pra cozinha, vi o que você tinha feito e perguntei: "Por que você fez isso?", e você respondeu: "Não sei. Deu vontade."

— Um legítimo momento Hannah Savannah — diz meu pai, orgulhoso. — Se isso não te descreve, eu sinceramente não sei o que poderia te descrever. "Não sei. Deu vontade." — Ele ri baixinho.

É exatamente o tipo de coisa que estou tentando mudar a meu respeito.

— Está bem, Doug, ok, mas essa não é a moral da história — diz minha mãe.

Meu pai ergue as mãos, fingindo-se arrependido.

— Mil perdões. Eu detestaria errar a moral de uma história. Chamem a polícia!

— Você precisa mesmo interromper todas as histórias que eu tento contar? — queixa-se minha mãe, para então dispensá-lo com um gesto de desdém. — O que estou tentando dizer é que tivemos que te levar ao cabeleireiro. E então tiveram que cortar seu cabelo bem curtinho num corte que eu nunca tinha visto numa garotinha. E você não tinha mais do que 6 anos.

É disto que me lembro: de ver fotos minhas com os cabelos cortados rentes ao couro cabeludo.

— Termine logo, mãe — pede Sarah. — Até você acabar essa história, eu vou ter 94 anos.

É desconcertante ouvir Sarah provocar minha mãe. Eu nunca diria uma coisa dessas a ela.

— Está bem. Hannah, seu cabelo ficou lindo. Realmente divino. As mulheres viviam me parando no Gelson's pra perguntar de onde eu tinha tirado a ideia de cortar o seu cabelo daquele jeito. Eu dava a elas o telefone da moça que cortou. Ela acabou mudando o salão do Valley pra Beverly Hills. A última notícia que tive é de que ela cortou o cabelo daquele garoto do *Jerry Maguire* uma vez. Fim.

— Essa história foi ainda pior do que eu pensei que seria — comenta Sarah. — Pronto! Terminei.

— E como ficou? — pergunto aos meus pais.

Eles sorriem para mim.

— Você é uma menina linda — diz meu pai.

— Talvez as pessoas vejam o coque da Hannah e um dia me deixem fazer um coque na Angelina Jolie — comenta Sarah, provocando minha mãe.

— A cabeleireira não é o mais importante! — diz minha mãe. — A moral da história é que sempre devemos ter fé na Hannah. Até mesmo quando parece que ela cometeu um erro terrível, na verdade está um passo à nossa frente. Essa é a moral da história. As coisas sempre acabam bem pra Hannah. Ela nasceu com o bumbum virado pra lua, ou coisa assim.

Às vezes, acho que as histórias da minha mãe deveriam vir acompanhadas de um guia explicativo. Porque até são bastante boas quando alguém as explica.

— Eu gostei muito dessa história — digo. — Obrigada por contar. Não me lembrava de nada disso.

— Tenho fotos em algum lugar — diz ela. — Vou procurá-las quando voltarmos pra casa e te mando uma. Você ficou realmente linda. É por isso que vivo te dizendo para cortar o cabelo.

— Mas como ela viveria sem o *coque*? — pergunta Sarah.

— Verdade — concordo. — Não sou nada sem esse coque.

— Então, nos atualize, Hannah Savannah — pede meu pai. — Os médicos falaram que você vai se recuperar bem, mas, como é meu dever de pai, estou preocupado com como você está se sentindo agora.

— Física e mentalmente — acrescenta minha mãe.

— Eu estou bem — respondo. — Eles me dão uma quantidade constante de analgésicos. Não estou confortável, de jeito nenhum, mas estou bem. — Não ia adiantar nada lhes contar a respeito do bebê. Tento esquecer. Nem mesmo tenho a sensação de estar escondendo alguma coisa deles.

— Você está bem mesmo? — insiste minha mãe. Sua voz começa a falhar. Meu pai passa o braço em volta dela.

Eu me pergunto quantas vezes preciso repetir isso até que alguém acredite em mim. Argh, talvez precise ser verdade primeiro.

— Você deve ter sentido tanto medo — diz minha mãe. Seus olhos começam a se encher de lágrimas. Meu pai a abraça com mais força, mas percebo que os olhos dele também estão marejados. Sarah desvia o rosto e olha pela janela.

Essas piadinhas todas, essa coisa de "deixa eu fazer o seu cabelo", as velhas recordações de família, isso é tudo teatrinho. Eles estão arrasados, preocupados. Estão perplexos, desconfortáveis, tristes e com o estômago revirado. E, para ser sincera, algo nisso me conforta.

Não consigo me lembrar da última vez em que me senti como parte integrante deste grupo. Eu venho, há mais de uma década, me sentindo como se fosse visita quando estou com minha própria família. Mal consigo me lembrar de como éramos quando vivíamos juntos, na mesma casa, no mesmo país. Mas com os três diante de mim agora, com as falhas em suas armaduras expostas, eu me sinto como alguém que pertence a essa família. Alguém necessário para completar a matilha.

— Eu queria que vocês morassem aqui — afirmo, ficando emotiva. Eu nunca disse isso. Não sei bem por quê. — Sinto que passo tanto tempo sozinha e... só sinto muita saudade de vocês.

Meu pai se aproxima e toma minha mão.

— Sentimos saudades de você todos os dias — diz. — Todos os dias. Sabia disso?

Eu faço que sim. Mesmo sem ter certeza de que sim é a resposta mais sincera.

— Só porque você está aqui e nós estamos lá, não quer dizer que não estamos pensando em você — diz minha mãe.

Sarah assente com a cabeça, desvia o olhar e seca os olhos. Então, coloca a mão sobre o meu joelho, me olha nos olhos e sorri.

— Não sei quanto a esse povo, mas eu te amo loucamente — diz.

Carl e Tina se mudaram para Pasadena há alguns anos. Venderam a casa que tinham quando estávamos no ensino médio e se mudaram para a propriedade no estilo Craftsman, menor e localizada numa rua silenciosa e arborizada.

Já são quase oito horas quando Gabby, Mark e eu chegamos à casa deles. Mark teve de ficar até mais tarde no consultório. Parece que ele fica até mais tarde com frequência, isso quando não trabalha noite adentro. Eu achava que a rotina de um dentista fosse meio previsível. Mas ele sempre arranja alguma coisa de última hora para fazer.

Embicamos na pista de acesso e nos dirigimos à casa. Gabby nem se dá ao trabalho de bater, já vai entrando.

Na cozinha, Tina ergue a cabeça e vem se aproximando de nós com um sorriso largo e luminoso e os braços abertos.

Ela abraça Gabby e Mark, então se vira para mim.

— Hannah Marie! — exclama, envolvendo-me nos braços. Ela me abraça com força e me balança de um lado para o outro, como só uma mãe costuma fazer.

— Oi, Tina. Que saudade!

Ela me solta e me dá uma boa olhada.

— Eu também, meu anjo. Vá dizer oi pro Carl. Ele está ansioso pra te ver.

Vou em frente, deixando Gabby e Mark com Tina. Carl está no quintal dos fundos, tirando um bife da grelha. Isso, certamente, marca um ponto a mais para Los Angeles: dá para assar comida na grelha nos 12 meses do ano.

— Será que meus olhos estão me enganando? — pergunta ele, colocando o bife num prato e fechando a grelha. — Será mesmo *a* Hannah Martin diante dos meus olhos?

Carl está usando uma camisa polo verde e uma calça cáqui. Ele quase sempre parece estar vestido para uma partida de golfe. Não sei se já jogou golfe alguma vez na vida, mas domina o look com perfeição.

— A primeira e única — respondo, abrindo os braços para cumprimentá-lo. Ele me abraça. É um homem grandalhão e seu abraço é apertado. Quase não consigo respirar. Por um instante, isso me faz sentir saudades do meu pai.

Entrego a Carl as flores que trouxe.

— Ora, muito obrigado! Eu sempre quis ganhar... crisântemos? — pergunta ele, já sabendo que errou.

— Lírios — corrijo.

— Cheguei perto — diz ele, tirando-os da minha mão. — Não sei nada sobre flores. Eu só compro quando faço algo de errado. — Eu rio.

Ele faz sinal para que eu pegue o prato de bife. Eu o pego e nós entramos em casa pela cozinha. Tina está servindo vinho a Gabby e Mark. Carl passa direto por eles.

— Tina, acabei de comprar esses lírios pra você. De nada — diz ele, piscando para mim.

— Uau, amor, que romântico. Que bom saber que foi você mesmo quem comprou. Que não roubou descaradamente as flores que Hannah trouxe pra nós.

— Pois é — diz Carl, abraçando Gabby. Ele aperta a mão de Mark e lhe dá um tapinha nas costas. — Isso seria horrível.

Gabby tira a bolsa do ombro e pega a minha bolsa também. Coloca as duas no corredor.

— Pode tirar os sapatos, também — diz Gabby. — É só escondê-los.

Eu olho para ela, confusa. Tina explica.

— Barker — diz.

— Barker?

— Barker! — berra Carl, e um enorme São Bernardo desce as escadas e adentra a cozinha.

— Ah, meu Deus! — exclamo. — Barker!

Gabby começa a rir. Barker corre direto para Mark, e Mark dá um passo para trás.

— Esqueci o remédio pra alergia — diz ele. — Desculpe. É melhor eu ficar longe.

— Você é alérgico a cachorro? — pergunto.

Ele faz que sim com a cabeça enquanto Gabby olha diretamente para mim. Não consigo decifrar o que aquilo quer dizer, pois, com um movimento rápido, ela se abaixa e afaga o dorso de Barker. Ele fica muito satisfeito em se virar de barriga para cima para que Gabby a coce.

— Então! — anuncia Tina. — É noite de bife com batata. A não ser pelo fato de Carl ter resolvido ser extravagante porque vocês estão aqui, então vai ser bife com molho *chimichurri*, purê de batatas com alho e cebolinha e couve-de-bruxelas, porque ainda sou mãe e não consigo deixar de querer ter certeza de que vocês estão comendo direitinho.

Meus pais me fizeram comer legumes até eu ter uns 14 anos, então desistiram. Sempre gostei disso neles. Quando morei com Carl e Tina, eu tinha a sensação de me enfiarem riboflavina goela abaixo todas as noites.

Mas, pensando bem, a filha deles é executiva de uma organização sem fins lucrativos e é casada com um dentista, então eles claramente tinham razão com relação a alguma coisa.

Todos nos sentamos à mesa, e Carl imediatamente começa a fazer perguntas que só um pai faz.

— Hannah, nos conte o que você tem feito — pede, enquanto corta o bife.

— Bem... — Arregalo os olhos e deixo escapar um suspiro. Não sei por onde começar. — Estou de volta! — digo, levantando os braços e chacoalhando as mãos para acrescentar efeito. Por um instante, tenho esperança de que isso seja suficiente. Claramente não é.

— Ahn-rã — diz ele. — E? — Carl começa a servir e a distribuir os pratos pela mesa. Quando recebo o meu, está cheio de couve-de-bruxelas. Se eu não comer tudo, Tina vai falar alguma coisa. Disso eu sei.

— E... Recentemente tenho pulado de uma cidade para outra. Passei um tempo no Noroeste Pacífico. Em Nova York também.

— Gabby contou que você estava morando em Nova York — diz Tina, prestes a morder o bife. — Foi fabuloso? Viu algum musical na Broadway?

Dou um rápido sorriso, embora não seja essa a minha intenção.

— Não — respondo. — Não fiz muita coisa desse tipo.

Não quero mencionar nada sobre Michael. Não quero admitir que me meti em uma grande confusão. Eles podem não ser meus pais, mas Carl e Tina são incrivelmente protetores. E eu me importo profundamente com o que pensam a meu respeito.

— Nova York não era pra mim — digo, bebericando o vinho que colocaram à minha frente para, em seguida, pousá-lo imediatamente de volta na mesa. O cheiro é horrível. Não gostei.

Percebendo meu desconforto, Gabby entra na conversa.

— A Hannah é uma garota da Costa Oeste, sabem? O lugar dela é aqui, de volta pra gente.

— Amém pra isso — celebra Carl, cortando o bife e dando uma mordida nele. Ele mastiga com a boca aberta de vez em quando. — Eu sempre disse: vá para onde tem sol. Quem escolhe climas mais frios é um imbecil. — Tina revira os olhos ao ouvir o comentário dele. Ele olha para Mark. — Mark, o que você está fazendo tomando vinho com um bife desses?

Mark começa a gaguejar. Pela primeira vez, percebo que ele se sente um pouco intimidado por Carl. Não é difícil saber por quê. É um homem temível para se ter como sogro.

— Era o que estava na minha frente — responde Mark, rindo. — Eu não sou muito exigente.

Carl se levanta da mesa e vai até a cozinha. Quando volta, coloca uma cerveja na frente do genro.

Mark ri.

— Excelente! — exclama. Ele parece bem mais interessado em tomar a cerveja do que o vinho que Tina serviu, embora eu não saiba se aquilo é só teatrinho para Carl. Também está coçando muito os punhos e a nuca. Deve ser por causa do Barker.

Carl senta-se outra vez.

— Homens tomam cerveja — diz Carl, bebericando a sua. — Simples assim.

— Pai — começa Gabby —, gênero não tem nada a ver com a preferência de uma pessoa por determinada bebida. Alguns homens gostam de *appletinis*. Algumas mulheres gostam de uísque. É irrelevante.

— Embora eu admita não ter a menor ideia do que seja um *appletini*, você tem toda razão — concorda Carl, pensativo. — Eu estava sendo machista e peço desculpas por isso.

Agora que estou na casa deles outra vez, me lembro de onde vem aquilo. De onde vem a necessidade de falar o mais clara e precisamente possível sobre gênero. Carl. Ele tem essas ideias antiquadas sobre homens e mulheres, mas costuma se corrigir quando Gabby traz o assunto à tona.

— Então, Hannah — começa Tina, mudando de assunto —, qual é o plano? Vai passar um tempo em Los Angeles?

Engulo o pedaço de carne que estou mastigando.

— Vou, sim — respondo. — É o que espero.

— Já tem algum emprego em vista? — pergunta Carl.

Gabby intervém em minha defesa.

— Pai, pare.

Ele fica na defensiva.

— Só estou fazendo uma pergunta.

Balanço a cabeça.

— Não — confesso. — Não tenho, não. — Olho para a taça de vinho à minha frente. Não consigo tomar mais nem um gole. Não quero ter de sentir aquele cheiro outra vez. Pego a água ao lado e bebo. — Mas vou ter! — acrescento. — Está na minha lista. Carro. Emprego. Apartamento. Sabem, os fundamentos básicos de uma vida normal.

— Tem dinheiro pra comprar um carro? — pergunta Carl.

— Pai! — intercede Gabby. — Por favor.

Mark se mantém fora da conversa. Está ocupado demais coçando os braços. Além disso, tenho a impressão de que ele costuma se manter fora de diversas coisas.

— Gabby! A menina morou com a gente durante quase dois anos. Ela é praticamente minha filha perdida que voltou pra casa. Eu posso perguntar a ela se precisa de dinheiro pra comprar um carro. — Carl se vira para mim. — Não posso?

O relacionamento que tenho com os Hudsons é esquisito. Por um lado, eles não são meus pais. Não me criaram de verdade e não procuram saber com regularidade como eu tenho andado. Por outro, se eu precisasse de qualquer coisa, sempre soube que eles estariam à minha disposição. Cuidaram de mim durante uma das fases mais importantes da minha vida. E a verdade é que meus pais não estão presentes. Já faz um tempo que não estão.

— Tudo bem — digo. — Tenho um dinheiro guardado. O bastante para dar de entrada num carro ou para o primeiro e o último mês de aluguel, além do seguro fiança. Se eu encontrar uma opção barata para os dois, talvez consiga fazer ambas as coisas.

— Está dizendo que tem uns 5 mil dólares, mais ou menos? — pergunta Carl.

Gabby balança a cabeça. Mark está sorrindo. Talvez esteja apenas satisfeito pela pressão ter sido tirada de cima dele por enquanto.

Tina se intromete antes que eu possa responder.

— Carl, que tal guardarmos os assuntos mais sérios pra depois do jantar?

— Hannah? — chama ele, dirigindo-se exclusivamente a mim — Eu estou te deixando sem graça? Isso está te incomodando?

Ah, pelo amor de Deus! O que eu devo responder? Que sim, que falar do quanto estou dura e despreparada para a vida me deixa um pouquinho sem graça. Mas quem neste planeta, ao ser diretamente indagado se está sem graça, admite estar? Essa é uma pergunta impossível. Força a gente a fazer o outro se sentir melhor por estar invadindo nossa privacidade.

— Está tudo bem — respondo. — Sério.

Carl se vira para Gabby e Tina.

— Ela disse que tudo bem.

— Ok — diz Tina. — Quem quer mais vinho?

Gabby levanta a taça. A minha está intocada.

— Eu estou bem — digo. Tina olha para o meu prato.

— Já terminou? — pergunta. Os pratos de todos estão razoavelmente vazios, a não ser por um pedacinho aqui e ali. O meu está vazio, a não ser pela couve-de-bruxelas. — Vou trazer uma sobremesa fabulosa.

Eu sei que é infantil, mas estou sinceramente preocupada com a possibilidade de Tina me julgar por comer sobremesa sem terminar a verdura. Começo a devorar tudo, rapidamente, como quem não quer nada.

— Que ótimo — digo entre uma garfada e outra. — Estou quase terminando.

Tina se levanta da mesa e vai até a cozinha. Assim que Carl pergunta a Mark como vão as coisas no consultório, Tina o chama para ajudá-la a abrir outra garrafa de vinho.

— Me desculpe pelo meu pai ter ficado em cima de você — diz Gabby, assim que Carl e Tina estão fora do alcance de sua voz.

Pego o que restou da couve-de-bruxelas com o garfo e enfio na boca. Mastigo rapidamente e engulo.

— Tudo bem. Estou bem menos preocupada com as perguntas do seu pai do que com o que sua mãe vai achar de mim se eu não terminar isso.

Gabby ri.

— Tem razão de estar preocupada. — Mark entra na conversa. — Uma vez, não coloquei nenhuma cenoura no meu prato e ela me puxou pra um canto mais tarde e perguntou se eu não estava preocupado com uma possível deficiência de vitamina A.

Tomo outro gole de água. Talvez eu tenha exagerado na couve-de-
-bruxelas. Começo a me sentir inchada e enjoada.

— Eu não devia ter comido a couve tão rápido — digo, esfregando a barriga. — Estou me sentindo... argh.

— Ah, essa eu já aprendi — comenta Gabby rindo.

— Não, é que... De repente, do nada, não estou me sentindo bem.

— Enjoada ou o quê? — indaga Mark.

— Isso — respondo. E arroto. Um arroto de verdade. — Muito enjoada.

Tina e Carl vêm da cozinha, Tina com vinho, Carl com uma fornada enorme de pãezinhos de canela muito grudentos e com um cheiro delicioso.

Abro um enorme sorriso quando Tina pisca para mim.

— Conhecemos ou não conhecemos a Hannah? — pergunta Carl. Ele os coloca diante de mim.

— Você escolhe primeiro. Eu não esperaria menos se você escolher o que tiver mais cobertura.

Respiro fundo, sentindo o cheiro da canela e do açúcar. Então, de repente, tenho de sair dali.

Empurro a cadeira bruscamente para trás e disparo em direção ao banheiro do corredor, fechando a porta. Mal alcanço a privada quando tudo o que comi retorna. Sinto-me fraca e um pouco tonta. Estou exausta.

Sento-me à frente da privada. Acho agradável a sensação do piso frio contra a minha pele. Não sei quanto tempo passo ali, sentada. Sou chamada de volta à realidade quando Gabby bate à porta. Não me espera responder para entrar.

— Você está bem? — pergunta.

— Estou. — Eu me levanto. Sinto-me muito melhor agora. — Estou bem. — Balanço a cabeça, tentando voltar ao normal. — Será que sou alérgica a couve-de-bruxelas?

— Ufa! — exclama ela, sorrindo. — Não ıa ser ótimo?

Em alguns minutos, depois de me recompor e de encontrar o enxaguante bucal, retorno à mesa.

— Me desculpem por aquilo — digo. — Acho que meu corpo entrou em choque por ter comido verdura.

Tina ri.

— Tem certeza de que está bem?

— Tenho — eu a tranquilizo. — Estou ótima.

Gabby pega nossas bolsas e a minha jaqueta.

— Mas eu acho que devíamos levá-la pra casa — anuncia ela.

Eu realmente acredito que daria para eu ficar, mas é melhor voltarmos. Para eu dormir um pouco.

— É — começa Mark, se coçando outra vez. — Estou me sentindo um pouco sufocado pelo cachorro, pra ser sincero.

Não sei se alguém nota, além de mim, mas Gabby revira os olhos muito sutilmente. Está irritada com ele. Por ser alérgico a cachorros. Acho que são as pequenas coisas num casamento que mais irritam a gente.

— Ah, nós sentimos muito — desculpa-se Tina. — Vamos ter o antialérgico pra você aqui, de agora em diante. Caso esqueça alguma outra vez.

— Ah, obrigado — diz Mark. — Embora eu tenha que admitir que os comprimidos não ajudam muito. — Então ele passa uns bons cinco minutos descrevendo todos os seus sintomas e quais deles são ou não aliviados por um antialérgico. Do jeito que ele fala, alguém acharia que ser alérgico a cachorros é o mesmo que ser diagnosticado com alguma doença incurável. Cruzes, até eu estou irritada com a alergia dele agora.

— Bem — começa Carl, quando caminhamos em direção à porta —, nós adoramos receber vocês todos aqui.

— Ah! — exclama Tina. — Hannah, me deixe embrulhar uns pãezinhos de canela pra você. Pode ser?

— Eu adoraria. Muito obrigada.

— Está bem, só um segundo. — Ela corre até a cozinha e Gabby vai atrás dela. Carl e eu ficamos ao lado da porta. Mark está de pé perto da escada. Ele pede licença para ir ao banheiro.

— Meus olhos estão lacrimejando — diz, se explicando.

Carl observa Mark se afastando e me puxa para um canto.

— Compre um carro — diz.

— Hein?

— Compre um carro. Fique morando com a Gabby e com o Mark até ter dinheiro para o seguro fiança.

— É — concordo. — Esse parece ser o plano mais sensato.

— E, quando tiver o carro, ligue pro meu consultório. — Ele saca um cartão de visitas da carteira e o entrega a mim. *Dr. Carl Hudson, Pediatria.*

— Ah. Eu não sei se...

— Nós temos uma recepcionista — começa ele. — Ela é péssima. Simplesmente péssima. Eu preciso demiti-la.

— Ah, eu sinto muito — digo.

— Ela ganha 40 mil por ano, mais benefícios.

Olho para ele.

— Quando a mandarmos embora, vamos procurar alguém que possa atender telefones, marcar consultas e ser o rosto do consultório.

— Ah! — Limito-me a dizer. Ele está me oferecendo um emprego.

— Se você me disser que acha que pode assumir o cargo, fico com ela por mais umas semanas. Pra garantir que o emprego esteja disponível pra você.

— Sério? — pergunto.

Ele faz que sim.

— Eu não pensaria duas vezes. Você merece que alguém se preocupe com você.

Aquilo me comove.

— Uau. Obrigada.

— Quando te perguntarem quanto quer ganhar, diga 45 mil. Provavelmente vai acabar ganhando 42 ou 43. Mais benefícios integrais. Férias. O pacote todo.

— Mas eu não sou qualificada pra trabalhar num consultório médico — confesso. Ele balança a cabeça.

— Você é inteligente. Vai aprender o trabalho rápido.

Tina e Gabby vêm da cozinha com pãezinhos de canela embrulhados em papel alumínio e uma Tupperware abarrotada de sobras do jantar. Mark sai do banheiro.

— Vamos? — pergunta Gabby, dirigindo-se à porta. Ela me passa algumas das sobras para que eu carregue e abre a porta.

Barker vem correndo em nossa direção e atira as patas em cima de mim. Eu o empurro para baixo. Mark se afasta dele com um salto, como se estivesse pegando fogo.

— Pode esquentar a comida no micro-ondas — diz Tina —, ou no forno convencional a 180 graus.

— E me avise — diz Carl — sobre aquilo que conversamos.

O *obrigada* que sai de minha boca é dirigido aos dois, mas não tem como transmitir toda a emoção que sinto.

Então, repito:

— Obrigada. De verdade.

— Estamos às ordens — diz Tina, me dando um abraço de despedida.

Abraço Carl enquanto Tina abraça Gabby e Mark. Mais alguns instantes de despedidas, incluindo uma despedida muito emotiva de Gabby com Barker e saímos porta afora.

Mark assume o assento do motorista. Gabby senta-se no banco do carona. Eu me deito no banco detrás.

— Como está se sentindo? — pergunta Gabby.

— Estou bem — responde Mark, antes de se dar conta de que ela está falando comigo. Ele deixa para lá.

— Estou bem — respondo. Estou sendo sincera. De verdade.

Quando deixei a casa dos Hudsons para ir para a faculdade, nunca me ocorreu que poderia voltar.

Eu ficava repetindo para as pessoas "minha família está em Londres, minha família está em Londres", enquanto deveria ter dito: "Eu também tenho família em Los Angeles. Eles moram numa ruazinha tranquila e arborizada numa casa de estilo Craftsman em Pasadena."

Esta noite, minha família saiu por volta das nove horas, depois que insisti para dormirem no hotel. Queriam passar a noite comigo, mas a verdade é que não há nada que ninguém possa fazer a não ser ficar sentado ao meu lado me olhando fixamente. De vez em quando, preciso do meu próprio espaço. Preciso não ter de fazer cara de valente por um tempinho. Agora estou sozinha, em paz e sossegada. Ouço o zumbido da eletricidade, o bipe fraco dos aparelhos dos outros pacientes.

As pessoas chegam me trazendo livros e mais livros. Elas os oferecem como forma de passar o tempo. Livros e flores. Flores e livros.

Pego um livro da pilha feita por Gabby e resolvo ler. O livro começa lento, muito descritivo. Lento e descritivo seria ok num dia normal, num dia em que eu não estivesse tentando silenciar minha própria voz, mas sei que isso não vai funcionar para mim no momento. Então, abandono esse e apanho outro. Vou descendo a pilha até encontrar uma voz que seja rápida e emocionante o suficiente para calar a minha.

Quando Henry entra para ver como estou, estou tão compenetrada que esqueci, temporariamente, onde estou e quem sou. Uma dádiva, se alguma vez recebi uma na vida.

— Acordada ainda? — pergunta Henry. Eu faço que sim. Ele se aproxima.

Olho outra vez para a tatuagem dele. Eu estava enganada. Não é *Isabelle*. É *Isabella*. A imagem em minha cabeça muda, instantaneamente, de uma loura glamorosa e delicada para uma voluptuosa mulher de cabelos castanhos e pele olivácea. Cruzes, preciso arranjar o que fazer da vida.

— Você não dorme não? — pergunta ele, colocando um medidor de pressão ao redor do meu braço. — Você é vampira? O que está acontecendo com você?

Dou uma risada e olho para o relógio. Passa um pouco da meia-noite. A hora não significa nada num hospital. É sério. Quando eu estava lá fora, no mundo real, no meu dia a dia, inserida na sociedade, e alguém dizia "O tempo não passa de uma invenção", eu revirava os olhos e continuava a ticar os itens da minha lista de coisas a fazer. Mas eu estava errada, e eles certos. O tempo não significa coisa alguma. Isso fica muito claro quando se está numa cama de hospital.

— Não, eu estou bem — respondo. — Ontem à noite, depois que te vi, devo ter dormido pelo menos nove horas.

— Ok. Bem, me mantenha informado se isso mudar. O sono é uma parte importante do processo de cura.

— Concordo totalmente.

Henry está ainda mais bonito hoje do que ontem. Ele não tem o tipo de beleza pela qual todas as mulheres se sentiriam atraídas, eu acho. Seu rosto não é simétrico. Suponho que o nariz seja um pouco grande para o rosto. Os olhos são pequenos. Mas algo ali... simplesmente funciona nele.

Ele coloca meu prontuário no bolso localizado na cama.

— Bem, a gente se vê... — começa ele, mas eu o interrompo.

— Isabella — pergunto. — É a sua mulher?

Fico envergonhada por ter dito isso quando ele estava claramente se despedindo. Mas fazer o quê? Escapuliu.

Ele dá um passo em minha direção. Só então penso em ver se ele usa aliança na mão esquerda. Eu já deveria ter aprendido esse tipo de coisa. Nada de aliança. Na verdade, o que eu *de fato* aprendi é que a falta da aliança não significa falta de mulher. Então minha pergunta continua sendo válida.

— Não — responde ele, balançando a cabeça. — Eu não sou casado.

— Ah...

Henry não me diz quem é Isabella, e imagino que, se ele quisesse me contar, contaria. De maneira que... esse é um momento desconfortável.

— Desculpe se fui intrometida — digo. — Sabe como são as coisas por aqui. A gente fica entediada. Perde a noção do que é ou não apropriado perguntar a um desconhecido.

Henry ri.

— Não, imagina. Está tudo bem. Quando uma pessoa tem um nome enorme tatuado no antebraço, acho que a pergunta é justificável. Pra ser sincero, fico surpreso de não me perguntarem isso com mais frequência.

Eu acho graça.

— Bem, obrigada por ter vindo ver se estou... — começo, mas, desta vez, é Henry que atropela minha fala.

— Era a minha irmã — diz.

— Ah...

— Pois é. Faleceu há uns 15 anos.

Eu me pego baixando a cabeça, olhando para minhas próprias mãos. Ergo os olhos outra vez para ele, envergonhada.

— Eu sinto muito.

Henry olha para mim, pensativo.

— Muito obrigado — diz. — Obrigado.

Não sei o que dizer porque não quero ser intrometida, mas também quero que ele saiba que ficarei satisfeita em escutar se ele quiser falar. Mas o que dizer? Meu primeiro instinto é perguntar como ela morreu, mas isso me parece inadequado. Não consigo pensar em nada mais para dizer, então fico simplesmente olhando fixamente para ele.

— Acho que você quer me perguntar como ela morreu.

Imediatamente me sinto péssima por ser tão transparente e tão brega.

— Quero. Você me pegou. Horrível, não é? Totalmente mórbido e desnecessário. Mas foi a primeira coisa que pensei. *Como será que ela morreu?* Eu sou péssima. — Balanço a cabeça, me repreendendo. — Pode cuspir no meu café da manhã, se quiser. Eu iria entender.

Henry se senta na cadeira e dá uma risada.

— Não, tudo bem. É uma coisa tão esquisita, não é? Porque é a primeira coisa que ocorre ao cérebro perguntar. *Ela morreu? Como morreu?* Mas, ao mesmo tempo, é uma pergunta meio insensível de se fazer.

— Exatamente! — exclamo, balançando a cabeça mais uma vez. — Eu sinto muito.

Ele acha graça de mim.

— Você não fez nada de errado. Minha irmã tinha 16 anos. Bateu com a cabeça numa piscina.

— Que coisa horrível. Eu sinto muito.

— Pois é. Não era pra ela ter mergulhado. Mas tinha 16 anos, sabe? Gente de 16 anos faz coisas que não deve fazer. Foi levada às pressas pro hospital. Os médicos fizeram tudo o que podiam. Na verdade, chegamos a achar que ela iria sobreviver, mas... sabe, existem coisas das quais uma pessoa nunca consegue se recuperar. Ficamos esperando que ela acordasse, mas nunca acordou.

— Nossa — digo. Meu coração fica partido por ele, pela família e pela irmã.

A gente passa tanto tempo chateada por estar num hospital que é quase chocante pensar em quantas pessoas nunca saem de um. Eu poderia ter tido um destino igual ao da irmã dele. Poderia não ter acordado.

Mas acordei. Eu sou uma das que acordaram.

Penso por um instante no que poderia ter acontecido se eu estivesse só um pouco mais para o meio da rua, ou um pouquinho para o lado. E se eu tivesse sido atirada para a esquerda, em vez de para a direita? Ou se o carro estivesse se deslocando oito quilômetros por hora mais rápido? Talvez eu nunca mais tivesse acordado. Hoje poderia ter sido o meu enterro. Que coisa mais estranha, não? Quão insano isso é? A diferença entre a vida e a morte pode ser tão simples e desconfortavelmente pequena quanto um passo dado em qualquer uma das duas direções.

Isso significa que estou aqui hoje, viva, porque fiz as escolhas certas, por mais breves e insignificantes que possam ter parecido à época. Eu fiz as escolhas certas.

— Sinto muito que você e sua família tenham tido que passar por isso. Não consigo nem imaginar algo assim.

Ele faz um aceno com a cabeça, aceitando minha solidariedade.

— Na verdade, foi por isso que me tornei enfermeiro. Quando estava no hospital, com meus pais, esperando por notícias, desesperado, queria estar dentro do quarto, ajudando, fazendo alguma coisa, me sentindo envolvido, em vez de ficar esperando que outra pessoa fizesse ou dissesse alguma coisa. Eu queria garantir que estava fazendo o melhor pra ajudar outras pessoas na mesma situação da minha família naquela época.

— Isso faz todo o sentido — digo, me perguntando se ele sabe o quanto aquilo soa honroso. Meu palpite é de que ele não sabe, que isso que ele está relatando é um sentimento genuíno.

— Aconteceu há alguns anos, no décimo aniversário da morte dela. Eu estava confuso. Encarei tantas coisas que acabaram aflorando mais ou menos nessa época. A essa altura, meus pais já tinham se divorciado e voltado para o México, de onde vieram. Então eu meio que tentei lidar com a data sozinho. De qualquer forma, fazer a tatuagem fez com que eu me sentisse melhor. Então eu fiz. Não pensei muito no depois.

Dou uma risada.

— Essa é a história da minha vida! — digo a ele. — Fez com que eu me sentisse melhor. Então, eu fiz.

— Talvez você devesse tatuar isso — sugere ele.

Dou outra risada.

— Não sei se sou muito de tatuagens. Sou indecisa demais. Mas tenho que admitir que a sua chama atenção. Foi a primeira coisa que notei quando você entrou aqui.

Henry ri.

— Não foi a minha beleza estonteante?

— Ah, sinto muito. Isso foi a *segunda* coisa que notei.

Henry dá uma palmadinha na minha cama e se levanta para sair do quarto.

— Agora eu estou atrasado. Olhe o que você fez.

— Desculpe — digo. — Quer dizer, você é que deveria estar me pedindo desculpas. Por me distrair do meu repouso tão necessário. — Sorrio para ele.

Ele balança a cabeça.

— Tem razão. No que eu estava pensando? Uma garota bonita me faz uma pergunta e, de repente, eu perco a hora. Volto mais tarde pra ver como você está — diz ele, escapulindo pela porta.

Eu me vejo incapaz de conter o sorriso que insiste em brilhar no meu rosto. Balanço a cabeça, rindo do quanto estou sendo ridícula. Mas também, por um instante, me passa pela mente passar a noite toda em claro. Acho que vou esperar para ver quando ele vai voltar.

Mas isso é maluquice. Ele deve ser simpático com todos os pacientes. Provavelmente diz a todas as mulheres que elas são bonitas. Eu só estou entediada e sozinha neste lugar. Desesperada por alguma coisa interessante, algo legal.

Apago a luz ao lado da cama e escorrego o corpo um pouco até minha cabeça repousar confortavelmente no travesseiro.

Não é difícil adormecer uma vez que decido fazê-lo. Isso é uma coisa da qual sempre gostei em mim. Nunca é difícil cair no sono.

Ao chegarmos à casa de Gabby e de Mark, já tomei minha decisão: vou aceitar o emprego. Os dois vieram conversando comigo sobre o assunto durante o caminho todo, e Gabby acha que é, sem dúvida, uma excelente ideia.

— Eu sei, com toda certeza, que ele é ótimo com os funcionários, que o consultório todo dá uma importância enorme ao alto-astral das enfermeiras e da equipe — diz Gabby. — E meu pai te ama, então você vai ser a preferida.

Quando nos despedimos e nos recolhemos para nossos quartos, começa a cair a ficha de que eu tenho uma proposta de emprego. Tenho a chance de ter um emprego de verdade. Às vezes não me dou conta do quanto fico sobrecarregada com minhas preocupações até que elas desaparecem. Mas eu me sinto bem mais livre esta noite do que me sentia pela manhã.

Ligo para Ethan assim que me deito para lhe dar a boa notícia. Ele não se aguenta de tão animado que fica por mim. Então eu conto a ele sobre o resto da noite.

— Eu devo ser alérgica a couve-de-bruxelas — comento. — Mal consegui chegar à privada antes de vomitar o jantar todo.

— Como assim? Ainda está se sentindo mal? Aguente firme. Vou aí te buscar.

— Não. Estou bem aqui. Não precisa.

— Eu quero ir. É uma boa desculpa pra te ver. Estou indo. Você não pode me impedir.

Eu rio e só então percebo que nunca achei mesmo que fosse passar a noite aqui. Acho que sabia que só estava matando tempo até ele vir me buscar.

— Está bem, está bem. Venha me buscar! Estou ansiosa pra te ver.

— Estou saindo.

Assim, trinta minutos depois de ter entrado em casa, já estou saindo porta afora para esperar o carro de Ethan.

Quando entro na sala de estar para apanhar a bolsa, vejo Gabby na cozinha, de pijama, pegando um copo d'água.

— Vai a algum lugar? — pergunta ela, me provocando.

— Você me pegou.

— Eu bem que cantei a pedra — diz ela —, embora eu tenha achado que você iria pedir pra gente te deixar na casa dele. Aguentou mais tempo do que imaginei.

— Pelo menos eu sou um pouquinho imprevisível.

— Eu não diria isso — diz ela, enquanto me dirijo à porta. — Espere.

Ela pega os pãezinhos de canela de cima da bancada e os leva até mim.

— Por favor, leve isso com você. Deixe na casa do Ethan. Não consigo olhar pra eles sem querer comer todos.

Eu acho graça.

— E você acha que eu consigo?

— É, bem... Você atrai pãezinhos de canela aonde quer que vá. Eu não posso viver assim.

Aceito os pãezinhos.

— Eu devia mandar um bilhetinho de agradecimento para os seus pais — digo e ouço o carro de Ethan chegar.

Gabby olha para mim como se fosse a ideia mais idiota que já ouviu.

— Eles ficariam insultados. Seria como eu agradecer por eles terem me criado. Pare com isso.

Eu rio do comentário.

— Mas vá logo. Acho que é ele aí fora.

Eu lhe dou um abraço e digo que a verei amanhã.

Saio da casa e vejo o carro de Ethan parado bem na frente. Observo-o por um instante, antes de ele perceber que está sendo observado. Ele tira a chave da ignição e abre a porta.

— Você está linda.

Eu me pego rindo da ideia de que Gabby possa tê-lo ouvido. Consigo imaginá-la abrindo uma janela e gritando para baixo: "Tudo bem, mas o valor de uma mulher não está nisso!"

Sorrio para ele e caminho em direção ao carro enquanto ele abre a porta do carona para mim. Eu o abraço e entro. Ele entra no carro pelo lado do motorista e se afasta do meio-fio.

— Isso daí é uma fornada inteira de pãezinhos de canela? — pergunta. O cheiro dominou o carro.

— É. E, se você for bonzinho, eu deixo você comer até uns cinco.

— A vida ao seu lado nunca é sem emoção ou sem pãezinhos de canela, não é mesmo?

— Nunca.

Ethan segura minha mão numa placa de "pare" e me dá um beijo na bochecha num sinal vermelho.

Eu me sinto eu mesma quando estou com ele. E gosto de mim quando estou com ele. Até agora, gosto de quem sou nesta cidade. Eu me sinto como uma versão há muito esquecida de mim mesma, uma versão na qual me sinto muito mais confortável do que como o "eu" de Nova York.

De repente, um cachorro bem pequeno e esperto corre para o meio da rua.

Ethan desvia o carro rapidamente para não atropelar o bichinho, que continua seu percurso até a calçada do outro lado da rua. É tarde o bastante para não ter carros atrás de nós. Ethan para o carro.

— Temos que pegar aquele cachorro — diz ele, no mesmo instante em que eu coloco a mão na maçaneta da porta, prestes a saltar e sair atrás do cãozinho. Saímos do carro e corremos em direção ao animal, prestando atenção ao possível tráfego vindo no sentido contrário.

Eu o vejo um pouco mais adiante.

— Do outro lado da rua, ao lado da caçamba de lixo — digo. — Está vendo?

Ethan vem na minha direção e olha. Vai caminhando lentamente em direção ao cachorro.

— Ei, amiguinho — diz, ao chegar perto do cachorro, que continua despreocupado e saltitante pela rua. Ethan se aproxima sorrateiramente dele, tenta agarrá-lo, mas, no instante em que o cão percebe sua aproximação, corre na direção oposta. Eu corro um pouco mais rápido e tento interceptá-lo pelo lado oposto, mas ele escapa por pouco. O cachorro é marrom e branco encardido, maior do que eu havia pensado, vendo de longe, mas ainda tende mais para pequeno: algum tipo de terrier. Desgrenhado, mas de pelo curto; pequeno, mas com espírito valente.

Um carro aparece a distância. Ethan mais uma vez se aproxima e tenta pegar o cachorro, mas não consegue. O animal acha que estamos brincando.

O carro agora vem se aproximando a toda a velocidade. Entro em pânico, com medo de o cachorro correr outra vez para o meio da rua. Estou a alguns metros dele. O cãozinho sai saltitante e brincalhão na direção oposta.

Eu rosno para ele, bem alto. É o melhor rugido animalesco que consigo produzir.

Ele para onde está. Viro-me de costas para ele e saio correndo, na esperança de que ele me siga. Funciona. Com a mesma velocidade que vinha correndo de mim, ele agora corre na minha direção. Quando alcança meus calcanhares, salta em cima de mim. Eu imediatamente me abaixo e o pego no colo. O carro passa por nós voando. Fico imediatamente aliviada.

É uma fêmea. Está sem coleira. Sem identificação.

Ethan vem correndo ao meu encontro. Estou segurando a cadelinha nos braços.

— Caramba! — exclama. — Eu sinceramente achei que ela fosse ser atropelada.

— Eu também. Mas ela está bem. Nós a pegamos.

Ela se aninhou no meu peito e está lambendo a minha mão.

— Bem, essa cadela é, claramente, uma assassina treinada — comenta Ethan.

Solto uma risada.

— É, sim. Não tenho dúvida de que esteja ganhando tempo até poder atacar.

— Não tem identificação — diz Ethan. — Não tem coleira nem nada.

— Não — digo, balançando a cabeça. — Acho que vamos ter que levá-la ao veterinário amanhã pra ver se tem chip. Podemos espalhar uns cartazes por aí também.

— Tá. Enquanto isso...

— Não podemos deixá-la na rua. Você tem lugar pra *duas* mulheres na sua casa essa noite?

Ethan faz que sim com a cabeça.

— Tenho certeza de que consigo encontrar um lugarzinho pra ela.

Voltamos para o carro, e Ethan abre a porta para nós duas.

— Acho que deveríamos dar um nome pra ela — sugiro. — Tipo, temporariamente.

— Não acha que podemos simplesmente chamá-la de Cachorro? — pergunta ele, dando a volta até o seu lado.

— Não, acho que ela merece um nome nobre. Algo épico. Grandioso.

— Um nome grande pra um cachorro pequeno — diz Ethan.

— Exatamente.

Ethan liga o carro e arranca. Paramos para pensar por um minuto e, de repente, estou convencida de que já tenho um nome.

— Charlemagne — declaro. — Ela é a pequena Charlemagne.

— Charlemagne era homem — lembra Ethan. — Carlos Magno. Tem problema?

— Mas Charlemagne não soa mais como nome de mulher?

Ethan ri.

— Agora que você comentou, acho que sim. Tá bem. Então está combinado: Charlemagne. Amanhã, Charlemagne, nós vamos encontrar o seu dono e fazer alguém muito feliz. Mas, essa noite, você é nossa.

Quando entramos no apartamento de Ethan, eu finalmente a solto. Ela imediatamente sai correndo, entrando nos cômodos e saindo deles. Nós a observamos, atordoados com sua energia, até ela dar impulso, pular em cima da cama e se encolher no canto.

— Não posso ficar com ela — diz ele. — Não que eu ache que você esteja dizendo que acha que eu deva, é só que... quero deixar isso claro. Não podemos ter animais de estimação neste prédio.

Balanço a cabeça.

— Não, eu sei. Vamos encontrar os donos dela amanhã. Talvez eu vá de ônibus até o veterinário logo cedo.

— Posso te emprestar o meu carro — sugere ele. — Pego carona com alguém.

— Não tem problema. Já que vou aceitar esse emprego do Carl, vou precisar de um carro mesmo. Eu posso deixá-la no veterinário de manhã e pegar um táxi ou um ônibus e ir até algumas concessionárias pra ver um carro.

— Você vai começar num emprego. Vai comprar um carro.

— Vou.

— Está criando raízes.

— Parece que sim.

Ele sorri para mim, olhando nos meus olhos por mais tempo do que o necessário.

— Com um cachorro na cama, acho que não vamos fazer nada — brinca ele.

— Provavelmente não.

Ele dá de ombros.

— Bem — começa ele, com os olhos grudados em mim —, acho que esse relacionamento vai ter que ser mais do que apenas sexo. Tudo bem pra você?

Abro um sorriso. Não consigo evitar.

— Acho que consigo me concentrar na sua mente uma vez na vida.

Ele ri e tira a camisa. Abre o zíper da calça e a atira em cima de uma poltrona.

— Isso é o mais não sexy que consigo ser — diz ele. — Agora, eu sei que é muito sexy ainda assim, mas...

— Vou tentar me controlar.

— Vai ser melhor assim.

Ethan puxa as cobertas e se enfia na cama só de cueca. Eu tiro a roupa e apanho sua camisa do chão. Visto-a e me enfio na cama ao seu lado.

— Você não está nada sexy — diz Ethan. — Nem um pouquinho.

— Não? — pergunto, duvidando.

— Nossa, se acha que estou pensando em como os seus seios ficam lindos nessa camisa, está completamente enganada. Não transar com você é a coisa mais fácil que eu já fiz.

Eu rio e me aconchego nele. Charlemagne está aninhada em algum lugar entre nós. Nós três mal cabemos na cama, mas damos um jeito.

— Ah, espere aí — digo, quando Ethan apaga a luz. — Acenda de novo.

— O que foi? — pergunta ele, acendendo a luz.

Levanto-me da cama e encontro a lista que tinha feito mais cedo. Eu pego uma caneta e risco: "Arrumar um emprego."

Seguro o pedaço de papel para que ele possa ler.

— Só faltam dois.

— Argh — reclama ele, olhando para mim. — Faça-me o favor de enfiar logo essas pernas debaixo da coberta onde eu não possa ver. São ainda mais lindas do que os seus seios.

115

A cordo por volta das duas da tarde com uma visita inesperada.
— Surpresa! — diz Tina, enquanto ela e Carl vão entrando no quarto.

Gabby está atrás deles com uma cara de quem pede desculpas. Tina trouxe um vaso com algumas das flores mais lindas que já vi.

Flores, flores, flores. Seria demais pedir a alguém que trouxesse chocolates?

— Eles me fizeram jurar que eu não contaria nada pra você — diz Gabby.

Carl revira os olhos e se aproxima de mim.

— Surpresas são mais legais.

Ele inclina o corpo na minha direção e me abraça com cuidado. Tina está atrás dele. Quando Carl se afasta, ela assume o seu lugar. Tina tem cheiro de baunilha.

— Obrigada por terem vindo.

— Está brincando? — diz Tina. — A Gabby teve que nos segurar pra não virmos antes. Se dependesse de mim, eu já teria vindo há muito tempo e não teria ido embora.

Ela coloca o vaso de flores sobre a mesa, ao lado dos outros.

Carl se senta na cadeira ao meu lado.

— Como você está? — pergunta ele e me olha atentamente, com compaixão, simpatia e experiência. Não sei ao certo se está perguntando como amigo, como figura paterna ou como médico.

— Estou bem — respondo.

— Tente mexer os dedos dos pés para que eu possa ver — pede ele, olhando atentamente para o pé da cama.

— Pai! — exclama Gabby. — Você não é o médico dela. A Dra. Winters vem fazendo um trabalho incrível.

— Médicos nunca são demais — protesta Carl. — Hannah, tente mexer os dedos dos pés.

Eu não quero tentar mexer os dedos dos pés.

— Mais tarde, pai. Está bem? Você está deixando a Hannah desconfortável.

— Hannah, eu estou te deixando sem graça?

O que eu devo responder? *Sim, você está me deixando sem graça?* Na verdade, dane-se, sim, a vida é curta demais para a gente ficar mentindo.

— Está — confesso. — Um pouquinho. É um inferno estar nesta cama, tendo que lidar com o corpo que tenho agora. Eu adoraria simplesmente esquecer os dedos dos meus pés por alguns minutos.

Carl me olha nos olhos, então assente com a cabeça, vira-se para Gabby e levanta as mãos.

— Desculpe! Vamos deixar isso pra depois. — Quando acho que Carl terminou, ele volta a falar. — Só se certifique de que está oferecendo um desafio pra sua médica de vez em quando. Veja se ela está fazendo tudo o que pode por você, tenha certeza de que você é a prioridade dela.

— Pode deixar — digo.

Carl pisca para mim, eu pisco para ele.

— Então — começa Tina —, Gabby já te contou sobre o nosso cachorro, o Barker? Estou completamente apaixonada pelo rapazinho. Aonde eu vou, insisto pra que as pessoas vejam fotos dele.

Ela se aproxima de mim com o celular e sorri para a filha. Para ela, não faz a menor diferença se eu vir Barker ou não. Está apenas tentando mudar de assunto para que Carl pare de falar.

— Eu fico tentando convencer a Gabby a comprar um São Bernardo igual a ele — diz Tina enquanto me mostra várias fotos de Barker em diversos aposentos da casa.

— Eu sei — diz Gabby —, mas o Mark é alérgico a cachorros. Isso gera todo um problema.

Conversamos um pouco, nos atualizando a respeito do que cada um de nós tem feito ultimamente, nós três zombando de Gabby.

Então, eles começam a se despedir. Fico agradecida por terem vindo e por não ficarem tempo demais. Parecem compreender perfeitamente o efeito que o convívio com outras pessoas pode ter sobre quem está internado.

— Quando você tiver alta — diz Tina —, e estiver com disposição, quero conversar com você sobre um processo judicial.

— Um processo?

Tina olha para Gabby pedindo permissão para continuar, e a filha sutilmente a concede.

— Gabby me contou sobre a pessoa que te atropelou, e eu conversei com uma amiga que é procuradora assistente do distrito.

Não sei se sinto vergonha ou orgulho de saber o que faz um procurador assistente do distrito devido a todos os episódios de *Law & Order* aos quais assisti.

— Tá. — É o que consigo dizer.

— Já identificaram a motorista. Ela está sendo acusada de atropelamento e omissão de socorro.

— Bem, isso é bom, não é?

— É, sim — afirma Carl —, é muito bom.

— Mas nós gostaríamos de colocar uma coisa na sua cabeça. O seu tratamento médico vai ter um custo significativo — diz Tina. — Tenho certeza de que já conversou com seus pais sobre isso... Não queremos nos meter na vida de ninguém, mas gostaríamos que soubesse que estamos aqui, se precisar de ajuda para pagá-lo.

— O quê? — pergunto.

— Só se você precisar — diz Carl. — De qualquer forma, queremos que você saiba que estamos aqui, como um recurso, se precisar de nós.

— E que vamos te ajudar a entrar com uma ação contra essa mulher, se você decidir que quer fazer isso — continua Tina.

Fico maravilhada com a generosidade e com o carinho dos Hudsons comigo.

— Nossa — começo. — Eu... eu não sei nem o que dizer.

Tina agarra a minha mão.

— Não precisa dizer nada. Era importante pra nós que você soubesse disso. Que sempre estaremos ao seu lado.

— Pelo que sabemos, você é uma Hudson honorária — declara Carl. — Mas você já sabia disso, não sabia?

Olho para ele e faço que sim, sendo totalmente sincera.

Carl e Tina caminham até a porta, e Gabby os acompanha até lá fora. Quando volta, estou olhando fixamente para o teto, tentando processar aquilo tudo. Eu não havia pensado no custo do tratamento. Não havia pensado na pessoa que fez isso comigo.

Alguém *fez isso* comigo.

A culpa é de alguém.

Alguém me fez perder o bebê que eu nem sabia que estava carregando.

— Você está bem? — pergunta Gabby.

Olho para ela. Afasto meus pensamentos.

— Estou — respondo. — Estou bem. Os seus pais são... quer dizer, eles são... são incríveis.

— Eles te amam — diz ela, sentando-se na poltrona.

— Você acha mesmo que eu deveria processar essa mulher?

Gabby faz que sim.

— Acho. Com certeza.

— Não sou muito do tipo que processa as pessoas — comento, mesmo sem saber exatamente o que quero dizer com isso.

— Eu vi tudo acontecer, Hannah. Essa mulher te atropelou quando você estava na faixa, com o sinal de pedestre verde. Não há como se confundir com relação ao que aconteceu. Ela viu que tinha atropelado alguém e, ainda assim, não parou. Seguiu em frente. Então, sabendo que essa mulher fugiu do local de um acidente que poderia ter sido fatal, sabendo que ela não fez o menor esforço pra prestar socorro ou ligar pra emergência, eu acho que ela não só merece ir pra cadeia como, também, reparar pessoalmente os danos que causou. — Gabby está com raiva. — Se você quer saber, eu acho que ela tem que se foder.

— Caramba, Gabby.

Ela dá de ombros.

— Não quero nem saber se isso soa errado. Eu odeio essa mulher.

Por um instante, tento me colocar no lugar da minha amiga. Ela me viu sendo atropelada por um carro, me viu cair no chão, me viu desacordada. E provavelmente achou que eu talvez fosse morrer bem ali, na frente dela. Então, de repente, eu também odeio a mulher. Por fazer Gabby passar por tudo aquilo. Por me fazer passar por tudo isso. Por tudo isso.

— Está bem — concordo. — Você vai pesquisar a respeito? Ou melhor, diga à sua mãe que eu concordei?

— Claro.

— É uma pena que *Law & Order* não fale sobre processos civis. Se falasse, eu já estaria tão escolada que poderia, eu mesma, me representar juridicamente.

Gabby ri, então se levanta ao ver meus pais e Sarah chegando. Minha irmã está usando uma calça de linho preta com uma camiseta de algodão e um suéter fino. Mesmo se não estivesse carregando uma mala, daria para saber que estava indo para o aeroporto.

— Muito bem — diz Gabby, me dando um beijo na bochecha. — Você está em boa companhia. Volto amanhã. — Ela se despede da minha família e sai.

Minha família não me disse que voltaria para Londres hoje, então fico um pouco surpresa. Mas, para ser totalmente sincera, também sinto um imenso alívio. Eu amo a minha família, mas ter todo mundo por perto exige uma energia que eu simplesmente não tenho no momento. A ideia de passar o dia seguinte sem ter de fazer sala, de sermos apenas Gabby e eu, me parece ser o melhor dia que provavelmente terei.

— Vocês estão indo? — pergunto. Meu tom é apropriadamente tristonho. Eu me esforço para não permitir que a inflexão suba ao final da pergunta, deixando que as palavras saiam todas com a mesma entonação.

Minha mãe se senta ao meu lado.

— Só a Sarah, meu anjo — diz ela. — Seu pai e eu não vamos a lugar nenhum.

Sinto meu sorriso se transformar em desapontamento, mas me controlo para disfarçar. Abro um sorriso maior ainda. Sou uma péssima filha, querendo que eles vão embora.

— Ah, legal — digo.

Sarah deixa a mala perto da porta e se aproxima de mim pelo outro lado. Meu pai está olhando para a TV. Está passando *Jeopardy!*

— Me desculpe por ter que ir — diz Sarah. — Já fiquei afastada por tempo demais e não posso ficar mais aqui. Senão perco o meu papel.

— Ah, não tem problema — digo. — Vou ficar bem. Ninguém precisa ficar.

Fica a dica.

— Bem, sua mãe e eu certamente não vamos a lugar nenhum tão cedo — afirma meu pai, finalmente desviando a atenção da TV. — Não vamos deixar a nossa pequena Hannah Savannah enquanto estiver se recuperando.

Sorrio, sem saber ao certo o que dizer. Eu me pergunto se ele me chama de Hannah Savannah, como se eu ainda fosse criança, porque só me conhece de verdade como criança. Ele não me conhece muito bem como adulta. Talvez seja a forma que ele tenha encontrado de se convencer de que não mudei tanto desde que eles foram embora para Londres, como se o tempo tivesse ficado parado e ele não houvesse perdido nada.

— Meu voo é daqui a algumas horas, então ainda tenho um tempinho pra ficar com você — diz Sarah.

Começa o desafio duplo em *Jeopardy!*, e meu pai de repente fica hipnotizado olhando para a TV.

Todos prestamos atenção quando um dos concorrentes escolhe o assunto "Abreviações postais".

— Ai, que saco — reclama Sarah.

Queria que eles trocassem de canal. Não quero assistir a *Jeopardy!* Quero ver *Law & Order*.

A voz de Alex Trebek é inconfundível. "Esse estado do Nordeste é o único cuja abreviação postal é uma preposição."

Ao ouvir isso, meu pai se levanta e diz:

— Iowa!

Minha mãe balança a cabeça.

— Doug, eles disseram Nordeste. Iowa fica no Centro-Oeste do país.

Fico tentada a lembrar que *ia* não é preposição, mas não o faço.

— Seria Delaware? — responde o concorrente.

— Correto.

Meu pai dá um tapa no próprio joelho.

— Mas eu cheguei perto.

Ele não chegou nada perto. Não chegou nem um pouco perto. De vez em quando ele é tão sem noção. Completamente sem noção.

— Tá bom, pai, tá bom — diz Sarah.

A maneira como ela diz aquilo, a facilidade com que eles interagem entre si, como se todos se sentissem perfeitamente confortáveis em dizer qualquer coisa que lhes passasse pela cabeça, salienta o quanto eu me sinto deslocada no meu próprio quarto de hospital quando eles estão aqui.

Eu só... não consigo lidar com isso. Não quero que minha família fique aqui comigo. Quero que eles me deixem em paz, para que eu possa me recuperar.

Eu deveria estar relaxando no hospital. Descansando. Mas estar com eles não é fácil, e isso não é descanso.

O carro que Sarah chamou para levá-la ao aeroporto chega assim que *Jeopardy!* termina. Ela pega a mala e se aproxima de mim, me abraçando com cuidado. É um abraço meio indiferente, não por ela não querer me abraçar, mas porque eu não tenho mesmo como abraçar quem quer que seja no momento.

Então ela se vira para os meus pais e se despede de cada um com um abraço.

— Está com o passaporte à mão? — pergunta minha mãe.

— Estou — responde ela.

— E o George vai te buscar no Heathrow? — indaga meu pai.

— Vai.

Segue-se uma enxurrada de perguntas sobre logística e coisas tipo: *Você se lembrou de...*, seguidas de *Vou sentir saudades* e muitos *Eu te amo*.

Então, ela vai embora. E ficamos só meus pais e eu.

E nunca somos só meus pais e eu.

Então, neste instante, olhando para eles enquanto eles olham para mim, eu me dou conta de que não tenho nada para dizer aos dois. Não tenho palavras, nada que deseje fazer, nada que eles possam fazer para me ajudar, nada para lhes oferecer.

Eu amo meus pais. De verdade. Mas eu os amo da maneira que a gente ama uma avó de quem não é muito próximo, do jeito que ama um tio que mora do outro lado do país.

Eles não são o meu sistema de apoio.

E precisam ir embora.

— Vocês também podem ficar à vontade pra voltar pra casa — digo, com toda a gentileza que minha voz me permite.

— Bobagem — diz minha mãe, sentando-se. — Estamos aqui por você. Vamos ficar com você a cada passo do caminho.

— Tudo bem — digo. — Mas não preciso que estejam aqui. — Por mais que eu tente dizer isso de forma descontraída, sai de maneira crua e pesada.

Os dois olham para mim, sem saber como reagir, então minha mãe começa a chorar.

— Mãe, não chore, por favor — peço. — Eu não quis...

— Não — diz ela. — Tudo bem. — Ela seca as lágrimas. — Vocês me dão licença por um instante? Só... preciso pegar um copo d'água.

Então ela não está mais no quarto. Sai corredor afora.

Eu devia ter ficado quieta. Devia ter fingido só mais um pouquinho.

— Desculpe. — Tento me redimir com meu pai. Ele não está olhando para mim. Está encarando o chão. — Desculpe mesmo. Sinto muito por ter dito aquilo.

Ele balança a cabeça, ainda sem olhar para mim.

— Não, não sinta.

Ele levanta a cabeça, e nossos olhares se cruzam.

— Sabemos que você não precisa de nós. Sabemos que construiu toda uma vida sem a gente.

Grande vida.

— Eu...

— Você não precisa dizer nada. Sua mãe tem mais dificuldade em encarar isso do que eu, mas, honestamente, fico satisfeito por você ter dito alguma coisa. Acho que temos que poder falar abertamente, sermos sinceros uns com os outros. — Ele se aproxima de mim e pega a minha mão.

"Nós erramos, sua mãe e eu. Erramos, sim. — Meu pai tem olhos verdes de uma beleza impressionante. Ele é o meu pai, então é normal eu não notar, mas, quando ele olha para a gente com a intensidade com a qual está me olhando agora, é difícil ignorar isso. Seus olhos são verdes como o verde da grama, como as esmeraldas escuras. — Quando chegamos a Londres e nos acomodamos em casa, tanto sua mãe quanto eu percebemos que tínhamos cometido um erro grave não levando você com a gente. Nunca devíamos ter permitido que você ficasse em Los Angeles. Nunca devíamos ter deixado você."

Desvio o olhar. Os olhos verdes estão começando a ficar marejados. A voz está começando a falhar. Não consigo lidar com aquilo. Olho para as minhas mãos.

— Toda vez que falávamos com você pelo telefone — continua ele —, começávamos a chorar quando desligávamos. Mas você sempre pareceu bem. Então acreditamos de verdade que estava tudo bem. Acho que esse foi o nosso maior erro. Acreditar no que você dizia, não querer te dizer o que fazer. Quer dizer, você parecia feliz com os Hudsons. Suas notas eram boas. Você foi aceita numa boa universidade.

— Certo.

— Mas, hoje, olhando pra trás, consigo perceber que isso não significava que você estava bem.

Espero para ver se ele vai se explicar.

— É difícil — continua ele — admitir que a gente fracassou com um filho. Sabe, muitos amigos meus hoje em dia já não têm mais os filhos em casa e dizem que o dia em que você se dá conta de que seus filhos já não precisam de você é como levar um soco no estômago. E eu nunca comento nada, mas sempre penso que saber que um filho já não precisa da gente pode até machucar, mas que, quando um filho precisou, e a gente não estava lá... Isso, sim, é insuportável.

— Foram só alguns anos. Eu teria saído de casa pra ir pra faculdade, de qualquer forma.

— E isso teria acontecido de acordo com a sua vontade, com a sua escolha. E você saberia que, independentemente do que pudesse acontecer, você poderia voltar pra casa. Acho que nunca deixamos isso claro pra você. Que nós éramos a sua casa.

Não consigo controlar o choro. Quero controlar as lágrimas. Estou me esforçando tanto para guardá-las só para mim, para não permitir que jorrem. Até consigo controlá-las por um instante. Mas, como numa queda de braço entre dois oponentes igualmente fortes, um dos dois acaba perdendo. E esse alguém sou eu. As lágrimas vencem.

Agarro a mão de meu pai e a aperto. Esta é, eu acho, a primeira vez em um bom tempo que não me sinto desconfortável em sua presença. Eu me sinto eu mesma.

Ele dá um tapinha na minha mão e olha para mim. Seca uma lágrima no meu rosto e sorri.

— Sua mãe e eu temos conversado muito a respeito de um assunto e íamos falar com você quando estivesse melhor — diz ele. — Mas eu quero conversar com você sobre isso agora.

— Ok...

— Nós achamos que você devia se mudar pra Londres.

— Eu?

Ele faz que sim.

— Eu não tenho dúvida de que quase perder a vida num acidente de carro faz com que você avalie a sua vida, e você pode ter certeza de que quase perder a filha num acidente de carro faz com que a gente coloque as coisas em perspectiva imediatamente. Nós deveríamos voltar a ser uma família de verdade. Eu tenho sorte de ser seu pai, tenho sorte de ter você na minha vida. Quero você com mais *frequência* na minha vida. Sua mãe sente o mesmo. Nós devíamos ter te pedido isso há anos e simplesmente partimos do pressuposto de que você soubesse que te queríamos ao nosso lado. Mas eu não vou mais supor nada. Estou te pedindo pra ir com a gente. Por favor. Volte com a gente pra Londres.

Isso tudo é um pouco demais. Londres. Meu pai. Minha mãe chorando no corredor. A cama do hospital. E... tudo.

Olho para baixo, desvio o olhar e fico na esperança de que, quando encarar meu pai outra vez, vou saber como reagir. Só tenho de desviar os olhos por tempo o bastante para descobrir o que dizer.

Mas nada me ocorre.

Assim, faço o que sempre faço quando fico perdida. Mudo de direção.

— Não sei, pai, o clima aqui é melhor.

Ele ri e dá um largo sorriso para mim.

— Você não gosta de clima nublado e chuvoso o tempo todo?

Faço que não.

— Promete que vai pensar no assunto?

— Prometo — respondo.

— Quem sabe? Talvez você esteja destinada a morar em Londres.

Ele está brincando, não é? Não tem a menor ideia do que uma coisa dessas pode significar para mim.

Então eu me dou conta do quanto é estranho o fato de eu nunca ter pensado nisso. Depois de todas as minhas viagens, todo esse troca-troca de cidade, nunca considerei o lugar onde minha família morava. Será que isso quer dizer que Londres não é o lugar certo para mim? Ou será um sinal de que é exatamente isso que eu finalmente precisava ver, que é em Londres que eu deveria estar? Quero seguir o meu destino, mas também meio que não quero ir para Londres.

— Eu vou te fazer uma pergunta — continua ele —, e quero que você seja cem por cento sincera comigo. Não se preocupe com a gente. Quero que leve em conta apenas você mesma e o que você precisa.

— Ok — concordo.

— Estou falando sério, Hannah.

— Tá.

Ele fala com uma austeridade que me surpreende.

— Seria mais fácil pra você se nós fôssemos embora?

E lá está. Exatamente o que eu quero. Bem no meu colo. Só não sei se sou capaz de estender a mão e agarrá-lo. Não sei se consigo dizê-lo em voz alta, se consigo falar com o meu pai que preciso que ele vá embora, especialmente depois da conversa que acabamos de ter.

Ele fala antes que eu consiga formular uma resposta.

— Não estou preocupado com os meus sentimentos ou com os da sua mãe. Estou preocupado com você. Você é minha única preocupação. Você é a única coisa que importa pra mim. E a única coisa que quero de você é informação suficiente pra tomar a decisão certa pra minha filha. Do que você precisa? De um pouco de paz e de sossego nesse momento?

Olho para ele. Sinto o lábio tremer. Não consigo dizer aquilo. Não consigo me forçar a falar aquilo.

Meu pai sorri e, com aquele sorriso, eu sei que não vai me fazer dizê-lo. Ele assente com a cabeça, aceitando minha falta de resposta como resposta.

— Então, adeus por ora — diz ele. — Eu sei que não quer dizer que você não nos ame.

— E amo mesmo — afirmo.

— E nós te amamos também.

Nós já dissemos isso muitas vezes uns para os outros, mas, dessa vez, dessa vez em especial, posso sentir isso dentro do peito.

— Muito bem, deixe eu dar a notícia pra sua mãe.

— Ah, sinto muito — digo, levando as mãos ao rosto. Eu me sinto péssima.

— Não fique assim. Sua mãe é mais forte do que ela imagina, às vezes. E só quer o que for melhor pra você.

Ele vai até o corredor. Momentaneamente sozinha, eu me sinto tensa e fico com vontade de chorar.

Mas a porta logo se abre, e meus pais entram no quarto. Minha mãe não consegue dizer nada. Ela se limita a olhar para mim e a correr em minha direção, envolvendo os braços ao redor dos meus ombros.

— Nós vamos embora — diz.

— Tá — respondo.

— Eu te amo — diz ela. — Eu te amo tanto. No dia em que você nasceu, eu chorei seis horas sem parar porque nunca tinha amado tanto ninguém na vida. E nunca parei de amar. Você está ouvindo? Nunca parei.

— Eu sei, mãe. Eu também te amo.

Ela seca as lágrimas, aperta a minha mão e deixa meu pai me abraçar.

— Tenho muito orgulho de você — diz ele. — Tenho orgulho da pessoa que você é.

— Obrigada, pai.

E é isso. Eles se dirigem à porta.

Meu pai se vira para mim.

— Ah — começa ele —, eu quase esqueci.

Ele pega uma caixa que deixou sobre a bancada quando entrou. Entrega-a para mim.

Eu a abro. É um pãozinho de canela da Primo's. A cobertura está grudada na caixa e a massa começou a desenrolar.

— Você lembrou — comento. É um presente tão atencioso, um gesto tão carinhoso que eu sei que vou começar a chorar outra vez se eles não forem embora neste instante.

Ele pisca para mim.

— Eu nunca esqueceria uma coisa dessas.

E ele sai porta afora para se juntar à minha mãe e à minha irmã. Vão pegar um táxi para o aeroporto de Los Angeles para, então, atravessar o país de avião, sobre o Atlântico, e aterrissar no Heathrow.

E eu vou ficar aqui.

E posso dizer, com toda sinceridade, que até este momento eu nunca havia me dado conta do quanto meus pais, sempre, sempre me amaram.

C omo Ethan já saiu para o trabalho, estou sentada aqui com Charlemagne tentando decidir a qual veterinário levá-la e qual ônibus pegar.

Vomitei outra vez esta manhã, um pouco depois que ele saiu. Comecei a me sentir meio enjoada quando acordei, depois achei que estava melhor, então abri a geladeira para ver se achava alguma coisa para comer no café da manhã. Peguei um pacote de bacon e o cheiro embrulhou meu estômago. Vomitei, mas depois acabei me sentindo melhor. De repente, estava morta de fome, e foi então que me lembrei dos pãezinhos de canela.

Peguei um para mim e outro para Charlemagne, mas pensei melhor. Ela é tão pequena, afinal. Então cortei o dela ao meio, colocando uma metade para ela no chão e acrescentando a outra ao meu prato. Engoli aquilo tudo com três enormes mordidas. Depois comi mais um.

Na faculdade, nas poucas ocasiões em que bebi tanto que vomitei, sempre ficava esfomeada logo depois. Era como se meu corpo tivesse se livrado de tudo de ruim e quisesse substituir aquilo por algo delicioso. Eu acordava de manhã, ia ao Dunkin' Donuts e devorava um *doughnut* de canela, que era o mais próximo daquilo que eu realmente queria. Algumas coisas não mudam, eu acho.

Agora Charlemagne e eu estamos no sofá. Ela está aconchegada no meu colo enquanto inclino o corpo por cima dela, tentando descobrir se é permitido levar cachorros em transporte público. Não vejo nada de conclusivo no site, então fecho meu computador e decido desbravar o dia e ver aonde ele me levará. Se não me deixarem entrar no ônibus com ela, eu me viro.

Tranco a porta do apartamento de Ethan e saio. Comecemos pelo início. Charlemagne precisa de uma coleira e de uma guia, se eu quiser levá-la até o outro lado da cidade. Caminho até a loja Target, que não fica muito longe da casa de Ethan. Carrego Charlemagne no colo como se ela fosse uma trouxinha. Fico esperando que alguém me pare na loja, mas ninguém nem pestaneja. Eu tinha elaborado um plano inteirinho: diria que ela é um animal especialmente adestrado, mas nem é preciso. Pego uma coleira e uma guia e sigo até o caixa. A atendente me olha de soslaio, mas não diz nada. Eu ajo como se fosse perfeitamente normal carregar um cachorro no colo dentro de uma loja. Em geral, eu já percebi que, quando se está fazendo algo que não deveria, o melhor é agir como se fosse normal estar fazendo aquilo.

Uma vez que coloco a coleira nela e prendo a guia, decido usar a mesma tática no ônibus. Ajo com confiança enquanto espero o ônibus chegar. Quando ele chega, entro junto com um monte de gente, na esperança de que isso distraia o motorista.

Mas não adianta.

— Não pode entrar com esse cachorro — diz o motorista.

— Ela é um cão de serviço — apelo.

— Não está usando identificação de serviço — alega o motorista.

Abro a boca para responder, mas o motorista me interrompe.

— Não ia fazer diferença, de qualquer forma. É proibida a entrada de cachorros.

— Tá bem — concordo. Penso em argumentar para tentar convencê-lo a nos deixar entrar, mas me dá um branco, e noto que estou atrapalhando a fila. — Obrigada — digo, enquanto salto do ônibus.

Vou levar esse cachorro até a clínica veterinária mesmo que isso seja a última coisa que vou fazer na vida.

Caminho de volta ao Target. Entro, mais uma vez de cabeça erguida e carregando Charlemagne nos braços. Sigo direto para a seção de material escolar e compro uma mochila. Passo pelo mesmo caixa, o da moça que eu sei que não vai falar nada, e ela registra a minha compra.

— Não pode entrar aqui com cachorros — diz ela. — São 14,89 dólares.

— Obrigada — digo, fingindo não ter escutado a primeira parte. Saio da loja rapidamente, caminho até a esquina e coloco a mochila no chão. Ergo Charlemagne e a coloco dentro da mochila, depois fecho o zíper, deixando uma abertura em cima para que ela possa respirar.

Caminho até o ponto e espero outro ônibus. Quando ele chega, entro como se estivesse carregando uma mochila cheia de livros. Considerando minha atitude e o fato de Charlemagne não latir, estamos bem. Sento-me lá no fundo. Coloco a bolsa aos meus pés e abro um pouquinho mais o zíper. Ela espera silenciosamente no fundo da mochila. Não faz um único ruído.

Mantenho-a aos meus pés. Ela dorme a maior parte do trajeto e, quando não está dormindo, limita-se a me olhar com doçura, com seu rostinho bondoso e seus olhos enormes. O rosto é mais desgrenhado do que o restante do corpo, e ela precisa de um banho. Ainda bem que não está implorando para sair da mochila, nem está tentando se sentar no meu colo ou brincar. Ela tem o tipo de rostinho que faz a gente querer saltar qualquer obstáculo para alegrá-la, e eu não quero que sejamos expulsas do ônibus.

Passamos por várias ruas e já estamos no ônibus há um bom tempo. Quando penso que peguei a linha errada e que todo esse esforço foi inútil, vejo a clínica veterinária mais adiante.

Dou sinal para parar, e o ônibus se aproxima da calçada. Eu me levanto, erguendo a mochila com todo o cuidado e me dirigindo às portas duplas que ficam no fundo do ônibus. Fico ali em pé, esperando que elas se abram quando Charlemagne começa a latir.

Olho fixamente para as portas, tentando fazer com que elas se abram com a força do pensamento. Mas elas não abrem. Todos os passageiros estão me encarando. Sinto olhos em cima de mim, mas me recuso a encarar quem quer que seja para ter a confirmação.

Vejo o motorista se virar para verificar a origem do barulho, então as portas se abrem e eu saio correndo do ônibus. Assim que chegamos à calçada, tiro Charlemagne de dentro da mochila. Alguns passageiros olham para nós pela janela. O motorista me olha de cara feia. Mas aí o ônibus parte outra vez, arrastando-se pelas ruas de Los Angeles no ritmo de lesma enquanto Charlemagne e eu ficamos ali, livres como pássaros, a uma quadra da clínica veterinária.

— Nós conseguimos! — digo a ela. — Enganamos todo mundo!

Ela coloca a cabeça no meu ombro, então a ergue e lambe minha bochecha.

Eu a coloco no chão, segurando a guia com firmeza, caminhamos em direção ao prédio da clínica e entramos no saguão.

Há cães por todos os lados. O lugar tem cheiro de canil. Por que cães e gatos têm aquele mesmo cheiro almiscarado? Quando estão sozinhos, o cheiro não é tão ruim, mas, no instante em que você junta um grupo, a coisa fica... pungente.

— Oi — cumprimento a recepcionista.

— Como posso ajudar? — pergunta ela.

— Encontrei uma cadelinha na rua ontem à noite e gostaria de saber se ela tem chip.

— Ok — diz ela. — Estamos um pouco ocupados no momento, mas coloque o seu nome nessa lista e tentaremos vê-la assim que der. — Ela me indica uma prancheta. Sob *Nome do cachorro*, eu escrevo "Charlemagne" e, debaixo de *Proprietário do pet*, coloco meu próprio nome, muito embora o nome dela provavelmente não seja Charlemagne, e eu não seja sua verdadeira dona.

— Senhora? — chama a recepcionista.

— Pois não?

— Ninguém vai ser atendida antes das seis.

— Seis?

— É — confirma ela. — Desculpe. Tivemos que fazer alguns procedimentos que não estavam previstos. Estamos ocupados a tarde toda. Fique à vontade se quiser levar o cachorro pra casa e voltar depois.

Penso em colocar Charlemagne de volta na mochila, pegar um ônibus e, depois, fazer tudo outra vez no final da tarde. Não tenho a menor dúvida de que Charlemagne e eu sairíamos vencedoras, mas, em algum momento, os motoristas de ônibus de Los Angeles vão ficar espertos.

— Eu posso deixá-la aqui e voltar para falar com o veterinário às seis?

Fico triste em pensar que ela ficaria aqui sem mim. Mas é esse o objetivo, não é? Estou tentando descobrir a quem Charlemagne pertence. Porque ela *não* pertence a mim.

A recepcionista já está balançando a cabeça.

— Eu sinto muito. Não podemos fazer isso. Pessoas na sua situação costumam vir aqui, deixar o cachorro e nunca mais voltar. E nós acabamos tendo que mandar o cachorro pra um abrigo.

— Tudo bem. Eu entendo.

Ela sussurra baixinho para mim:

— Se você deixar um depósito de valor expressivo, até um cartão de crédito, consigo convencer os funcionários a arrumarem um lugar no canil. Bom, já que a gente sabe que você vai voltar.

— Está me dizendo que quer uma garantia? — pergunto a ela, com um tom zombeteiro na voz.

Ela faz que sim, muito educada e séria.

Pego a carteira e tiro o cartão de crédito. A recepcionista se levanta e estende a mão, pronta para pegar Charlemagne, mas sinto muito mais dificuldade em me separar dela do que do meu MasterCard.

— Está tudo bem — diz ela a Charlemagne. — Nós vamos cuidar direitinho de você por algumas horas enquanto a mamãe vai resolver umas coisas.

— Oh! — exclamo. — Desculpe. Não sou a... mamãe dela. — A palavra é quase risível, a ideia de eu ser a *mamãe* de qualquer pessoa, de qualquer coisa.

— Ah, eu sei. Mas você é a responsável por ela no momento, então...

— Ainda assim — protesto —, não quero confundi-la.

Então, pego a carteira e saio da clínica sem olhar ninguém nos olhos porque aquela foi a coisa mais idiota que eu já disse. O problema não é eu não querer confundir o cachorro. O problema é eu não querer *me* confundir.

Quando estou na rua, pego o telefone. Procuro concessionárias de carros naquela região. Não faz sentido perder tempo. Há três concessionárias a pouco mais de dois quilômetros. Começo a caminhar.

Hoje vou riscar mais um item da minha lista.

Logo, quem sabe, serei um ser humano funcional.

Liguei para Gabby logo depois que minha família saiu. Contei a ela que meu pai havia dito que eu devia me mudar para Londres.

Ela me perguntou como eu me sentia a respeito, e respondi que não sabia direito. Embora eu não more na mesma cidade que Gabby há muito tempo, de alguma forma não consigo me imaginar vivendo muito longe dela de novo.

— Tem muita coisa acontecendo com você agora. Tente dormir um pouco, aí depois avaliamos os prós e os contras quando você estiver pronta pra isso.

Despois de desligar, fiz exatamente o que ela sugeriu: dormi.

Acordei há pouco e olhei para o relógio: duas da manhã.

— Está acordada — comenta Henry, entrando no meu quarto. — Você estava dormindo mais cedo.

— Roncando mais ou menos do que a Gabby naquela noite?

— Ah, mais. Muito mais.

Eu rio.

— Ahh, será que não daria pra vocês resolverem isso? Fazer alguma cirurgia?

— Eu não me preocuparia muito com isso — diz ele, se aproximando. — Você já passou por muita coisa, não acha? — Ele anota algumas informações no meu prontuário.

— Como estou? — pergunto.

Ele coloca o prontuário de volta no lugar e escuto o *click* da caneta.

— Você está bem. Eu acho que vão te colocar numa cadeira de rodas amanhã, e você vai poder se locomover.

— Uau! Sério? — É incrível como a vida faz você um dia achar que andar é uma coisa totalmente normal e, no outro, ficar muito empolgada com o fato de quererem colocar você numa cadeira de rodas.

— Sério. Bem animador, não?

— Pode apostar que sim — respondo.

— Alguém te trouxe um doce?

O azul profundo de seu uniforme hospitalar é bastante favorável. Não quero dizer especificamente que a cor o favoreça. É só que eu já notei que a maioria dos enfermeiros usa rosinha ou azul-claro. Mas o azul-marinho que ele usa é, simplesmente, muito mais atraente. Se eu fosse enfermeira, usaria uniforme azul-escuro do amanhecer ao anoitecer.

— Sim, trouxeram — respondo. Não acredito que esqueci. Apanho a caixa imediatamente. — Meu pai trouxe um pãozinho de canela pra mim.

— Caramba, isso é meu ponto fraco — afirma Henry. — Não sou muito de doces, mas adoro um bom pãozinho de canela.

Fico tão ansiosa por expressar minha própria paixão por pãezinhos de canela que tropeço nas palavras.

— É isso que... eu sou... você ama?... Eu também — tento dizer, e ele ri de mim. — Quer dizer, eu amo pãezinhos de canela. Tenho um problema com eles — confesso.

— Isso não existe.

Agora que o assunto veio à tona, acho impossível não comer um pedaço dele neste instante. Abro a caixa e tiro um naco.

— Quer um pedaço? — ofereço.

— Não, tudo bem — responde Henry.

— Tem certeza? Meu pai comprou esse na Primo's. Eu diria que é um dos melhores pãezinhos de canela de Los Angeles.

Ele enfia a caneta de volta no bolso.

— Quer saber? Está bem. Na verdade, eu adoraria uma mordida.

Eu lhe passo a caixa. Ele pega um pedacinho.

— Ah, que isso — reclamo. — Pegue um pedaço de verdade.

Henry ri e tira um pedaço maior.

— Tenho quase certeza de que isso faz parte do Curso Introdutório de Como Lidar com Pacientes: não roube a comida deles.

Acho graça do comentário.

— Ninguém é perfeito.

— Não — concorda ele, mastigando. — Acho que não. — Então, acrescenta: — Nossa, que delícia.

— Não é? Não quero me gabar, mas eu me considero uma expert em pãezinhos de canela.

— Estou começando a acreditar nisso.

— Talvez eu devesse deixar escapar pras pessoas que vêm me visitar, assim, como quem não quer nada, que quero mais pãezinhos de canela. É provável que eu consiga um estoque pra gente.

— Tentador — diz ele. — Está se sentindo bem?

No instante em que ele faz a pergunta, eu me lembro de quem somos, do motivo pelo qual estamos aqui e retorno ao planeta Terra.

— Estou. Estou, sim. Eu me sinto um pouco melhor a cada dia.

— Acha que vai estar pronta pra cadeira de rodas amanhã? Pode ser doloroso se deslocar pela primeira vez, ser levantada, e tudo o mais. Está disposta?

— Está brincando? Estou disposta a qualquer coisa.

— É. Foi o que pensei.

Ele se dirige à porta, então para.

— Se você ama pãezinhos de canela tanto quanto eu, então aposto que também adora churros. Já comeu churros?

Olho para ele com indignação.

— Está brincando? Se *eu* já comi churros? Eu sou de Los Angeles. É claro que já comi churros.

— Ora, ora, minhas sinceras desculpas sua... safadinha.

Caio na gargalhada.

— Safadinha?

Ele ri também.

— Nem sei de onde saiu isso. Simplesmente escapuliu da minha boca. Estou tão chocado quanto você.

Eu rio tanto que meus olhos se enchem d'água. Meu corpo inteiro está se contorcendo. Só quando o seu corpo está machucado é que você se dá conta do quanto dele você usa para rir. Mas eu não consigo parar. Na verdade, não quero parar de rir.

— Acho que foi meio estranho eu dizer isso — comenta ele.

— Meio? — pergunto, entre arquejos.

Ele ri de si mesmo junto comigo.

Então, de repente, uma dor lancinante desce pela minha perna. É aguda, profunda e angustiante. Minhas gargalhadas cessam imediatamente. Eu grito.

Henry corre em minha direção.

A dor não passa. Dói demais. Não consigo respirar. Não consigo falar. Olho para os pés e percebo que os dedos do meu pé direito estão encolhidos. Não consigo esticá-los.

— Está tudo bem, você está bem — diz Henry, caminhando em direção ao meu soro. — Você vai ficar bem daqui a um segundo, prometo. — Ele volta para o meu lado e segura a minha mão. Olha dentro dos meus olhos. — Olhe para mim — pede. — Vamos, olhe pra mim. A dor vai passar daqui a um segundo. Você está tendo um espasmo. Só precisa aguentar até ele passar. Vai ficar tudo bem.

Olho para ele e me concentro nele em vez de na dor. Olho em seus olhos e Henry olha fixamente nos meus.

— Você vai conseguir — garante ele. — Vai conseguir.

Então a dor começa a passar.

Os dedos dos meus pés se esticam.

Meu corpo relaxa.

Volto a respirar.

Henry solta a minha mão. Esfrega meus braços, indo do meu cotovelo até o ombro.

— Você está bem? — pergunta. — Isso deve ter doído.

— Estou, sim. — respondo. — Eu estou bem.

— Ainda bem que você vai sair dessa cama e vai começar a se mexer. Seu corpo precisa se movimentar.

— É.

— Você foi ótima.

— Obrigada.

— Vai ficar bem? Sozinha?

— Vou. Acho que vou.

— Se isso acontecer outra vez, aperte o botão que eu venho. — Ele tira as mãos de cima de mim. Com um movimento natural, tão sutil que eu quase não tenho certeza se aconteceu, ele afasta do meu rosto os fios de cabelo que despencaram do coque. — Descanse um pouco. Amanhã vai ser um dia cheio.

— Tá.

Ele sorri e se dirige à porta. No último segundo, enfia a cabeça outra vez pelo vão da porta.

— Você é fodona, sabia?

— Aposto que você diz isso pra todos os seus pacientes — falo.

Então, quando ele sai, eu meio que penso assim: *E se não disser? E se ele só disser esse tipo de coisa para mim?*

— **M**inha senhora — começa o vendedor da concessionária —. Estamos sentados à mesa dele. Eu já tomei uma decisão.
— Tem certeza de que não quer um carro *novo*? Um modelo descolado? Alguma coisa que faça mais o seu... estilo?

Estou pensando em comprar um Toyota Camry usado. O vendedor fica tentando fazer com que eu dê uma olhada num chamativo Prius vermelho. Tenho de admitir que preferiria o Prius vermelho berrante. Provavelmente teve um momento na minha vida em que eu teria dito "Dane-se" e usado todas as minhas economias para dar de entrada no Prius, me forçando a pensar de onde sairia o restante do dinheiro só quando chegasse a hora. Porque estou apaixonada por aquele Prius vermelho.

Mas estou tentando mudar e preciso tomar decisões sensatas para que elas me tragam melhores resultados.

— O Camry está ótimo — digo. Já fiz o test drive e tirei todas as dúvidas que eu tinha. Querem 9.500 dólares no carro. Eu digo a ele que pago 7.500. Negociamos. Ele me faz subir até oito. Vai e volta até o gerente com novas cifras. Por fim, o gerente se aproxima e reclama do quão pouco eu me disponho a pagar pelo carro.

— Se fecharmos por menos de 8.500, eu não ganho nada com a venda — diz ele. — Sabe, nós precisamos ganhar dinheiro. Não podemos simplesmente dar os carros de presente.

— Ok — digo. — Pelo visto, não vamos chegar a um acordo. — Eu me levanto da cadeira e pego a minha bolsa.

— Querida — começa o gerente —, não seja louca.

É por isso que Gabby fala o tempo todo sobre direitos da mulher e igualdade de gênero. Por causa de babacas como esse.

— Olhe, eu disse que pago oito mil. É pegar ou largar.

Carl é um excelente negociador. Implacável. Quando eu estava no último ano do ensino médio, ele levava a mim ou Gabby com ele quando tinha de negociar com alguém para que aprendêssemos a pechinchar. Carl nos fazia negociar o preço diretamente com mecânicos, vendedores, encanadores, com qualquer pessoa. Uma vez, quando precisou trocar os pneus do Jeep dele, Carl ficou na esquina da loja enquanto eu entrei e tentei baixar o preço em seu nome. Toda vez que eu voltava com o novo preço, Carl balançava a cabeça e dizia que eu podia fazer melhor. E eu sempre fazia. Fiquei especialmente orgulhosa quando o cara dos pneus ofereceu uma lavagem completa do carro após meus cutucões. Certa vez, Gabby conseguiu que o sujeito que foi consertar o aquecedor de água baixasse o preço dele em quinhentos dólares. Carl e Tina nos levaram para jantar no Benihana aquela noite para comemorar a vitória.

Carl sempre disse que quem não pechincha é trouxa. E nós não somos trouxas.

— Eu vou comprar um carro hoje. Não precisa ser de vocês — aviso ao gerente.

Ele revira os olhos.

— Está bem, está bem — diz. — Fechamos em 8.100.

Aperto a mão dele, e eles começam a agilizar a papelada. Dou uma entrada de três mil dólares e saio com um carro. E lá se vai a maior parte do meu dinheiro. Mas tudo bem. Porque eu tenho um plano.

Quando estou longe o suficiente da concessionária, paro no acostamento e começo a bater no volante, berrando para o nada, tentando colocar para fora toda a energia acumulada que está dentro de mim.

Eu vou conseguir. Vou construir uma vida para mim. Eu vou *conseguir*.

Ligo para o consultório de Carl.

— Alô! — atende ele, com a voz suave, contente em receber meu telefonema. — Diga que vai aceitar o emprego.

— Vou aceitar o emprego.

— Sensacional. Vou transferir sua ligação pra Joyce, do RH. Ela vai conversar com você pra acertar quando começa, salário, benefícios e essas coisas todas. Se você não conseguir convencê-la a te pagar pelo menos 42 mil, vou ficar muito desapontado.

Eu rio.

— Acabei de pagar 8.100 num carro de 9.500. Deixe comigo. Prometo.

— É isso que eu quero ouvir!

— Carl, é sério, obrigada por estar fazendo isso por mim.

— Eu é que agradeço. De verdade. Foi perfeito. A Rosalie se atrasou uma hora e meia essa manhã. Nem se deu ao trabalho de inventar uma desculpa. Ela nega, mas um dos pacientes me contou na semana passada que ela o destratou. Então estou ansioso pra demiti-la. E fico satisfeito em não termos que analisar currículos pra encontrar alguém para substituí-la.

Dou uma risada.

— Muito bem. Estou ansiosa pra começar a trabalhar com você... *chefe*.

Ele ri e me transfere para Joyce. Ela e eu conversamos por uns trinta minutos. Ela falou que ia dar o aviso prévio a Rosalie. Assim, vou começar daqui a duas semanas. Mas se Rosalie decidir não ficar as duas semanas, talvez eu comece antes. Digo a ela que, por mim, tudo bem.

— É por isso que, de vez em quando, é realmente melhor a gente contratar alguém conhecido — comenta Joyce. — Eu sei que trabalho em RH e tenho que dizer que a gente deve verificar os antecedentes de todos os candidatos, mas a verdade é que, quando já conhecemos a pessoa, fica bem mais fácil ser flexível.

Ela me oferece quarenta mil e eu, ainda ligada depois da compra do carro, a convenço a subir para 44. E com direito a todos os benefícios possíveis.

— E a boa notícia é que damos cobertura pra toda a família por um custo muito baixo — complementa ela.

— Ah. Bem, sou só eu.

— Ah, tudo bem. E você tem direito a duas semanas de férias remuneradas por ano e, é claro, licença-maternidade, se necessário.

Eu rio.

— Não vou precisar.

Ela dá uma risada também.

— Estou com você.

Terminamos de acertar os detalhes e logo tudo está combinado.

— Bem-vinda à Clínica Pediátrica Hudson, Stokes e Johnson — diz ela.

— Obrigada — digo. — É um prazer fazer parte da equipe.

Eu sei que ele ainda está trabalhando, mas não consigo não ligar para o Ethan.

— E aí, docinho? — pergunta ele. Fico surpresa por ele ter atendido.

— Você tem um minuto?

— Claro. Espere que vou sair um instante.

Posso ouvi-lo se levantar e, logo depois, os barulhos ao fundo cessam.

— E aí?

— Acho bom você nunca tentar negociar nada comigo — aviso. — Acabei de convencer um vendedor a *baixar* o preço de um carro em 1.400 dólares e uma funcionária do RH a *aumentar* o meu salário em quatro mil. Sou basicamente uma força da natureza.

Ethan acha graça.

— Então você tem um carro e um emprego.

— Pode apostar que sim.

— E encontrou o dono da Charlemagne?

— Só consegui horário a partir das seis. Então, fui comprar o carro e estou voltando pra lá agora. Acho que vou voltar pra sala de espera pra ver se o médico fica livre mais cedo.

— Às seis?

— É. Ela está lá agora. Eu tive que deixar um cartão de crédito pra eles ficarem com ela até eu voltar.

Ethan ri outra vez.

— Como assim, tipo uma garantia?

— Foi exatamente o que eu disse!

Ele dá uma gargalhada.

— Escute, vou sair daqui a meia hora. Em qual parte da cidade você está? Vou até aí te encontrar.

— Ah, isso seria maravilhoso! Estou no Westside. A clínica fica na saída da Sepulveda.

— Cruzes, isso fica muito longe da minha casa — comenta ele. — Você foi de ônibus praí?

— Sim.

— Com a Charlemagne?

— Talvez eu a tenha levado escondida numa mochila.

Ethan solta outra gargalhada.

— Posso ir te encontrar e aí a gente janta mais cedo, pode ser? Quem sabe a gente para num happy hour em algum lugar. Conheço um mexicano perto da clínica. Posso te convidar pra comermos um burrito pra comemorar!

— Estou dentro!

Eu me perco mais de uma vez no caminho até a clínica. Tento pegar um beco, mas acabo dando de cara com um enorme caminhão vindo na minha direção pelo lado oposto. Tenho de dar ré lentamente e voltar às cegas para a mesma rua. Procuro então outro caminho. Acabo conseguindo. Essa sou eu, em resumo. Eu sempre acabo conseguindo.

Embico o carro no estacionamento do restaurante e vejo Ethan à minha espera na entrada.

— Esse é o carro novo? — pergunta ele, fingindo estar surpreso. — Gostei. Diferente. Tinha certeza de que você apareceria a bordo de alguma coisa vermelho-cereja.

Acho graça dele.

— Acho que tenho tomado decisões mais práticas ultimamente — comento. — Caras estáveis, empregos de período integral...

— Cães perdidos — acrescenta ele.

Eu rio e o corrijo.

— Só estou ajudando a Charlemagne a encontrar sua verdadeira família — digo ao entrarmos no restaurante. — Mas o cara estável e o emprego de período integral são... — Eu me pego querendo terminar a frase dizendo "pra sempre", mas rapidamente vejo que não quero fazer isso.

É cedo demais para falarmos sobre o quanto nossa história pode ou não ficar séria no futuro. Temos um passado juntos e uma grande chance de nos tornarmos algo muito real, mas acabamos de voltar a namorar. Acho que seria melhor se eu imaginasse o futuro apenas dentro da minha cabeça por enquanto, sem colocar nada em palavras ainda.

O que quer dizer que eu acho muito provável que Ethan seja o cara certo para mim. Mas prefiro morrer a pronunciar isso em voz alta.

Por sorte, ele parece estar de acordo comigo, pois pega minha mão, a aperta e diz:

— Concordo plenamente.

A recepcionista pergunta se queremos uma mesa ou se preferimos um lugar no bar, e nós optamos pelo bar. Assim que nos sentamos, Ethan pede guacamole.

— Estou muito orgulhoso de você — diz ele, quando a garçonete se afasta.

— Obrigada. Eu também estou orgulhosa de mim. Tipo, não estava gostando de ver pra onde meus velhos hábitos estavam me levando, sabe? E me sinto supermotivada a virar a página.

Acho que as coisas estão funcionando para mim, pelo menos até agora, em parte porque tenho pessoas próximas que acreditam em mim. Gabby, os Hudsons e Ethan são tão encorajadores que me fazem acreditar que posso conseguir fazer o que eu quiser. Em outras cidades, eu nunca tive um sistema de apoio de verdade. Tive muitos amigos e, algumas vezes, namorados carinhosos. Mas acho que nunca tive alguém que realmente acreditasse em mim, nem quando eu não acreditava. Agora eu tenho. E acho que talvez precise de alguém torcendo por mim para progredir. Acho que sou uma dessas pessoas que precisa de pessoas. Como minha família foi embora e fiquei bem sozinha, sempre achei que fazia mais o tipo lobo solitário. Acho que acreditei que não precisava de ninguém.

— Bem, acho isso admirável — elogia Ethan.

O garçom coloca o guacamole à nossa frente, então eu pego uma tortilha e a mergulho nele. Mas, antes mesmo de a levar à boca, acho o cheiro tenebroso. Coloco a tortilha em cima da mesa.

— Ai, Deus — digo. — Será que isso está estragado?

— Ahã... — começa Ethan, confuso. — O guacamole?

— Cheire. Está com um cheiro esquisito.

— Está? — Ele mergulha a tortilha no guacamole, leva-a ao nariz e a come. — Está bom. Uma delícia.

Cheiro outra vez e acho intragável. Coloco a mão na barriga.

— Você está bem? — pergunta Ethan.

— Estou — respondo. — Eu só preciso ficar longe disso aí.

— Você está superpálida. E está suando também. Na testa, um pouquinho.

Exatamente como ontem à noite, sou tomada por uma onda de náusea. Minha garganta fecha e sinto um gosto azedo na boca. Não sei bem se vou conseguir controlar essa sensação por muito tempo. Disparo para o banheiro, mas não consigo chegar à privada e acabo vomitando na pia. Por sorte, é um banheiro privativo.

Ethan entra e fecha a porta.

— Esse é o banheiro feminino — aviso.

— Estou preocupado com você — diz ele.

— Estou bem — afirmo, embora eu realmente esteja começando a duvidar disso.

— Você vomitou ontem à noite também — recorda ele.

— É — digo —, e hoje de manhã.

— Acha que pode ter pegado uma gripe? Não seria melhor procurar um médico? Quer dizer, por que outro motivo você estaria vomitando o tempo todo?

No instante em que ele faz a pergunta, eu sei que não estou gripada.

Agora compreendo perfeitamente por que tudo na minha vida tem funcionado tão bem. O universo vem arrumando tudo direitinho só para eu poder chegar de supetão e estragar tudo, exatamente como sempre faço.

Típico do Furacão Hannah.

Estou grávida.

A cordo com o barulho de uma pessoa procurando desajeitada-mente algo pelo meu quarto. Mas não vejo ninguém. Só escuto.

— Henry?

Um vulto se levanta do chão.

— Desculpe — diz ele. — Não consigo encontrar meu celular. Pensei que talvez tivesse deixado cair aqui.

— É esquisito pensar que você está pairando pelo quarto enquanto eu estou dormindo.

— Eu não estava *pairando* — reclama ele. — Estava me arrastando.

Dou uma risada.

— O que é bem pior.

— Você não viu? O meu telefone?

Balanço a cabeça.

— Droga — pragueja, e observo quando ele puxa alguns elásticos de cabelo do punho sem pensar.

— Você me disse que iria me explicar os prendedores de cabelo — digo, apontando para minha própria cabeça. O que ele me deu ainda é o que estou usando para prender o coque. Por sorte, já posso fazê-lo eu mesma sem muita dificuldade. Mas ainda estou sem espelho, então não tenho como saber se está bom.

Ele ri.

— Você tem boa memória. Muitas vítimas de acidentes se esforçam muito pra conseguir se lembrar de detalhes básicos.

Dou de ombros.

— O que eu posso dizer? Sempre estive à frente das outras pessoas.

— Comecei a encontrar elásticos de cabelo em cada canto do hospital quando trabalhava no Texas — explica ele. Eu me pego sorrindo quando ele se senta. Gosto do fato de ele ter se sentado. Gosto do fato de ele ter se acomodado para ficar. — E não queria jogá-los fora porque achei que poderiam ser úteis, então comecei a colecioná-los. Mas aí ninguém nunca me pedia um, então eles começaram a se acumular. Um dia, meu chefe me mandou fazer uma coisa, e eu não tinha uma folha de papel pra anotar, então coloquei um elástico ao redor do punho para me lembrar. Tem gente que faz isso com elástico comum. E passei a fazer isso sempre. De repente comecei a usar esse esquema pra me lembrar de mais de uma coisa por vez. Então, se tivesse quatro coisas de que eu precisasse me lembrar, colocava quatro elásticos de cabelo no pulso. Se tivesse duas coisas pra fazer e alguém me desse uma terceira tarefa, mais um elástico de cabelo.

— Quantas vezes você já se pegou olhando para o próprio punho e tentando lembrar pra que eram todos os elásticos?

Ele solta uma gargalhada.

— Olha, não é um sistema perfeito. — Ele se abaixa, e acho que encontrou o celular.

Levanta-se outra vez. Deve ter se enganado.

— De qualquer forma — continua —, esse é o meu sistema organizacional com elásticos de cabelo.

— E o bônus é que você tem um elástico de cabelo pra oferecer a qualquer mulher que precise de um.

— Verdade. Mas ninguém nunca tinha me pedido um até agora.

Sorrio para ele.

— Como está se sentindo? Está bem? Não teve mais espasmos?

— Não tive mais espasmos.

— Ótimo — diz ele, olhando ao redor, ainda procurando o telefone.

— Podemos ligar pra ele — ofereço. — Pro seu telefone, quero dizer.

— Há um telefone fixo ao meu lado, na mesinha de cabeceira. Puxo-o na minha direção e tiro o fone do gancho. — Qual é o número?

Não consigo interpretar a expressão em seu rosto com precisão.

— O que foi que eu fiz? — eu lhe pergunto.

— Eu não posso te dar nenhum contato pessoal. É contra as regras.

Fico um pouco envergonhada. Coloco o telefone no gancho para fingir que está tudo bem.

— Ah, ok. Bem, você mesmo pode ligar — comento. — Eu fecho os olhos.

Ele ri e balança a cabeça.

— Bom, não vai adiantar muito. Está no silencioso.

Dá para perceber que nós dois queremos mudar de assunto. Só não sabemos ao certo como.

— Tentei usar aquele aplicativo pra encontrar o celular — tenta Henry.

— Ah, que legal!

— Disse que o aparelho está no Angeles Presbyterian.

Dou uma risada.

— Muito útil — comento.

— Bem, se você o vir...

— Se eu o vir, toco o meu sininho de chamar enfermeiros.

— E eu venho correndo.

Nenhum dos dois tem mais nada a dizer e ainda assim ele não vai embora. Olha para mim. Mantemos o contato visual apenas um segundo a mais do que o normal. Desvio o olhar primeiro. Sou distraída por uma luz azulada e esmaecida que começa a piscar num ritmo lento.

— Eureca! — diz ele.

Começo a rir enquanto ele se abaixa. Então fica de pé outra vez com um salto e com o telefone na mão; não está mais ao pé da cama, onde estivera antes, já está ao meu lado.

— Eu sabia que ia achar — diz ele.

Instintivamente, me pego estendendo a mão em direção a ele, para tocá-lo da maneira que tocaria um amigo. Mas logo me lembro de que ele não é meu amigo, de que tocar seu braço ou sua mão com ternura pode parecer esquisito. Então finjo que a intenção era fazer um *high five*. Ele sorri, animado, e bate a mão na minha.

— Muito bem — digo.

Por um instante, me pergunto como seriam as coisas se eu pudesse andar. Se não estivéssemos num hospital, e sim num bar em algum lugar. Se eu estivesse usando minha blusa preta favorita e minha calça jeans justa preferida. Eu me pergunto como seriam as coisas se eu estivesse com uma cerveja na mão e as luzes estivessem bem fraquinhas porque as pessoas estavam dançando, e não dormindo.

É loucura achar que ele diria "oi" e que se apresentaria? É loucura achar que ele me chamaria para dançar?

— Bem, de qualquer forma, é melhor eu ir andando — fala ele. — Mas volto pra dar uma olhada em você daqui a pouco. Não gosto de ficar muito tempo sem me certificar de que você continua respirando. — Então ele sai do quarto antes de eu conseguir me despedir.

Não sei. Quem sabe, quem sabe mesmo, se Henry e eu tivéssemos nos conhecido num jantar, nós passaríamos a noite toda conversando e, quando a noite fosse chegando ao fim, ele se ofereceria para me levar até o meu carro?

— O que foi? — pergunta Ethan. — Qual é o problema? Vai vomitar outra vez? O que eu posso fazer pra te ajudar?

— Não — respondo, balançando a cabeça lentamente. — Estou me sentindo perfeitamente bem agora.

Fiquei menstruada antes de vir para Los Angeles. Eu me lembro. Eu me lembro de ter ficado feliz pela minha menstruação ter terminado um dia antes do normal. Eu me lembro disso. *Eu me lembro.*

— Estou perfeitamente bem — insisto. — Acho que talvez aquela couve-de-bruxelas ainda esteja me fazendo mal.

— Ok. Bem, talvez seja melhor a gente ir pra casa.

Balanço a cabeça.

— Não. Vamos esperar até podermos falar com o veterinário sobre a Charlemagne.

— Tem certeza?

Olho para meu telefone. Quero sair dali correndo para comprar um teste de gravidez, mas não tenho como simplesmente me levantar e largar Ethan aqui sem que ele me pergunte o que está acontecendo. E não posso compartilhar isso com ele. Não posso nem comentar sobre tal possibilidade até não ser mais simplesmente uma possibilidade.

— Tudo bem, então — concorda ele. — Se realmente estiver se sentindo bem.

— Estou, sim. — E assim começa a mentira.

— Eu saio primeiro — avisa ele — pra ninguém achar que estávamos transando aqui dentro.

A piada me pega desprevenida e eu rio alto.

— Tá — digo, sorrindo.

Ele sai e eu fico mais um minuto no banheiro.

Inspiro e expiro, tentando acalmar minha mente e meu corpo. Então pego o telefone e busco no Google a única coisa capaz de me convencer de que estou enganada sobre isso. A única evidência de que eu talvez não esteja grávida.

posso estar grávida se fiquei menstruada

"Não é possível menstruar quando se está grávida..." Meu coração desacelera. Fico mais calma. Talvez esteja tudo bem. "Embora algumas mulheres tenham sangramentos vaginais durante a gravidez."

Clico em outro link.

"Minha prima ficou sem saber que estava grávida por quatro meses porque menstruou durante toda a gravidez."

Clico em mais um link.

"É possível ficar menstruada no início da gravidez devido ao que se chama de sangramento de implantação, quando o óvulo se implanta no útero."

Merda.

"Normalmente, o sangramento será menos intenso e irá demorar menos tempo do que uma menstruação normal."

Desligo o telefone e despenco no chão, encolhida.

Apesar de cada pedaço de bom senso dentro de mim, eu engravidei. E não foi do homem belo, encantador e perfeito que estou começando a achar ser o cara certo para mim.

Foi daquele babaca de Nova York que tem mulher e dois filhos.

Tento manter a calma. Não adianta eu ter um ataque de nervos neste momento. Inspiro e abro a porta. Saio do banheiro e me junto a Ethan à mesa.

— O que podemos fazer pra matar o tempo? — pergunta ele. — Vamos fugir desse guacamole horroroso e procurar um pãozinho de canela pra você?

Ele vai me deixar. Minha pessoa perfeita. O homem que agarra a oportunidade de comprar um pãozinho de canela para mim. Ele vai me deixar.

151

Faço que não com a cabeça.

— Quer saber de uma coisa? Por que não pedimos uns burritos e comemos aqui mesmo?

— Por mim, perfeito — responde ele, acenando para o garçom.

Fazemos nosso pedido. Conversamos sobre o trabalho dele. Fazemos piadas e comemos tortilhas.

A cada mordida, e com cada piada que faço, vou empurrando a novidade cada vez mais para o fundo da mente. Enterro os problemas e me concentro no que há à minha frente.

Sou ótima em fingir que está tudo bem. Sou ótima em esconder a verdade. Quase acredito nisso por um minuto. Até os burritos chegarem e nós comermos tudo. Quem estivesse vendo poderia até pensar que eu esqueci o assunto.

Vamos até nossos respectivos carros e combinamos de nos encontrar na clínica.

— Você é perfeita — diz Ethan, fechando a porta para mim. — Sabia disso? — E, quando ele diz isso, fica claro que eu *não* esqueci.

— Não diga isso — eu lhe peço. — Não é verdade.

— Você tem razão. É bonita demais. Preciso de uma garota menos bonita.

Quando voltamos à clínica, o veterinário já está disponível para conversar com a gente.

Ele nos chama até um consultório, e um dos funcionários traz Charlemagne. Ela corre direto para mim.

— Você está aí! — digo a ela. Eu a apanho do chão e a pego no colo.

— Então foram vocês que a encontraram? — indaga o veterinário.

— Fomos nós, sim — responde Ethan. — Ela estava correndo na rua.

O veterinário parece desanimado.

— Bem, ela não tem chip. E também não é castrada. E está subnutrida. O peso normal dela deve ser um quilo ou um quilo e meio a mais do que está pesando agora — diz. Ele é alto, tem uma barba cheia e

152

grisalha e cabelos também grisalhos. — Pode não parecer muita coisa, mas, pra um cachorro desse porte...

— É — concorda Ethan. — É uma deficiência considerável.

— Alguma ideia de quantos anos ela tem? — pergunto.

— Bem, a dentição ainda não está completa, então ainda é filhote.

— Que idade ela tem, na sua opinião?

— Não mais do que 4, talvez 5 meses — diz ele. — Meu palpite é de que ela seja de alguém que não estava cuidando direito dela...

— Entendo — digo.

— Ou é possível que ela já esteja na rua há um tempo.

Eu acho difícil acreditar que ela esteja na rua há um tempo. Cachorros de rua não sairiam correndo para o meio da pista. Isso parece desafiar o próprio conceito de sobrevivência dos mais aptos. Se um cão corre para o meio da rua, principalmente na escuridão da noite, é bem provável que não viva muito tempo nas ruas cruéis de... de lugar nenhum.

— É muito comum as pessoas não castrarem suas cadelas — continua o veterinário —, e depois ficarem surpresas quando elas ficam prenhas.

Ha!

— Tomar conta de uma cadela quando ela está amamentando e de uma ninhada de filhotinhos quando não se está esperando por isso pode dar bastante trabalho.

Também acho.

— Às vezes, as pessoas ficam com eles até não aguentarem mais e acabam colocando os filhotes na rua.

Meu Deus.

Olho para Ethan que, sem saber que esse homem acertou na mosca, parece perturbado com aquilo tudo. O que faz sentido. Eu também estou. Sei que algumas pessoas podem ser horríveis e que fazem coisas tenebrosas, especialmente com seres indefesos e principalmente com animais indefesos. É difícil entender por que alguém faz isso quando olho para Charlemagne. Eu mal a conheço e já acho que faria qualquer coisa por ela.

— Então não temos mesmo nenhuma chance de descobrir quem é o dono dela? — pergunta Ethan.

O veterinário dá de ombros.

— Bem, não dessa forma, pelo menos. Vocês podem colocar cartazes perto de onde a encontraram ou sair batendo de porta em porta. Seja como for, se tiver passado pela cabeça de vocês ficar com ela, recomendo que façam isso em vez de tentar encontrar o verdadeiro dono, se é que ela tem um.

— Oh — começa Ethan —, nós não estávamos...

— E, se ficássemos com ela — eu o interrompo —, é só marcar um horário com vocês pra cuidarmos disso tudo? Da castração e do chip?

— Isso mesmo — afirma o veterinário. — E ela vai precisar de uma série de vacinas também. Também podemos ajudar vocês a fazê-la engordar um pouco. Embora, suponho que, comendo direitinho agora, ela provavelmente vai recuperar o peso sozinha.

— Ótimo — diz Ethan. — Muito obrigado pela sua ajuda.

Ele estende a mão para um cumprimento. O veterinário a aceita. Eu faço o mesmo.

— O prazer foi meu — diz ele. — Ela é um amorzinho. Espero que consigam ajudá-la a encontrar uma boa casa. Senão, falem com a recepcionista. Nós podemos ajudar vocês a tentar colocá-la num abrigo que não sacrifica animais. Não vai ser fácil, esses abrigos estão lotados, mas podemos tentar ajudar.

Quando saímos da clínica veterinária, o sol já se pôs e está um pouco mais frio. Carrego Charlemagne no colo, com a coleira enrolada na mão. Ela está tremendo um pouco, talvez devido ao frio. Não consigo deixar de imaginar se é porque sabe que seu destino é incerto.

— No que você está pensando? — pergunto a Ethan.

— Não sei — responde ele. Estamos perto dos nossos carros. Por um momento, fico surpresa por ter comprado um carro naquela mesma tarde. Parece que foi há uma vida. — Não posso ter cachorro no meu prédio.

— Eu sei.

— Quer dizer, eu quero ajudá-la e não quero que fique na rua, é claro, mas não tinha a menor intenção de adotar um cachorro. E não sei como você vai poder adotá-la, sabe? Porque...

— Porque ainda não tenho um canto só meu.

— Isso.

Ele olha para mim. Eu olho para Charlemagne. Não vou levá-la para um abrigo. De jeito nenhum. Depois de tudo o que aconteceu hoje, meu destino também é incerto. Charlemagne e eu somos espíritos semelhantes. Somos, as duas, idiotas sem direção, garotas que saem correndo para o meio da rua sem pensar.

Posso cometer um monte de erros e posso agir sem pensar. Posso até ser o tipo de mulher que nem se dá conta de que está grávida quando isso deveria ser totalmente óbvio, mas também sei que às vezes eu me meto em confusões... e que depois consigo sair delas sozinha. Talvez eu consiga tirar nós duas dessa enrascada mergulhando nela de cabeça.

Charlemagne e eu pegamos um ônibus hoje munidas apenas de uma mochila e um sorriso. Somos uma equipe. Ela é minha.

— Não vou deixar que ela volte pra alguém que a trata mal — digo. — Não estou dizendo que conseguiríamos encontrar o dono, se quiséssemos. E eu certamente não vou deixá-la na rua nem mandá-la pra um abrigo em que sacrificam animais.

Ethan olha para mim. Dá para perceber que ele entende o que quero dizer, embora não saiba aonde estou querendo chegar.

— Ok... — começa ele. — O que vamos fazer então?

— Eu vou ficar com ela — declaro. — É isso o que vou fazer.

Ela não é problema dele. É problema meu. Eu estou *escolhendo* tomar conta dela.

Estou ciente das situações paralelas. E talvez isso esteja por trás do motivo de eu estar tomando esta decisão. Talvez seja uma manifestação física do que estou passando emocionalmente no momento.

Estou esperando um bebê que não é dele. Estou dando abrigo a um cachorro que ele não queria ter. Não vou tornar essas coisas um problema dele.

— Tá — concorda ele. — Bem, ela pode dormir na minha casa hoje, aí amanhã nós bolamos um plano de longo prazo.

Ele usa "nós". *Nós bolamos um plano de longo prazo.*

— Não tem problema — digo, indo em direção ao meu carro. — Acho que é melhor eu dormir na casa da Gabby essa noite.

— Não vai ficar comigo?

Balanço a cabeça.

— Acho que devo dormir lá hoje. Ela não vai se importar com a Charlemagne por uma noite. — Vai, sim. Mark é alérgico a cachorros. Levar a Charlemagne para a casa deles é meio sacanagem minha, mas preciso ficar longe de Ethan. Preciso ficar sozinha.

— Ela pode ficar lá em casa — insiste ele. — Por essa noite. Sério.

Balanço a cabeça outra vez, me afastando dele. Abro a porta do carro. Coloco Charlemagne no banco do carona e fecho a porta.

— Não. É melhor assim.

— Tudo bem — concorda ele, claramente desapontado. — Se é o que você quer.

— Eu te ligo amanhã.

Ele só diz "legal". Fala isso olhando para os meus pés em vez de para o meu rosto. Está aborrecido, mas não quer demonstrar. Então ele assente com a cabeça e entra no carro.

— Falo com você amanhã — diz, olhando pela janela. Então acende os faróis e sai com o carro. Eu entro no meu. Olho para Charlemagne. De repente, as lágrimas que eu vinha guardando a noite toda decidem brotar.

— Eu errei feio, Charlemagne — digo a ela. — Estraguei tudo.

Ela não reage. Não olha para mim.

— Ia ser tudo perfeito. E eu estraguei tudo.

Charlemagne lambe a pata como se eu não estivesse ali.

— O que eu faço agora? — pergunto a ela. Se você estivesse olhando para nós do lado de fora, talvez pensasse que acho mesmo que ela vai responder. Minha voz é sincera a esse ponto, soa desesperada assim. E talvez, em algum nível, seja verdade. Talvez se, de repente, ela começasse a falar e me dissesse o que devo fazer para consertar essa situação, eu ficaria mais aliviada do que chocada.

Mas, enfim, ela continua sendo uma cachorrinha normal, e não uma cadela encantada que fala. Deixo a cabeça cair no volante do meu carro de segunda mão novinho em folha e choro. Eu choro. Choro. Choro e choro.

E me pergunto quando vou ter de contar a Michael.

E me pergunto quando vou ter de contar a Ethan.

E me pergunto como vou sustentar um bebê.

E me pergunto como pude ser tão idiota.

E me pergunto se o mundo talvez me odeie, se talvez eu esteja fadada a ferrar minha vida eternamente sem nunca me dar bem.

Eu me pergunto se vou ser mãe solo para sempre. Se Ethan algum dia vai voltar a falar comigo. Se os meus pais vão vir conhecer meu filho ou se vou ter de fazer uma viagem ao exterior com um bebê durante as férias.

Então eu me pergunto o que a Gabby vai dizer. Eu a imagino falando que vai ficar tudo bem. Imagino-a dizendo que esse bebê estava predestinado. Imagino-a afirmando que vou ser uma ótima mãe.

Então me pergunto se isso é verdade. Se serei mesmo uma boa mãe.

Então, por fim, me pergunto sobre o meu bebê.

E a ficha cai de verdade.

Eu vou ter um bebê.

Eu me pego sorrindo só um pouquinho através das lágrimas pesadas e temerosas.

— Eu vou ter um bebê — digo a Charlemagne. — Vou ser mãe.

Dessa vez, ela me ouve. E, apesar de não começar a falar, de alguma forma encantada, ela se levanta, passa por cima do console central e se senta no meu colo.

— Somos você e eu — digo. — E um bebê. A gente consegue, não consegue?

Ela se aconchega no meu colo e adormece. Mas acho muito significativo o fato de eu pensar que, se ela pudesse falar, teria dito "sim"

A inda é cedo quando ouço uma batida à minha porta. Estou sozinha no quarto. Acordei agorinha. Meu coque está desfeito, os cabelos caídos sobre o ombro.

Ethan enfia a cabeça no vão da porta.

— Ei — diz ele, tão baixinho que mais parece um sussurro. — Posso entrar?

— É claro — respondo. É bom vê-lo. Talvez eu tenha me empolgado um pouco com a ideia de que ainda restasse algo de romântico entre nós, mas agora percebo que não. Eu provavelmente sempre o amarei de alguma forma, um pedacinho do meu coração vai ser sempre dele. Mas voltarmos a namorar, ficarmos juntos outra vez, isso seria andar para trás, não? Eu me mudei para Los Angeles justamente para deixar o passado para trás, para entrar no futuro. Eu voltei para Los Angeles para mudar. E é isso que vou fazer.

Mas isso não quer dizer que nós não podemos significar alguma coisa um para o outro, que não podemos ser amigos.

Dou um tapinha na cama, convidando-o a se sentar ao meu lado.

Ele se senta.

— Como está se sentindo? — pergunta. Ele está com uma caixa de confeitaria na mão. Espero que seja o que acho que é.

— Isso daí é um pãozinho de canela? — pergunto, sorrindo.

Ele retribui o sorriso e passa a caixa para mim.

— Você lembrou — comento.

— E como eu poderia esquecer?

— Uau! — exclamo, ao abrir a caixa. — É enorme.

— Eu sei. Eu descobri essa padaria do Westside há alguns anos e pensei em você. Sabia que ia adorar.

— Isso é tão bom! Quer dizer, vou ter que comer com garfo e faca. — É grande demais para eu comer sozinha. Resolvo esperar para dividi-lo com Henry hoje à noite. — Pode colocar em cima da mesa pra mim?

— Não quer comer agora?

Eu meio que quero, mas prefiro esperar Henry. Balanço a cabeça.

— Você não respondeu à minha pergunta — diz ele. — Como está se sentindo?

Desconsidero a pergunta com um aceno da mão.

— Estou bem. Tenho altos e baixos, mas você me pegou num momento bom. Fiquei sabendo que vou poder testar minha cadeira de rodas hoje. — Observo a expressão de Ethan mudar. Tenho um vislumbre, só por um instante, do quanto deve ser triste para ele me ver ficar toda animada por causa de uma cadeira de rodas. Mas eu me recuso a ficar para baixo por causa disso. Este é o momento que estou vivendo. Preciso de uma cadeira de rodas. *E tudo bem.* Vamos em frente.

Ethan olha para o lado e, depois, para o chão. Olha para todos os cantos, menos para mim.

— O que foi? — pergunto. — O que está incomodando você?

— É que tudo parece tão sem sentido — responde ele, erguendo a cabeça para me olhar. — A ideia de você ter sido atropelada. De eu quase ter perdido você. Quando eu soube o que tinha acontecido, imediatamente pensei... sabe... Ela devia ter ficado comigo em vez de ter ido embora. Se eu tivesse conseguido te convencer a ficar até mais tarde, você não estaria no meio da rua quando... Quer dizer, e se isso tudo pudesse ter sido evitado se eu... se eu tivesse feito algo diferente?

É meio absurdo, não é mesmo? Como nos agarramos a fatos e a consequências para nos culparmos ou nos desculparmos? Aquilo não tinha nada a ver com ele. Eu havia escolhido voltar para casa com Gabby e com Mark porque essa foi a minha escolha. Nove bilhões de escolhas que eu fiz no decorrer da minha vida poderiam ter me levado a um lugar diferente de onde estou neste momento e determinar para onde estou indo. Não faz sentido se concentrar em uma única escolha. A não ser que você queira se punir.

— Eu já analisei esse problema por todos os ângulos — digo. — Estou deitada nessa cama há dias me perguntando se era pra todos nós termos feito algo de diferente.

— E aí?

— E aí... que não importa.

— Como assim não importa?

— Estou dizendo que tudo acontece por um motivo. Estou dizendo que existe um objetivo pra isso aqui. Que eu não fiquei até mais tarde com você naquela noite porque não era pra eu ter ficado. Porque não era o que eu tinha que fazer.

Ele olha para mim. Não diz nada.

— Sabe — continuo —, talvez você e eu tivéssemos saído naquela noite, ficado na balada bebendo até o amanhecer. E talvez a gente tivesse caminhado pela cidade a noite toda, conversado sobre o que sentimos e relembrado os velhos tempos. Ou talvez tivéssemos saído daquele bar e ido a outro, onde esbarraríamos com o Matt Damon, e ele diria que nós parecíamos gente boa e que nos daria cem milhões de dólares pra abrirmos uma fábrica de pãezinhos de canela.

Ethan ri.

— Não sabemos o que poderia ter acontecido. Mas o que quer que fosse não *era* pra acontecer.

— Você realmente acredita nisso? — pergunta ele.

— Acho que tenho que acreditar — respondo. — Senão, a minha vida será um desastre completo.

Senão eu perdi o meu bebê sem motivo nenhum.

— Mas, sim — digo. — Eu realmente acredito nisso. Acredito que esteja predestinada a alguma coisa. Que todos estamos predestinados a alguma coisa. E acredito que o universo, ou Deus, ou seja lá como você queira chamar isso, nos mantém no caminho certo. E acredito que era pra eu escolher a Gabby, e não era pra eu ter ficado com você.

Ethan fica em silêncio. Então olha para mim e diz:

— Tudo bem. Não era pra... Eu acho que não era pra acontecer.

— Além do mais — começo, tentando fazer piada —, vamos ser honestos. Se eu tivesse ficado até mais tarde com você, nós teríamos acabado no maior beijo e estragado tudo. Assim é melhor. Assim podemos finalmente ser amigos. Bons amigos, amigos de verdade.

Ele se vira para mim, olha bem dentro dos meus olhos. Nenhum de nós dois fala nada por um instante.

Então Ethan finalmente resolve falar.

— Hannah, eu...

Ele para na metade da frase quando Henry entra no quarto.

— Ah, desculpe — diz Henry. — Não sabia que estava com visita.

Fico logo animada ao vê-lo. Ele está usando o mesmo uniforme hospitalar azul de ontem à noite.

— Achei que você fizesse o plantão à noite — digo. — Minha enfermeira do dia é a Deanna.

— Estou cobrindo o turno dela — explica ele. — Só hoje. Volto depois, se estiver interrompendo.

— Oh — diz Ethan.

— Não está interrompendo nada — digo, mais alto do que ele.

Ethan se recompõe e olha para mim.

— Sabe de uma coisa? É melhor eu ir pro trabalho.

— Tudo bem. Você vem me visitar outra vez logo?

— Venho — responde ele. — Ou quem sabe você já vai ter saído daqui a alguns dias.

— É. Quem sabe...

— De qualquer forma, espero que goste do pãozinho de canela.

Henry ri.

— Essa moça adora um pãozinho de canela — comenta.

Ethan olha para ele.

— Eu sei. Foi por isso que trouxe um pra ela.

Fiz três testes de gravidez no banheiro da CVS que fica na rua de Gabby. Eu poderia ter deixado Charlemagne no carro, mas me senti péssima fazendo isso, mesmo deixando uma fresta da janela aberta, então a coloquei dentro da mochila e a levei comigo. Ela uivou uma ou duas vezes no banheiro, mas ninguém pareceu se importar.

Os três deram positivo. E não houve uma única parte de mim que tivesse ficado surpresa.

Já são quase nove da noite, e estou parando o carro na frente da casa de Gabby. Ela deve ter ouvido o barulho do carro, pois olha pela janela. Eu a vejo e sorrio para ela. Parece uma velhota rabugenta. E acho que, a qualquer momento, ela vai berrar: "Que algazarra é essa aí?"

Quando abro a porta da casa dela, com Charlemagne atrás de mim na coleira, Gabby está de pé em frente à entrada. Eu me sinto mal pelo que estou fazendo, aliás. Eu me sinto mal por estar trazendo uma cachorra para dentro da casa de Mark. Sei que ele é alérgico, e, ainda assim, estou fazendo isso. Mas eu não podia ficar com Ethan nem abandonar Charlemagne. Então, aqui estamos.

— Você comprou um carro? — pergunta ela, que já está de pijama.

— Cadê o Mark? — indago. Charlemagne está atrás de mim. Acho que Gabby ainda não conseguiu vê-la.

— Vai trabalhar até tarde outra vez.

— Eu tenho novidades.

— Eu sei, você comprou um carro.

— Bem, tenho mais novidades.

Charlemagne dá um ganido. Gabby olha para mim de soslaio, então coloco Charlemagne na minha frente.

— Você tem um cachorro?

— Eu vou adotá-la — conto. — Sinto muito.

— Vai adotar um cachorro?

— Tudo bem se ela ficar aqui só essa noite? Comprei um monte de antialérgicos pro Mark. — Saco as cinco caixas de remédios que peguei no corredor de anti-histamínicos vendidos sem receita médica e comprei.

Gabby olha para mim.

— É... Acho que sim?

— Ótimo. Obrigada. Eu tenho novidades.

— Mais novidades?

Faço que sim, mas Gabby continua me olhando fixamente. Eu a encaro também, sem saber ao certo se ela está pronta para o que vou revelar. Sem saber ao certo se eu mesma estou.

— Acho que é melhor nos sentarmos — sugiro.

— Eu preciso me sentar pra isso?

— *Eu* preciso — confesso.

Vamos para o sofá. Pego Charlemagne no colo, mas ela rapidamente se desvencilha de mim e se acomoda no sofá. Vejo Gabby hesitar entre querer e não querer um cachorro em cima do sofá, então pego Charlemagne e a coloco no chão.

— Eu estou grávida.

Ouvir aquilo em voz alta, ouvir as palavras saírem da minha própria boca, trazem à tona um dilúvio de emoções. Começo a chorar e enterro a cabeça nas mãos.

Gabby não diz muita coisa de início, mas eu logo sinto as mãos dela nos meus punhos. Sinto-a afastar minhas mãos do meu rosto. Sinto-a colocar os dedos no meu queixo, forçando-me a encará-la.

— Você sabe que vai ficar tudo bem, não sabe?

Olho para ela por entre as lágrimas. Faço que sim com a cabeça e me esforço para dizer:

— Sei.

— O Ethan sabe? — pergunta ela.

163

Balanço a cabeça.

— Ninguém sabe. A não ser você. E a Charlemagne.

— Quem é Charlemagne?

Olho para a cachorra e aponto para ela.

— Ah — diz Gabby. — Certo. Faz sentido. Normalmente não damos mais nomes como Charlemagne às pessoas.

Começo a chorar outra vez.

— Ei — diz ela —, pare com isso. Essa é uma boa notícia.

— Eu sei — digo, entre as lágrimas.

— É do Michael — diz ela, como se aquilo acabasse de lhe ocorrer.

— É — confirmo. Charlemagne começa a ganir e a pular, tentando se juntar a nós no sofá. Gabby olha para ela, então a apanha do chão e a coloca no meu colo. Ela se encolhe e fecha os olhos. Eu sinceramente me sinto melhor com ela no colo.

— Tudo bem, pare de chorar agora — pede Gabby.

Dou uma fungada e olho para minha amiga.

— Nós vamos lidar com isso e vai dar tudo certo.

— Nós?

— Bem, eu não vou deixar você passar por isso sozinha, sua imbecil — diz ela. E a forma como ela diz *imbecil* faz com que eu me sinta mais amada do que venho me sentindo há um bom tempo. Ela diz aquilo como se eu fosse uma perfeita idiota por pensar que poderia estar sozinha. E saber que essa ideia é completamente absurda para ela, saber que é estapafúrdia a ponto de eu me tornar uma imbecil é uma ótima sensação. — Sabe, daqui a alguns anos você vai olhar pra trás e pensar que isso foi a melhor coisa que já aconteceu na sua vida, ok?

Respiro com dificuldade.

— Vou ter um filho de um homem casado e tenho quase certeza de que isso vai estragar o meu relacionamento com o meu novo ex-namorado.

— Em primeiro lugar — diz ela —, não vamos começar a pressupor as coisas. Você não sabe o que o Ethan vai dizer.

— Sabe o que eu tenho quase certeza de que ele não vai dizer? "Ei, Hannah, estou superanimado em assumir a responsabilidade de criar o filho de outro cara."

Eu estou certa, é claro. E é por esse motivo que Gabby muda de assunto.

— Você vai amar esse bebê — diz ela. — Sabe disso, não sabe? Você é uma pessoa tão amorosa. Tem tanto amor pra dar e é tão leal com as pessoas que ama. Você tem ideia de que vai ser uma ótima mãe? Tem noção do quanto essa criança vai ser amada? O amor que ela vai receber da tia Gabby vai ofuscar o sol.

Consigo achar graça, apesar de tudo.

— Hannah, você consegue fazer isso. E logo, logo vai estar se perguntando como conseguia ver significado na vida antes disso.

Talvez ela tenha razão.

— E se o seu pai me mandar embora antes mesmo de eu ser contratada? Vou ter que dizer tipo "Oi, tudo bem? Você me deu esse emprego quando não sabia que eu estava grávida e agora vai ter que me aturar."

— Foi por isso que você vomitou durante o jantar — diz Gabby.

— Deveria ter sido a primeira dica pro seu pai. — Pra ser sincera, deveria ter sido a minha primeira dica.

— Você está ouvindo o que está dizendo? Estamos falando do meu pai. Do homem que escolheu as flores da lapela pros nossos acompanhantes usarem na formatura. Do cara que tirou caquinhos de vidro minúsculos do seu pé com uma pinça quando você quebrou o vaso de cristal preferido da minha mãe.

— Ai, nem me lembre disso.

— Mas essa é a questão. Meu pai te ama. E não é nada do tipo "Estou te dizendo que meu pai te ama". Não, eu quero dizer que ele tem amor no coração por você. Meu pai te ama. Meus pais te amam. Eles gostam de te apoiar. Meu pai não vai te despedir quando descobrir que você está grávida. Ele e minha mãe vão dar pulos de alegria e contar pra todo mundo que quiser ouvir que a geração de netos finalmente está a caminho.

165

Eu rio.

— Além do mais, ele não pode te demitir por estar grávida. Isso é contra a lei. Isso é o básico do básico em Recursos Humanos.

No instante em que ela diz "recursos humanos", eu me lembro da conversa com Joyce. Eu me recordo de ela ter dito que tenho plano de saúde e licença-maternidade. Por um instante, quase tenho a sensação de que Gabby tem razão. Vai dar tudo certo.

— Ok — concordo. — Então eu ainda tenho emprego.

— E ainda tem a mim e aos meus pais e ao Mark e... — Ela olha para a cachorrinha e sorri. — E a Charlemagne.

— Tenho que ligar pro Michael e contar pra ele, não tenho?

— Tem? Ou não? Não faço ideia. Mas vamos pensar no assunto juntas. A gente pesa os prós e os contras.

— Sério?

— Sério. E vamos encontrar uma resposta. E aí você faz o que tiver que fazer.

Ela faz tudo parecer tão fácil.

— E talvez o Ethan não termine comigo?

— Talvez não — diz ela, muito embora eu consiga perceber pela sua voz que ela se sente menos confiante em relação a isso. — Mas já posso te dizer que, se ele te deixar, é porque não era para ser.

— Você acha que as coisas acontecem porque têm que acontecer?

Por algum motivo tenho a sensação de que vou me sentir melhor se achar que as coisas acontecem porque têm de acontecer. Isso me absolve até certo ponto, não é? Se as coisas têm de acontecer de determinada forma, isso significa que eu não tenho de me preocupar tanto com as consequências e com os meus erros. Posso tirar a mão do volante. Acreditar no destino é um pouco como viver no piloto automático.

— Está brincando? Acredito cem por cento nisso. Existe uma força em algum lugar regendo nossa vida. Pode chamar isso do que quiser. Por acaso eu chamo de Deus — diz ela. — Mas ela nos empurra na direção certa. Se o Ethan disser que não consegue lidar com o fato de você estar grávida, ele não é o homem certo pra você. Você está destinada a outra pessoa. E nós também vamos lidar com *isso* juntas. Lidamos com isso tudo juntas.

Fecho os olhos brevemente e, quando os abro outra vez, o mundo parece um pouco mais nítido.

— E então, o que eu faço agora?

— Amanhã de manhã vamos comprar as vitaminas que você tem que tomar e vamos marcar uma consulta com um obstetra pra saber de quantas semanas você está.

— Acho que devem ser pelo menos oito — digo. — Não transo com o Michael há algum tempo.

— Ok, então já sabemos disso. Mesmo assim, vamos marcar uma consulta.

— Ah, meu Deus — digo em voz alta. — Eu tomei uma cerveja. Na semana passada, no bar.

— Tudo bem. Vai ficar tudo bem. Acontece. Você não bebeu até cair. Eu vi.

Eu sou uma péssima mãe. Já sou. Eu já sou uma péssima mãe.

— Se é com isso que está preocupada, você não é uma péssima mãe — afirma Gabby, sabendo como meu cérebro funciona quase melhor do que eu mesma. Ela tira Charlemagne do meu colo e faz sinal para que eu me levante. Vamos até o meu quarto. — Acontece. E está tudo bem. A partir de amanhã de manhã você vai saber quais são todas as coisas que precisa parar de fazer e as que precisa começar a fazer. E você vai ser fenomenal em tudo.

— Você acha mesmo?

— Acho mesmo.

Visto meu pijama. Gabby se acomoda em um dos lados da cama. Charlemagne se deita com ela.

— Ela é uma gracinha, essa Charlemagne — comenta Gabby. — Como ela veio parar na minha casa?

Eu rio.

— É uma longa história. É uma história na qual tomo uma decisão--relâmpago que, agora, percebo que deve ter sido influenciada pelos meus hormônios.

Gabby ri.

— Bem, ela é uma fofa — diz. — Gosto de tê-la por perto.

Olho para Charlemagne.

— Eu também.

— Eu odeio essa alergia idiota do Mark a cachorros — confessa ela. — Vamos deixá-la aqui dentro a noite toda e ver se ele se coça. Aposto que ele não vai se coçar. Aposto que é tudo psicológico.

Acho graça daquilo e deito na cama ao lado de Gabby. Ela segura a minha mão.

— Tudo vai ficar bem, você sabe disso — diz ela.

Inspiro e expiro.

— Espero que sim.

— Não — insiste ela. — Repita comigo. Tudo vai ficar ótimo.

— Tudo vai ficar bem — repito.

— Tudo vai ficar bem — diz ela, outra vez.

— Tudo vai ficar bem.

Sabe, eu quase acredito nisso.

Gabby apaga a luz.

— Quando você acordar apavorada no meio da noite porque se lembrou de que está grávida, me acorde. Estou bem aqui.

— Tá. Obrigada.

Charlemagne se aconchega entre nós duas, e eu me pergunto se, talvez, Gabby, Charlemagne e eu é que estamos destinadas umas às outras.

— Mark e eu temos conversado sobre quando vamos ter um bebê.

— Hmmm, sério? — Muito embora eu vá ter um bebê, não consigo conceber direito a ideia de as pessoas terem filhos.

— É — confirma ela. — Talvez logo. Eu podia correr e ficar logo grávida. Podíamos ter filhos da mesma idade.

— E nós os obrigaríamos a serem os melhores amigos — digo.

— Claro. Ou quem sabe eu simplesmente deixe o Mark. Você e eu poderíamos criar o seu bebê juntas. Assim nem preciso ter um. Só eu, você e o bebê.

— Com a Charlemagne? — pergunto.

— É — diz ela. — O casal de mulheres mais adorável do mundo. Dou uma risada.

— O único problema é que eu não me sinto atraída por você — diz ela.

— Nem eu.

— Mas imagine só. Esse bebê seria criado por um casal de lésbicas inter-racial. Seria aceito em todas as boas escolas.

— Imagine só o pedigree.

— Eu sempre disse que Deus cometeu um erro quando nos fez mulheres heterossexuais.

Eu acho graça, então a corrijo:

— Estou tentando acreditar que Deus não comete erros.

Henry verifica algumas informações e baixa a prancheta.

— A Dra. Winters disse que podemos testar a cadeira de rodas. — Ele parece ansioso, como se fôssemos fazer algo proibido.

— Agora? — pergunto. — Eu e você?

— Bem, as enfermeiras não têm força para levantar você de uma vez só. Então, sim, quem vai te colocar na cadeira sou eu.

— Nunca se sabe — brinco. — Talvez todas as enfermeiras levantem tanto peso quanto você, e você só não sabe disso porque nunca perguntou.

— Bem, independentemente do peso que cada um aguenta, é meu trabalho levantar você. Mas antes temos algumas coisas pra conversar.

— Ah — começo. — Tá, pode começar.

Ele me avisa que pode doer. Diz que vai ser uma adaptação. Que não podemos fazer muita coisa logo de início, que é só para eu me sentar na cadeira e tentar me locomover um pouco. No começo, simplesmente passar da cama para a cadeira pode me deixar exaurida. Então Henry começa a desconectar alguns aparelhos que estão ligados a mim, que já são praticamente meu terceiro e quarto braços, mas deixa o soro. Diz que, enquanto eu estiver no hospital, ele vai nos acompanhar.

— Acha que está pronta? — pergunta, uma vez que está tudo pronto e eu sou a única coisa com a qual ainda falta lidar.

— Tão pronta quanto jamais estarei.

Estou assustada. E se doer? E se não der certo? E se eu tiver de ficar nesta cama pelo resto da vida e nunca mais puder me mexer e este for o fim para mim? E se a minha vida agora se resumir a gelatina diet e frango grelhado no jantar? Vou simplesmente passar o resto dos meus dias deitada aqui, com uma camisola de hospital que não fecha nas costas.

Oh, Deus. Oh, Deus. Essa camisola não fecha nas costas.

Henry vai ver a minha bunda.

— Você vai ver a minha bunda, não vai? — pergunto, quando ele se desloca em minha direção.

Sou eternamente grata a ele por não ter rido de mim.

— Eu não vou olhar — diz ele, mas não estou certa de que essa resposta seja o suficiente. — Sou um enfermeiro profissional, Hannah. Confie em mim. Não vou olhar a sua bunda só pra me divertir.

Não tenho como não rir enquanto avalio minhas opções. Ou seja, enquanto avalio o fato de não ter nenhuma escolha de verdade se quiser me levantar desta cama.

— Beleza? — pergunta ele.

— Beleza — respondo.

Ele pega minhas pernas e me gira. Eu me aproximo dele milimetricamente.

Ele chega bem perto de mim. Passa um braço ao redor das minhas costas, o outro por baixo das minhas pernas.

— Um — começa ele.

— Dois — eu digo com ele.

— Três! — falamos juntos enquanto ele me levanta e, então, em segundos, estou sentada na cadeira de rodas.

Estou sentada na cadeira de rodas.

Alguém acaba de me colocar numa cadeira de rodas.

Eu ia ter um bebê, e ele morreu.

— Tudo bem? — pergunta Henry.

— Tudo — respondo, balançando a cabeça para afastar os pensamentos ruins. — Sim! — Acrescento. — Estou animada com isso! Aonde vamos?

— Não muito longe agora na primeira vez — responde ele. — Por enquanto, só queremos que você se sinta confortável na cadeira e se familiarize com ela. Talvez a gente dê só uma voltinha pelo quarto.

Eu me viro e olho para ele.

— Ah, por favor. Eu quero sair do quarto. Há dias que faço xixi numa comadre. Quero ver movimento.

Ele olha para o relógio de pulso.

— Eu tenho que dar uma olhada nos outros pacientes.

Entendo. Ele tem um trabalho a fazer. E eu faço parte desse trabalho.

— Tá — concordo. — Me explique como usar isso.

Ele começa a me mostrar como dar impulso nas rodas e como fazê-las parar. Andamos pelo quarto. Dou tanto impulso que me choco contra a parede e Henry corre em minha direção e me segura.

— Opa — diz. — Vá com calma.

— Desculpe. Perdi o controle.

— Acho que já sabemos que você provavelmente nunca vai ser piloto de corrida.

— Tenho quase certeza de que excluímos essa hipótese quando fui atropelada.

Henry poderia, naquele momento, ter demonstrado pena de mim. Mas não foi o caso. Eu gosto disso. Gosto muito disso.

— Bem, não tente pilotar avião também — pede. — Ou já descartou essa hipótese porque foi atropelada por um avião?

Olho para ele, indignada.

— Você fala com todos os seus pacientes desse jeito? — pergunto. E lá está ela. A pergunta que venho me fazendo há dias. E eu a pronunciei como se a resposta não fizesse a menor diferença para mim.

— Só com os ruins — responde ele, que então se abaixa e agarra o braço da minha cadeira de rodas. O rosto está encostado no meu, tão próximo que dá para ver os poros, os pontos dourados em seus olhos. Se fosse qualquer outro homem, em qualquer outra situação, eu pensaria que ele iria me beijar a qualquer instante. — Se você, por acaso, saísse de dentro deste quarto — começa ele, com um sorrisinho tomando conta de seu rosto —, tenho certeza de que eu levaria um minuto pra conseguir te alcançar e te trazer de volta.

Lentamente, Henry tira seus braços de cima da minha cadeira, abrindo caminho.

Eu não olho para a porta. Olho para ele.

— Se eu fosse empurrando minha cadeira nessa direção, como quem não quer nada — digo —, e saísse pro corredor...

— É possível que eu não notasse que você foi dar uma voltinha lá fora.

— Então tudo bem? — pergunto, olhando para ele, mas me dirigindo à porta.

Ele ri.

— Tudo bem.

— E se eu chegar até a soleira?

Ele dá de ombros.

— Aí a gente vê no que dá.

Continuo a me locomover para a frente. Meus braços já estão cansados do esforço.

— E se eu passar direto?

Ele ri mais uma vez.

— Talvez seja uma boa ideia você parar de prestar atenção em mim e olhar pra onde está indo — diz ele no momento exato em que eu bato com uma das rodas no alizar da porta.

— Opa — digo, dando ré para, em seguida, endireitar as rodas. Então saio manobrando a cadeira direto para o corredor.

É mais movimentado do que eu havia imaginado. Há mais postos de enfermagem e mais enfermeiros do que consigo ver do meu quarto. E, embora eu tenha certeza de que é o mesmo ar que respiro da minha cama de hospital, de alguma forma me parece mais puro aqui. O corredor é ainda mais sem graça e básico do que eu havia pensado. O chão debaixo das minhas rodas é limpíssimo. Dos meus dois lados, as paredes têm um inócuo tom de aveia. Mas, de certa forma, teria dado no mesmo se eu aterrissasse na lua. É essa a sensação singular e estranha que tenho por um centésimo de segundo.

— Muito bem, Fernão de Magalhães — brinca Henry, agarrando os pegadores nas costas da minha cadeira. — Já chega de descobrimentos por hoje.

Quando atravessamos a porta do meu quarto, eu lhe agradeço. Ele assente com a cabeça.

— Não precisa agradecer.

Ele me conduz de volta à cama.

— Está pronta?

Faço que sim e me preparo. Sei que vai doer quando ele me levantar e quando me colocar na cama.

— Vamos nessa — digo.

Ele passa os braços por baixo das minhas pernas, me manda colocar os braços ao redor do seu pescoço e segurá-lo com força. Inclina o corpo por cima do meu e protege as minhas costas com o outro braço. Minha testa roça na dele, e sinto sua barba por fazer.

Aterrisso de volta na cama com um baque surdo. Ele me ajuda a esticar as pernas e me cobre outra vez com o cobertor.

— Como está se sentindo? — pergunta.

— Bem. Estou bem.

Na verdade, estou prestes a chorar. Estou à beira de lágrimas imensas como bolas de gude. Não quero voltar para esta cama. Quero estar de pé, me mexendo, vivendo, fazendo coisas, vendo a vida. Senti o gostinho da glória de estar no corredor. Não quero voltar para esta cama.

— Que bom. Acho que a Deanna vai me substituir daqui a uma hora mais ou menos. Ela vem dar uma olhada em você pra ver como está. Vou dizer à Dra. Winters que correu tudo bem hoje. Aposto que vão te encaminhar pra fisioterapia logo, logo. Bom trabalho.

Eu sei que é comum um enfermeiro dizer a um paciente "bom trabalho". Eu sei disso. Acho que é isso que me incomoda.

Henry está de saída, ao lado da porta.

— Obrigada.

— O prazer é todo meu — diz ele. — Te vejo à noite. — Então, ele parece ficar subitamente nervoso. — Quero dizer... se estiver acordada.

— Eu entendi — afirmo, sorrindo. Tenho a sensação de que ele está ansioso para me ver. Bom, posso estar enganada, mas acho que não estou. — Até mais tarde.

Ele sorri para mim e sai do quarto.

Estou tão inquieta que não consigo ficar parada e, no entanto, ficar parada é a única coisa que sou capaz de fazer. Então ligo a TV. Fico sentada esperando que algo de interessante aconteça. Nada acontece.

Deanna entra algumas vezes no quarto para ver como estou, mas, além disso, nada acontece.

Hospital é um lugar chato, chato, chato, silencioso, estéril e chato. Desligo a TV e me viro de lado da melhor maneira que consigo. Tento pegar no sono.

Durmo até Gabby aparecer, por volta das seis e meia. Ela chega trazendo uma pizza e uma pilha de revistas americanas.

— Você ronca muito alto — comenta ela. — Juro que ouvi você assim que entrei no corredor.

— Ah, cale a boca. Na noite em que você dormiu aqui o Henry disse que parecia que tinha uma escavadeira no quarto.

Ela olha para mim e coloca a pizza e as revistas em cima da mesa.

— Quem é Henry?

— O enfermeiro da noite — respondo. — Ninguém...

O fato de eu dizer que ele não é ninguém faz com que pareça que é alguém. Agora que me dou conta disso. Gabby olha para mim e ergue uma sobrancelha.

— É sério — digo, com a voz serena. — Ele é só o enfermeiro da noite.

— Ok...

Então me curvo e afundo o rosto ruborizado nas palmas das mãos.

— Argh — digo, levantando o rosto. — Tenho uma quedinha enorme e vergonhosa pelo meu enfermeiro da noite.

Estou grávida de 11 semanas. O bebê é saudável. Tudo parece bem. A médica, a Dra. Theresa Winthrop, me garantiu que não sou a única mulher que quase passou pelo primeiro trimestre de gravidez sem saber que estava grávida. Eu me sinto um pouco melhor ao saber disso.

No caminho de volta até o carro, Gabby me pergunta:

— Como está se sentindo em relação a tudo isso? Você sabe que, se não quiser, não tem que fazer isso. Onze semanas é cedo.

Ela não está me dizendo nada que eu não saiba. Fui pró-escolha a vida toda. Eu acredito, sinceramente, no direito à escolha. E, talvez, se eu não acreditasse que posso dar a uma criança um lar ou uma vida digna, talvez lançasse mão de outras opções. Bom, não sei. Não podemos dizer o que faríamos em qualquer outra circunstância. Só temos como saber o que vamos fazer diante de algo que estamos enfrentando.

— Eu sei que não tenho que fazer isso. Estou escolhendo fazer isso.

Ela sorri. Não consegue se conter.

— Tenho um tempinho livre antes de ter que voltar pro escritório — diz. — Posso levar você pra almoçar?

— Não precisa. Quero voltar antes da Charlemagne ter feito xixi na sua casa inteira.

— Não tem problema. Aliás, o Mark não falou nada sobre estar se coçando hoje de manhã. Tenho certeza de que é tudo psicológico. Estou planejando convencê-lo a aceitar que você e Charlemagne fiquem com a gente. Na verdade, estamos perto do consultório dele. Que tal um convite surpresa pra almoçar? Assim já começamos a nossa campanha. Além disso, quero ver a cara dele quando contarmos aonde fomos hoje de manhã.

— Estou sinceramente preocupada com a possibilidade da minha cachorra estar destruindo a sua casa.

— Qual é a vantagem de ter uma casa se não puder ter um xixizinho aqui e outro ali? — pergunta Gabby.

— Tudo bem. Mas não venha reclamar quando ela manchar o seu piso de madeira.

Entramos no carro e seguimos por algumas quadras antes de Gabby entrar numa garagem subterrânea e estacionar. Nunca estive no consultório do Mark. De repente lembro que não vou ao dentista há algum tempo.

— Sabe, já que estamos aqui — digo —, eu realmente deveria marcar um horário pra fazer uma limpeza nos dentes.

Gabby ri quando entramos no elevador e aperta o botão do quinto andar, mas ele não vai a lugar algum. As portas se fecham e, de alguma forma, acabamos descendo até um nível abaixo da garagem. As portas do elevador se abrem e uma senhora idosa entra nele. Leva uns trinta anos para fazê-lo.

Nós duas sorrimos educadamente para ela, então Gabby aperta o botão do quinto andar outra vez, e o elevador agora acende uma luz laranja brilhante e convidativa.

— Qual andar? — pergunta ela à senhora.

— Três, por favor.

Subimos, e o elevador abre as portas outra vez no andar onde entramos. Gabby se volta para mim e revira os olhos.

— Se eu soubesse que íamos fazer dez paradas, teria sugerido almoçarmos primeiro — sussurra ela para mim. Eu solto uma risada.

Então, lá está Mark.

Beijando uma loura de saia lápis.

Gabby foi embora por volta das dez da noite para ficar em casa com Mark. Não vejo Mark desde que vim para o hospital. Isso não é necessariamente estranho. Afinal, ele e eu nunca fomos tão próximos assim. Mas parece estranho que Gabby esteja aqui à noite e nos intervalos do almoço com tanta frequência e que Mark nunca tenha dado nem um pulinho para me ver. Gabby vive dizendo que ele tem trabalhado até tarde com frequência. Ao que parece, teve de ir a uma conferência de odontologia em Anaheim esta semana. Não sei muita coisa sobre a vida de um dentista, mas sempre pensei que eles fossem do tipo que voltavam para casa a tempo do jantar. Pelo visto, não é o caso de Mark. De qualquer forma, o trabalho dele me beneficia imensamente, uma vez que Gabby passa o tempo livre comigo em vez de ficar com ele, o que é realmente tudo que eu quero.

Desde que ela foi embora, minha distração é ler as revistas que trouxe. Gosto bem mais dessas revistas do que das inglesas. O que é bom, já que hoje dormi a maior parte do dia, então não vou ter sono por um bom tempo.

— Sabia que você ia estar acordada — comenta Henry ao entrar no meu quarto. Ele chega empurrando uma cadeira de rodas.

— Pensei que você teria a noite de folga — comento.

Ele balança a cabeça.

— Fui pra casa de manhã. Dormi as minhas oito horas, jantei, vi um pouco de TV. Cheguei há pouco.

— Ah — digo.

— E já dei uma olhada em todos os meus outros pacientes. Estão todos dormindo e não precisam da minha assistência.

178

— Então... mais uma aula? — pergunto.

— Acho que está mais pra uma aventura. — Ele está com um brilho meio selvagem nos olhos. Como se fôssemos fazer algo que não deveríamos fazer. A ideia de fazermos algo que não deveríamos fazer é excitante, porque tudo o que eu tenho feito é me recuperar.

— Muito bem! — exclamo. — Vamos nessa! O que eu preciso fazer?

Ele baixa a grade da minha cama e puxa as minhas pernas. Nos movemos da mesma forma que fizemos esta manhã, só que mais rápido, com mais agilidade, mais naturalidade. Em poucos segundos, estou sentada na cadeira.

Olho para baixo, para minhas pernas, à frente, na cadeira. Henry pega meu cobertor e o coloca sobre meu colo.

— Caso você sinta frio.

— E pra eu não me expor a ninguém — comento.

— Também, mas eu não quis dizer isso. — Ele se posiciona atrás de mim, prende a bolsa de morfina à minha cadeira e me empurra para a frente.

— Aonde vamos? — indago.

— Aonde a gente quiser — responde ele.

Saímos para o corredor.

— Então? — pergunta ele. — Aonde quer ir primeiro?

— Na cafeteria?

— Tem certeza de que quer mais comida de lá?

— Não. Que tal uma máquina que vende belisquetes? — sugiro.

Ele assente com a cabeça, e lá vamos nós.

Estou fora do meu quarto! Estou em movimento!

Há alguns médicos e enfermeiros no corredor, na frente de um ou dois quartos, mas, em sua maior parte, o hospital está vazio. Também está silencioso, a não ser pelos bipes ocasionais dos aparelhos.

Mas eu me sinto como se estivesse numa autoestrada da Califórnia com a capota do carro arriada.

— Filme preferido — pergunto, ao dobrarmos em mais um dos muitos corredores do hospital.

— *O poderoso chefão* — responde ele, confiante.

— Mas que resposta mais sem graça — comento.

— Como? Por quê?

— Porque é óbvia. Todo mundo ama *O poderoso chefão*.

— Bem, desculpe. Não vou amar um filme diferente só porque todo mundo ama o mesmo filme que eu.

Eu me viro para encará-lo. Ele faz uma careta para mim.

— O coração quer o que o coração quer, eu acho — comento.

— É, eu também acho — concorda ele. — E você?

— Não tenho um filme favorito — respondo.

Henry ri.

— Não pode me fazer escolher um se também não tiver um.

— Por que não? É uma pergunta justa. Mas acontece que, por acaso, eu não tenho resposta.

— Escolha um aleatoriamente. Um do qual você goste.

— Aí é que está o problema. Minha resposta vive mudando. Às vezes eu acho que meu filme preferido é *A princesa prometida*. Mas então penso "Não, *Toy Story* é obviamente o melhor filme de todos os tempos". Em outros momentos, já estou convencida de que nenhum outro filme jamais vai ser tão bom quanto *Encontros e desencontros*. Nunca consigo decidir.

— Você pensa demais. Esse é o seu problema. Se esforça muito pra encontrar a resposta perfeita quando *uma resposta* basta.

— Como assim? — pergunto. Paramos diante de uma máquina de refrigerantes, mas não era disso que eu estava falando. — Espere, eu estava falando de uma máquina de guloseimas, e não de uma máquina de Coca-Cola.

— Desculpe, Rainha Hannah do Corredor — começa ele, me empurrando para a frente. — Se alguém te perguntar qual é o seu filme preferido, diga apenas *A princesa prometida*.

— Mas, às vezes, eu não tenho certeza de que esse *é* o meu filme preferido.

— Mas é o suficiente. É isso que estou dizendo. Foi tipo quando perguntei de qual sabor de flan você gostava e você respondeu os três sabores. Escolha um sabor. Não precisa encontrar o mais perfeito o tempo todo. Ache uma coisa que funcione e pronto. Se tivesse feito isso, a gente já estaria conversando sobre cores favoritas.

— A sua cor favorita é azul-marinho — arrisco.

— É, sim — responde ele. — Mas dá pra perceber isso pelo meu uniforme, então você ainda não me convenceu de que é telepata.

— Qual é a minha? — pergunto. Posso ver uma máquina de lanches no fim do corredor. Também espero que Henry tenha dinheiro, porque eu não trouxe nenhum.

— Não sei — responde ele. — Mas aposto que você fica em dúvida entre duas.

Reviro os olhos, mas ele não me vê fazendo isso. Ele tem razão. É isso que me frustra.

— Roxo e amarelo — respondo.

— Me deixa adivinhar — começa ele, com uma voz zombeteira. — De vez em quando, você gosta de amarelo, mas aí você vê alguma coisa roxa e acha que talvez essa seja sua cor favorita.

— Ah, cale a boca — reclamo. — As duas cores são bonitas.

— E — começa ele ao chegarmos à máquina —, qualquer uma delas seria legal pra você.

Ele tira um dólar do bolso.

— Eu tenho um dólar — diz. — Vamos ter que rachar.

— Que grande sedutor você é — brinco, e imediatamente desejo poder engolir as minhas palavras.

Ele ri e deixa essa passar.

— O que vai querer?

Vasculho a máquina. Salgado, doce, chocolate, manteiga de amendoim, *pretzels*, amendoim. É impossível. Olho para ele.

— Você vai ficar zangado — digo.

Ele ri.

— Você tem que escolher uma coisa. Eu só tenho um dólar.

Eu olho para tudo. Aposto que Henry gosta de Oreo. Todo mundo gosta de Oreo. Literalmente todo ser humano gosta de Oreo.

— Oreo.

— Oreo, então — diz ele. Ele coloca a nota de um dólar no local indicado e aperta os botões. O pacote de Oreo cai bem na minha frente. Na minha altura. Eu o tiro de dentro da gaveta e o abro. Dou um biscoito a ele.

— Obrigado.

— Eu é que te agradeço. Foi *você* quem pagou por eles.

Ele morde o biscoito. Eu o como inteiro.

— Não existe maneira errada de comer um Oreo — comenta ele.

— Esse é o slogan do Reese's. Não existe maneira errada de comer um Reese's. — Eu o corrijo. — Caramba! A gente devia ter comprado um Reese's.

Ele saca mais um dólar de dentro do bolso do uniforme e o coloca dentro da máquina.

— Como assim? Você disse que só tinha um dólar! Você mentiu!

— Ah, fique calma. Eu já ia comprar duas coisas pra você. Só estava te ajudando a decidir.

Ele ri da minha cara e eu abro bem a boca, ultrajada. Bato no seu braço.

— Babaca — digo.

— Ei — queixa-se ele. — Eu comprei *dois* doces pra você.

O Reese's cai. Eu o pego e, como fiz com o Oreo, lhe dou um.

— Tem razão. Além de ter me trazido pra dar uma volta pelo corredor. O que provavelmente não deveria ter feito.

— Não, de fato isso não foi especificamente sancionado — diz ele, mordendo seu copinho de manteiga de amendoim. O meu já acabou. Eu praticamente o engoli inteiro.

Eu poderia perguntar a ele, neste instante, por que está sendo tão legal comigo. Por que está passando tanto tempo comigo. Mas tenho medo de que, se chamar atenção para o fato, isso pare de acontecer. Então, não digo nada e me limito a sorrir para ele.

— Pode me levar de volta pelo caminho mais longo?

— Claro. Quer ver até onde consegue chegar se locomovendo sozinha até os braços cansarem?

— Quero. Parece perfeito.

Ele é um ótimo enfermeiro e um ouvinte atencioso. Porque é isso que eu realmente quero neste mundo. Quero tentar fazer uma coisa por conta própria sabendo que, quando eu não puder dar mais nada de mim, alguém me levará pelo resto do caminho.

Ele me vira para me colocar na direção correta e fica atrás de mim.

— Pode ir — diz ele. — Estou com você.

Dou impulso e ele me segue.

Dou impulso. E dou impulso. E dou impulso. Percorremos dois longos corredores antes de eu precisar descansar.

— Deixe comigo daqui em diante — diz ele, já empurrando a cadeira de rodas. Ele me conduz em direção a um elevador e aperta o botão para chamá-lo. — Está com sono? Quer voltar?

Eu me viro o máximo que consigo para olhar para ele.

— Se eu não estivesse com sono, o que iríamos fazer?

Ele ri. A porta do elevador se abre. Ele me empurra para dentro.

— Eu deveria ter adivinhado que você não iria escolher dormir.

— Você não me respondeu. O que iríamos fazer?

Ele me ignora por um instante e aperta o botão do segundo andar. Descemos. Quando a porta se abre, ele me empurra para fora do elevador e seguimos por um longo corredor.

— Não vai mesmo me contar?

Henry sorri e balança a cabeça. Então viramos em um corredor, e ele abre uma porta.

O ar frio e puro sopra em cima de mim.

Ele me empurra porta afora. Estamos numa área para fumantes. Numa minúscula, imunda, encardida, linda, refrescante e vivaz área para fumantes.

Eu respiro fundo.

Ouço os carros passando. Vejo as luzes da cidade. Sinto o cheiro de asfalto e de metal. Finalmente, não há muros ou janelas entre mim e o mundo que gira à minha volta.

Apesar de todo o meu esforço para contê-las, meus olhos se enchem de lágrimas.

O ar que entra e que sai dos meus pulmões é melhor e mais cheio de vida do que todo o ar que inspirei desde que acordei. Fecho os olhos e ouço o barulho do trânsito. Quando minhas lágrimas caem, Henry se agacha ao meu lado. Está na minha altura. Mais uma vez estamos cara a cara.

Ele tira um lenço de papel do bolso e me entrega. E, nesse momento, quando sua mão roça na minha e meu olhar cruza com o dele, eu não preciso me perguntar o que aconteceria se nós dois tivéssemos nos conhecido num jantar. Eu sei o que teria acontecido.

Ele me acompanharia até a minha casa.

— Está pronta pra voltar? — pergunta.

— Estou — respondo, porque sei que está na hora, porque sei que ele está trabalhando, porque sei que não é para estarmos aqui fora, e não porque eu esteja pronta. Eu não estou pronta. Mas, quando ele me empurra por aquela porta e ela se fecha, eu me sinto, pela primeira vez, tão cheia de alegria por estar viva que ficaria feliz de ir a praticamente qualquer lugar. — Você é um grande enfermeiro — eu lhe digo enquanto voltamos. — Você sabe disso?

— Espero que sim. Eu amo o meu trabalho. Sinto que fui destinado a fazer isso.

Voltamos ao meu quarto. Ele para minha cadeira de rodas ao lado da cama. Passa os braços por baixo de mim.

— Coloque os braços ao redor do meu pescoço — diz ele. E eu faço o que ele pede. Ele me levanta e me segura por um instante, o peso do meu corpo todo em seus braços. Estou tão próxima dele que posso sentir o cheiro de sabonete em sua pele, do chocolate ainda em seu hálito. Seus cílios são mais longos e mais escuros do que eu havia notado; seus lábios, mais cheios. Tem uma pequena cicatriz debaixo do olho esquerdo.

Ele me coloca na cama. E posso jurar que me segura só um instante a mais do que o necessário.

Talvez seja o momento mais romântico da minha vida, e eu estou usando uma camisola hospitalar.

A vida é muito imprevisível mesmo.

— Com licença — diz uma voz severa vinda do corredor.

Henry e eu erguemos a cabeça e vemos uma enfermeira de pé na porta do meu quarto. É mais velha e parece um tanto acabada. Seus cabelos loiros estão presos com uma piranha. Está usando um uniforme hospitalar rosa claro e um casaco estampado combinando.

Henry se afasta de mim abruptamente.

— Achei que Eleanor estivesse te substituindo na segunda parte da noite — diz a enfermeira.

Ele balança a cabeça.

— Deve estar me confundindo com Patrick. Era o Patrick que precisava de alguém pra cobrir o turno dele até as sete.

— Ok — diz ela. — Posso falar com você quando terminar aí?

— Claro — diz Henry. — Eu te procuro daqui a pouco.

A enfermeira assente com a cabeça e se retira.

O comportamento de Henry muda.

— Boa noite — diz, saindo do quarto.

Ele já está quase na porta quando digo:

— Obrigada. Eu realmente...

— Não precisa agradecer — diz, sem nem se virar para me olhar, já saindo porta afora.

185

G abby está atirando coisas pela casa. Coisas grandes. Coisas de porcelana. Coisas que vão se espatifando e se estilhaçando. Charlemagne está aos meus pés. Estamos de pé na porta do quarto de hóspedes. Estou tentando ficar de fora. Mas estou razoavelmente dentro da história.

Gabby não voltou para o trabalho. Eu a trouxe para casa de carro. Durante todo o trajeto, ela ficou olhando fixamente para a frente, praticamente alheia ao mundo ao seu redor, e não disse muita coisa durante grande parte da tarde. Eu ficava perguntando a ela se estava bem. Ficava tentando lhe oferecer comida ou um pouco de água, mas ela recusava. Passou a tarde toda tão reativa quanto uma estátua.

Então, no segundo em que Mark passou pela porta e disse:

— Me deixe explicar.

Aí, sim, ela reagiu.

— Não estou interessada no que você tem a dizer.

E ele teve o descaramento de responder:

— Ah, que isso, Gabby, eu mereço a chance de...

E foi aí que ela jogou uma revista nele. Não pude culpá-la. Até eu teria começado a atirar objetos em cima dele naquele momento ao ouvir aquelas palavras idiotas saindo de sua boca. Ela começou a atirar tudo o que estava ao seu alcance. Mais revistas, um livro que estava em cima da mesa de centro. Então, jogou o controle remoto, que rachou, e as pilhas saíram voando. Foi aí que Charlemagne e eu escapamos para um local mais seguro.

— Por que tem um cachorro aqui? — perguntou Mark. Ele começou a coçar os punhos lentamente. Nem acho que tenha se dado conta de que estava fazendo isso.

— Não pergunte sobre a porra da cachorra! — exclamou Gabby. — Ela passou a noite toda aqui e você nem notou. Então não diga porra nenhuma sobre a cachorra, está bem?

— Gabby, converse comigo.

— Vá se ferrar.

— Por que você foi ao meu consultório hoje?

— Ah, você só pode estar brincando! Você tem problemas muito mais sérios do que o fato de eu ter te flagrado hoje!

Foi aí que ela entrou na cozinha e começou a quebrar coisas grandes. Coisas de porcelana.

O que nos traz ao momento presente.

— Quem é ela? — berra Gabby.

Mark não responde. Não consegue nem olhar para Gabby.

Ela faz uma breve pausa e olha à sua volta, para toda aquela confusão. Seus ombros se encolhem. Com o canto dos olhos, ela me vê. Seu olhar cruza com o meu.

— O que eu estou fazendo? — pergunta ela. Não se dirige a mim ou a Mark, na verdade. Dirige-se ao cômodo, à casa.

Aproveito o momento e caminho por entre os estilhaços e a abraço. Mark também vai em nossa direção.

— Não — eu digo, abrupta e energicamente. — Não se aproxime.

Ele se afasta.

— Você vai embora — diz Gabby a Mark quando eu a abraço. Começo a afagar suas costas tentando reconfortá-la, mas ela me afasta, junta toda força que lhe resta e diz: — Pegue as suas coisas e saia daqui.

— Essa casa também é minha — retruca Mark. — E eu só estou pedindo alguns minutos pra gente conversar.

— Pegue. As. Suas. Coisas. E. Saia. Daqui — avisa Gabby. Sua voz é forte, estoica. Impõe respeito.

Mark cogita insistir mais um pouco; dá para perceber isso pelo seu rosto. Mas desiste e vai até o quarto.

— Você está fazendo a coisa certa. — Tento acalmá-la.

— Eu sei disso — diz Gabby.

Ela se senta à mesa da sala de jantar, mais uma vez catatônica.

Charlemagne começa a caminhar em nossa direção, mas Gabby a vê antes de mim.

— Não! — grita ela para a cachorra. — Cuidado.

Ela se levanta, se aproxima de Charlemagne com cuidado e a levanta. Carrega-a nos braços por cima de pratos quebrados e senta-se novamente à mesa com Charlemagne no colo.

Mark percorre apressadamente vários cômodos da casa pegando seus pertences. Bate portas. Suspira alto. Agora parece o momento certo para eu me dar conta de que nunca gostei dele.

Isso dura pelo menos 45 minutos. A casa está silenciosa, a não ser pelos sons de um homem se preparando para ir embora. Gabby está meio que paralisada. O único momento no qual se mexe é para ajeitar Charlemagne em seu colo. Fico perto dela, pronta para agir ou para me pronunciar no instante que for preciso.

Por fim, Mark vai para a sala de estar. Nós o fitamos da mesa de jantar.

— Estou indo — anuncia ele.

Gabby não diz nada.

Ele aguarda, na esperança de alguma reação. Não recebe nada em troca.

Caminha até a porta, então Charlemagne salta para o chão.

— Charlemagne, não — digo. Preciso falar isso duas vezes para que ela finalmente pare onde está.

Mark olha para ela, claramente ainda confuso por haver um cachorro chamado Charlemagne em casa, apesar de saber que não terá nenhuma resposta.

Ele abre a porta. Está prestes a sair quando Gabby resolve falar.

— Há quanto tempo isso vem acontecendo? — pergunta ela. Sua voz sai forte e clara. Ela não hesita. Sua voz não falha. Gabby não demonstra nenhum sinal de choro. Tem o completo controle da situação. Pelo menos por ora.

Mark olha para ela e balança a cabeça. Depois olha para o teto. Há lágrimas em seus olhos. Ele as seca e funga.

— Não importa — responde ele. Sua voz também sai forte, porém cheia de vergonha; isso fica nítido.

— Eu perguntei há quanto tempo está acontecendo!

— Gabby, não faça isso...

— Há quanto tempo?

Mark olha para os próprios pés, então para ela.

— Há quase um ano.

— Pode ir — diz ela.

Ele se vira e faz exatamente isso. Ela vai até a janela e o vê partir. Quando ele finalmente vai embora, ela se vira para mim.

— Eu sinto muito, Gabby — digo. — Sinto muito, mesmo. Ele é um babaca.

Ela olha para mim.

— Você dormiu com o marido de outra pessoa — diz Gabby. Ela não precisa tirar quaisquer conclusões diretas disso. Não precisa dizer em voz alta o que eu sei que está pensando.

— É — concordo, admitindo meus próprios atos ao mesmo tempo que sinto uma vergonha enorme deles. — E foi errado. Da mesma forma que isso foi errado.

— Mas eu disse que isso não significava que você era uma pessoa ruim — continua Gabby. — Eu falei que você continuava sendo uma pessoa maravilhosa e linda.

Faço que sim com a cabeça.

— É, você disse isso.

— E você fez isso com alguém.

Quero alegar que a situação era diferente. Quero dizer que o que eu fiz com Michael não foi tão ruim quanto o que essa mulher e Mark fizeram. Eu quero, mais uma vez, me esconder atrás do fato de que eu não *sabia*. Mas eu sabia, sim. E o que eu fiz não foi nada diferente disso.

Eu dormi com o marido de outra pessoa. Não deveria ter feito uma coisa dessas.

E agora vou ter um filho desse homem. E vou criar esse bebê.

189

Fingir que essa criança não é fruto de um erro meu não torna isso menos verdadeiro.

E eu sei que tenho de enfrentar as consequências. Tenho de admiti--las primeiro para seguir em frente.

— Sim — digo. — Eu fiz uma coisa horrível. Da mesma forma que o Mark e aquela mulher fizeram uma coisa horrível com você.

Gabby olha para mim. Eu a levo até o sofá, e nós nos sentamos.

— Eu cometi um erro. E, quando fiz isso, você, mesmo assim, conseguiu ver que eu ainda era uma boa pessoa e guardou seu julgamento pra você porque confiava em mim. Isso foi um presente maravilhoso. Saber que eu tinha a sua confiança fez com que eu acreditasse em mim mesma. Fez com que eu enxergasse que precisava mudar. Mas você não precisa fazer isso por eles. Você pode simplesmente odiar os dois.

Eu juro que ela quase sorri.

— Nós podemos odiar os dois pelo tempo que for necessário, e então, um dia, quando estivermos mais fortes, provavelmente os perdoaremos por serem imperfeitos, por terem feito uma coisa horrível. Um dia, antes até do que você imagina, aposto que chegaremos ao ponto de desejar o melhor para eles... na verdade, acho que não vamos nem chegar a pensar neles porque já teremos seguido com as nossas vidas. Mas você não precisa acreditar nisso agora. Pode simplesmente odiar o Mark. E eu posso odiá-lo pelo que ele fez com você. E talvez um dia ele mude. Talvez um dia ele possa ser uma pessoa que fez uma coisa ruim no passado mas que nunca, nunca mais voltará a cometer o mesmo erro.

Ela olha para mim.

— Ou talvez ele continue sendo um merda pra sempre, e o melhor pra você será ficar o mais longe possível dele — digo. — Essa também é uma boa teoria.

Ela dá um sorriso tão tímido e fugaz que eu me pergunto se realmente o vi.

— Me desculpe — diz ela, por fim. — Eu não quis te envolver nessa história. Eu só... Sinto muito.

— Não diga mais nada.

Gabby chora com as mãos no rosto, então cai nos meus braços.

— Ele nem é alérgico a cachorros — diz. — Há anos que eu queria ter um cachorro e não podia por causa dele. Tenho certeza de que é tudo psicológico. Aposto que ele nem é alérgico de verdade.

— Bem, agora você tem um — digo. — Aí está o lado bom disso tudo. Vamos pensar nas coisas boas? Pode me dizer outra coisa? Ele costumava se esquecer de colocar o lixo pra fora? Deixava a toalha molhada em cima da cama?

Ela olha para mim.

— O pênis dele é pequeno — revela ela. — Sério. É igual a um minilápis. — Então ela dá uma risada. — Ah, como é bom admitir isso. Não tenho mais que ficar fingindo que o pênis dele não é pequeno.

Começo a rir junto com ela.

— Não era exatamente nisso que eu tinha pensado quando puxei o assunto, mas tudo bem! Essa foi boa.

Gabby ri. É uma gargalhada daquelas que vêm lá do fundo.

— Ai, meu Deus, Hannah. Na primeira vez em que vi, pensei: *mas onde está o resto?*

Rio tanto quando ela diz isso que tenho dificuldade até de respirar.

— Você está inventando isso.

— Não — garante ela, erguendo as mãos como se estivesse jurando por Deus. — O pênis dele é simplesmente horrível.

Nós duas rimos tanto que, do nada, lágrimas jorram dos nossos olhos. Então, subitamente, é hora de pararmos. Percebo o clima mudar. Como o verão se transformando em outono. Um dia, o céu está todo ensolarado, então, de repente, está cinza e coberto de nuvens.

— Oh, Hannah — diz ela, enterrando-se no meu peito. Charlemagne senta-se aos nossos pés.

— Shhh — eu a conforto, acariciando suas costas. — Está tudo bem. Está tudo bem.

— Não sei se isso é verdade — diz ela, encostada no meu peito.

— É, sim — insisto. — É verdade.

Ela se vira para mim. Seus olhos agora estão vermelhos e marejados; seu rosto, manchado. Ela parece muito mal. Eu nunca a vi neste estado. Ela, sim, já me viu assim. Mas eu nunca tinha visto minha amiga tão arrasada.

— Eu sei que vai ficar tudo bem porque você é a Gabrielle Jannette Hudson. Você é invencível. É a mulher mais forte que eu conheço.

— A pessoa mais forte — corrige ela.

— Hein? — Não sei se ouvi direito.

— Eu sou a *pessoa* mais forte que você conhece — repete ela, enxugando as lágrimas. — Gênero é irrelevante.

Gabby está absolutamente certa. Ela é a pessoa mais forte que conheço. Gênero aqui é irrelevante.

— Você tem razão. Mais um motivo pelo qual eu sei que você vai sair dessa.

Ela começa a ofegar. Está hiperventilando.

— Talvez ele tenha tido um bom motivo pra isso. Ou talvez eu tenha interpretado mal alguma coisa.

Quero dizer a ela que talvez tenha razão, que talvez exista algo que torne isso tudo melhor. Sinto vontade de lhe dizer isso porque quero que ela fique feliz, mas também sei que isso não é verdade. E parte de amar alguém, parte de ser a pessoa que ganha a confiança de alguém, é dizer a verdade até mesmo quando isso for a pior coisa do mundo.

— Ele estava te traindo há quase um ano — digo. — Ele não cometeu um erro isolado, nem se confundiu.

Ela levanta o rosto para olhar nos meus olhos e começa a chorar outra vez.

— Então o meu casamento acabou?

— Isso depende de você. Depende do que consegue tolerar. Por que não tenta relaxar enquanto eu preparo alguma coisa pra você jantar?

— Não. Não vou conseguir comer.

— Bem, o que posso fazer por você?

— Só fique sentada aqui — pede ela. — Fique sentada aqui ao meu lado.

— Pode deixar.

— E a Charlemagne também — pede. Eu me levanto e pego Charlemagne do chão. Nós três nos aconchegamos no sofá.

— Meu marido está me traindo, e você está grávida de um homem casado.

Fecho os olhos, absorvendo aquilo tudo.

— A vida é uma merda — diz ela.

— Às vezes, é, sim — concordo.

Ficamos as duas em silêncio.

— Dói — diz ela e começa a chorar de novo. — Dói muito. Dói no fundo do meu coração.

— Eu sei. Você e eu somos uma equipe, não somos? E estarei ao seu lado pra qualquer coisa que você venha a enfrentar na vida. Tudo o que você estava preparada pra fazer por mim ontem à noite, eu estou pronta pra fazer por você hoje. Então conte comigo, está bem? Vamos enfrentar isso juntas. Conte com o meu apoio. Aperte a minha mão.

Ela olha para mim e sorri.

— Quando a dor for tanta que você achar que não vai mais aguentar, aperte a minha mão. — Estendo a mão para Gabby, e ela a aceita.

Ela aperta a minha mão e chora.

E eu penso comigo mesma que, se estando aqui consegui levar embora um centésimo da dor que Gabby sente, então talvez eu tenha um propósito na vida que nunca imaginei ter.

— Divida a dor em duas e me dê metade — peço a ela.

Gabby vem me visitar no sábado de manhã e, antes mesmo de ela entrar no quarto, eu a mando parar. Deanna está de pé ao lado da minha cama.

— Espere — digo a Gabby. — Fique onde está.

Deanna sorri e estende a mão.

— Está pronta? — pergunta ela.

Eu faço que sim, então Deanna me ajuda a colocar os pés no chão. Eu apoio o peso nas mãos dela, e ela me ajuda a transferi-lo para os pés. Estou em pé. Estou em pé de verdade. Tudo bem, estou me apoiando em outro ser humano, mas ainda assim estou em pé. Estou em pé. Passei a manhã toda praticando com ela.

— Ok — digo. — Preciso me sentar. — Deanna me ajuda a descansar o corpo de volta na cama. Sinto um alívio enorme.

— Ah, meu Deus! — exclama Gabby, batendo palmas para mim como se eu fosse uma criança. — Olhe só o que você fez! Que máximo!

Eu sorrio. Minha energia e a animação de Gabby devem ser contagiantes, porque Deanna está sorrindo também.

— Que doideira, não é? Tenho praticado o máximo que consigo. Hoje de manhã a Dra. Winters me deu umas dicas de como firmar o corpo. Na verdade, eu ainda não consigo me locomover, mas posso ficar em pé.

— Que legal! — diz Gabby, tirando a bolsa do ombro.

Ela vem em nossa direção. Deanna me ajuda a me acomodar na cama.

— Estou muito impressionada — diz Gabby. — Sua evolução está excelente.

— Volto logo pra ver como você está — diz a enfermeira. — Você fez um ótimo trabalho hoje.

— Obrigada.

Quando ela sai do quarto, conto a Gabby sobre ontem à noite.

— Henry me levou lá fora.

— Você andou lá fora?

— Não — respondo. — Foi numa cadeira de rodas. Ele me levou até a área de fumantes.

— Ah.

Aquilo não está soando tão romântico quanto foi.

— Ah, deixe pra lá — desisto. — Você tinha que ter estado lá pra entender.

Ela ri.

— Bem, estou orgulhosa por você ter conseguido ficar em pé hoje.

— Eu sei! Quando você menos esperar, já vou estar engatinhando e comendo alimentos sólidos.

— Só não faça isso quando eu não estiver por perto! Você sabe que eu gosto de filmar esse tipo de coisa.

Dou uma risada.

— Agradeça por não ter que trocar as minhas fraldas — digo. Estou brincando, mas a verdade é que não estou muito longe disso. Ainda não posso ir ao banheiro sozinha. — E você, como está? — pergunto, convidando-a a se sentar. — Como vai o Mark?

— Está bem — responde ela. — Está, sim.

Algo me parece estranho.

— No que você está pensando? — pergunto.

— Em nada, não. Ele só parece... Sei lá. Acho que o acidente, essa loucura toda, talvez tenha mexido com a cabeça dele. Ele tem andado muito carinhoso, muito atencioso. Leva flores pra mim de vez em quando. Comprou até um colar outro dia. — Ela toca no cordão que está usando. É um colar de ouro com um pingente de diamante.

— Esse aí? — pergunto, inclinando o corpo para a frente. Toco no diamante. — Humm, é um diamante de verdade!

— Eu sei. Quando ele me deu, fiz uma piadinha, tipo: "Tá bom, o que você fez de errado?"

Acho graça do comentário.

— Nas séries de TV, os homens sempre compram flores e joias quando convidam o chefe pro jantar de Ação de Graças ou algo do tipo sem falar antes com a mulher.

— É — diz ela, rindo. — Talvez ele esteja me traindo. Vou ter que ir pra casa e olhar o colarinho de todas as camisas dele à procura de manchas de batom, não é?

— Sim — concordo. — Se os seriados estiverem certos, você vai encontrar manchas de batom vermelho vibrante nas camisas dele, se ele estiver te traindo.

Gabby dá uma risada.

Por um instante, sei que nós duas estamos pensando a mesma coisa: que um dia eu fui a mulher cujos vestígios outras mulheres procuram. Que perdi o bebê de um homem casado. Algumas vezes eu me pergunto se esse acidente não foi um recomeço. Uma autorização para que eu possa começar de novo, uma oportunidade de fazer melhor.

Então eu me pergunto: e se isso for um recomeço, o que eu devo fazer?

— E o que você está fazendo aqui? — pergunto a Gabby. — Não fique aqui perdendo tempo com sua patética melhor amiga. Vá ficar com o seu marido romântico e atencioso. Quer dizer, talvez ele esteja comprando caxemira e bombons pra você nesse momento.

— Não. Nesse momento, prefiro estar aqui. Prefiro ficar com você. Além do mais, Mark falou que ia trabalhar além do horário hoje. Disse que só vai estar livre bem mais tarde. Parece que houve algum problema com as faturas já expedidas.

— Ele não tem um contador ou alguém pra resolver isso?

Gabby pensa a respeito.

— Bem, ele até tem — responde ela. — Mas diz que, ultimamente, está precisando de mais tempo pra verificar o trabalho dos funcionários. E então, o que vamos fazer hoje? Quer que eu pegue um livro pra lermos juntas? Vamos assistir a *Law & Order*?

Balanço a cabeça.

— Não. Vamos sair numa aventura.

— Aonde vamos?

— Aonde quisermos — digo, apontando para a cadeira de rodas no canto.

Ela a traz para perto de mim e eu me aproximo da beirada da cama.

— Pode baixar a grade? É aquele botão ali. É só apertar.

Ela segue minhas instruções.

— Agora é só colocar a cadeira de rodas de lado, um pouco pra... isso. Coloco as pernas para fora da cama.

— Desculpe, tem uma última coisa. Será que você poderia segurar a minha cintura? Eu consigo fazer isso, só preciso de uma ajudinha.

Ela me segura por baixo dos braços.

— Pronta? — pergunta.

— Sim! — afirmo, e, assim que Gabby me levanta, dou impulso para cima.

Não é um movimento gracioso. Na verdade, é bastante doloroso, barulhento e eu acabo com a bunda quase toda para fora da camisola hospitalar, mas estou sentada na cadeira de rodas. Agora posso me locomover.

— Você pode... — começo, indicando a metade da camisola.

— Ah, claro — diz Gabby, que então ajeita minha camisola enquanto tento me levantar só um pouco para me acomodar.

— Obrigada. Agora, será que você pode pegar a minha bolsa de morfina e colocar aqui na cadeira?

Ela faz o que lhe peço.

— Pronta? — pergunto a Gabby.

— Pronta — diz ela.

— Ah! — exclamo, antes de começar a dar impulso. — Você tem alguma nota de um dólar?

— Tenho. Acho que uma ou duas. Por quê? Estamos indo a algum clube de striptease?

Começo a rir, e ela pega a carteira.

E lá vamos nós.

Vejo Deanna no corredor, e ela me pede que não vá muito longe. Conduzo Gabby pelo corredor e viramos à direita, da mesma forma que Henry me conduziu outro dia.

— Qual é seu filme preferido? — pergunto a ela. Se eu tivesse de adivinhar, diria que é *Harry e Sally - feitos um para o outro*...

— *Harry e Sally - feitos um para o outro*... — responde ela. — Por que a pergunta?

— Eu não sei qual é o meu filme preferido.

— E que importância isso tem? Muita gente não tem um filme preferido.

— Mas eu não consigo escolher um nem pra manter uma simples conversa. Não consigo escolher um filme simplesmente pra dizer que é o meu favorito.

— Espero que não seja novidade pra você o fato de ser indecisa.

Acho graça do comentário.

— O Henry diz que você não precisa ter *a* resposta. Só precisa ter *uma* resposta.

— Henry, Henry, Henry — debocha Gabby, rindo de mim. Chegamos a um ponto no corredor em que temos de escolher entre ir para a direita ou para a esquerda. Sigo para a esquerda. Tenho quase certeza de que as máquinas que vendem belisquetes estão nessa direção.

— Rá-rá-rá, engraçadinha. Mas eu estou fazendo uma pergunta séria — digo, dando impulso pelo corredor. Ainda tenho força para ir em frente.

— O que está querendo saber de verdade?

— Você acha que não precisamos mesmo ter uma resposta perfeita e, sim... *uma* resposta?

— Pra pergunta sobre o seu filme preferido, sim. Mas pra algumas coisas só existe uma resposta. Então eu não acho que isso seja uma verdade universal.

— Tipo o quê?

— Tipo com quem você deve se casar, por exemplo. Esse é o melhor exemplo em que consigo pensar.

— Você acha que só existe uma pessoa ideal pra cada um?

— Você não? — Ela me pergunta aquilo como se nunca tivesse lhe passado pela cabeça que eu talvez não pensasse dessa forma. Ela reage como se eu tivesse perguntado: "Acha que estamos respirando oxigênio?"

— Não sei — respondo. — Eu sei que pensei assim em algum momento da vida. Mas agora... já não tenho mais certeza.

— Humm, acho que nunca pensei numa alternativa. Acho que só pressupus que Deus, o destino, a vida, ou seja lá o que for, levasse a gente até a pessoa a quem estamos destinadas.

— É assim que você se sente com relação ao Mark?

— Acho que o Mark é a pessoa pra qual a vida me levou, sim. Ele é o único pra mim. Se eu por acaso achasse que existe alguém mais adequado pra mim, por que teria me casado com ele, entende? Eu me casei com o Mark porque acho que ele é o homem certo.

— Então ele é a sua alma gêmea?

Ela pensa na pergunta.

— É? Quero dizer... é. Eu acho que poderia dizer que isso é ser uma alma gêmea.

— E se vocês dois um dia se divorciarem?

— Por que você está perguntando uma coisa dessas?

— Só estou levantando uma hipótese. Se só existe uma pessoa pra cada um, o que acontece quando as almas gêmeas não conseguem fazer o relacionamento dar certo?

— Se não conseguem fazer o relacionamento dar certo, não são almas gêmeas — conclui ela.

Escuto os argumentos dela. Entendo. Faz sentido. Se uma pessoa acredita em destino, se acredita que algo a está empurrando em direção ao seu destino, isso incluiria a pessoa com a qual ela deve passar o resto da vida. Eu entendo.

— Mas não cidades — declaro.

— Hein?

— A gente não precisa encontrar a cidade perfeita pra morar. É só morar numa cidade na qual você se sinta bem.

— Sim — concorda ela.

— Então eu posso simplesmente escolher um lugar e é isso? Não tenho que testar todos até alguma coisa se encaixar.

Ela ri.

— Não.

— Talvez eu venha pulando de um lugar pro outro porque acho que tenho que encontrar a vida perfeita pra mim, que ela está aí, em algum lugar, e que eu tenho que achá-la. E que tem que ser tudo *perfeito*, sabe?

— É, eu sei que você sempre procurou alguma coisa — diz Gabby. — Sempre achei que você saberia o que era quando encontrasse.

— Sei lá, estou começando a achar que a gente simplesmente escolhe um lugar e se instala nele. Que escolhe uma carreira e faz aquilo. Escolhe uma pessoa e se dedica a ela.

— Eu acho que, desde que você se sinta feliz e que esteja fazendo algo de bom da vida, não importa muito se correu atrás de algo perfeito ou se escolheu aquilo que sabia que ia funcionar pra você.

— Isso não te assusta? Pensar que você talvez tenha ido na direção errada? Que talvez tenha perdido a vida pra qual foi destinada?

Gabby pensa a respeito, levando minha pergunta a sério.

— Na verdade, não — responde.

— Por que não?

— Não sei. Talvez porque a vida seja curta? E a gente precisa simplesmente seguir em frente.

— Então será que devo me mudar pra Londres?

Ela sorri.

— Ah, agora sei aonde está querendo chegar. Se você quiser ir pra Londres, vá. Mas isso é tudo que vai conseguir arrancar de mim. Eu não quero que você vá, quero que fique aqui. Chove demais naquela cidade, se é que isso importa.

Eu rio dela.

— Muito bem, então. De qualquer forma, temos um problema bem maior do que Londres.

— É mesmo?

— Estamos perdidas — aviso.

Gabby olha para a esquerda, depois para a direita. Ela vê o mesmo que eu. Todos os corredores são iguais. Estamos em terra de ninguém.

— Não estamos perto das máquinas que vendem belisquetes? — pergunta ela.

— Sei lá — respondo. — Não tenho a menor ideia de onde estamos.

— Ok — diz ela, assumindo o comando da minha cadeira. — Vamos tentar sair desse labirinto.

Gabby insistiu em ir trabalhar hoje. Tentei convencê-la a ficar em casa, a não colocar ainda mais pressão sobre si mesma, mas ela argumentou que a única forma de se sentir remotamente normal seria indo trabalhar.

Ethan ligou duas vezes ontem, mas eu não retornei. Mandei uma mensagem de texto dizendo que não estava podendo falar. Fui dormir ontem sabendo que teria de encará-lo hoje. Quer dizer, se eu continuar a evitá-lo, ele vai saber que tem alguma coisa acontecendo.

Por isso acordei esta manhã determinada a resolver essa situação. Liguei para Ethan e perguntei se ele estava livre esta noite. Ele disse que eu podia passar na casa dele por volta das sete.

Isso quer dizer que eu tenho o resto do dia para ligar para Michael. Quero ter respostas para as perguntas de Ethan quando ele as fizer. Quero deixar tudo arrumadinho. E, neste caso, a bagunça é grande.

Tomo uma chuveirada. Levo Charlemagne para dar uma volta. Olho fixamente para o computador, fico lendo artigos na internet pelo que parecem horas. Quando são seis da tarde em Nova York, quando eu sei que Michael está saindo do trabalho, pego o telefone. Eu me sento na cama e ligo.

E o telefone toca.

E toca.

E toca.

E cai na caixa postal.

De alguma forma, fico aliviada. Porque não quero ter essa conversa com ele de jeito nenhum.

— Oi, Michael. É a Hannah. Me liga quando tiver tempo. Preciso conversar com você sobre um assunto, tá? Tchau.

Eu me atiro de costas na cama. Meu coração está acelerado. Começo a pensar no que vou fazer se ele nunca me ligar de volta. Começo a imaginar que talvez ele tome essa decisão *por* mim. Que talvez eu ligue para ele algumas vezes, deixe recados e ele nunca retorne. E eu vou saber que tentei fazer a coisa certa, mas que não consegui. Ok, eu consigo lidar com isso.

O telefone toca.

— Hannah — diz ele, no instante em que falo alô. Sua voz é severa, quase raivosa. — Nós terminamos. Você mesma disse isso. Não pode ficar me ligando. Finalmente coloquei as coisas de volta nos eixos com a minha família. Não vou estragar tudo outra vez.

— Michael — começo. — Só um instante, está bem? — Agora sou eu que estou com raiva.

— Ok — concorda ele.

— Eu estou grávida — digo, por fim.

O silêncio dele é tão profundo que tenho a impressão de que a ligação caiu.

— Ligo de volta daqui a três minutos — diz ele, então desliga.

Caminho de um lado para o outro no quarto sentindo meu estômago revirar.

O telefone toca mais uma vez.

— Oi — digo.

— Tá, então, o que a gente faz? — pergunta ele. Percebo que está num ambiente fechado. Sua voz ecoa. Parece estar num banheiro.

— Eu não sei.

— Eu não posso deixar a minha mulher e as crianças — diz ele, taxativo.

— Eu não estou te pedindo isso — retruco. Eu odeio esta conversa. Tenho me esforçado tanto para deixar isso tudo para trás e, agora, me vejo outra vez envolvida nisso.

— O que você está querendo dizer, então?

— Não estou querendo dizer nada, só achei que você deveria saber. Me pareceu errado não te contar.

— Eu não posso fazer isso — diz ele. — Cometi um erro tendo um caso com você. E agora consigo ver isso. A culpa foi minha. Eu não deveria ter feito uma coisa dessas. Foi um erro. A Jill sabe o que eu fiz. Finalmente estamos bem. Eu amo os meus filhos, não posso permitir que nada estrague isso.

— Não estou te pedindo nada. De verdade. Só achei que você devia saber.

— Ok — diz ele e fica em silêncio por um instante. Então, timidamente, me pergunta o que provavelmente quis perguntar desde que mencionei o assunto. — Você já pensou em... não ter o bebê?

— Se você vai me pedir pra fazer um aborto, Michael, ao menos use a palavra. — Mas que covarde.

— Você já pensou em fazer um aborto? — pergunta ele.

— Não — respondo. — Não estou pensando em fazer um aborto.

— E adoção?

— Que importância isso tem pra você? Eu vou ter o bebê. Não estou pedindo o seu dinheiro ou a sua atenção, nem o seu apoio, tá?

— Tudo bem. Mas não sei como eu me sinto sobre ter um filho com você.

Esse é o tipo de coisa sobre a qual as pessoas deviam pensar antes de transar. Mas olhe só quem fala!

— Bem, então se envolva e lide com a situação... ou não — digo. — Isso é problema seu.

— Suponho que não seja muito diferente de doar esperma — diz ele. Não está falando comigo, está falando sozinho. Mas quer saber de uma coisa? Eu não quero que ele ajude a criar este bebê, e ele também não tem interesse nisso. Está claramente procurando uma forma de se absolver de qualquer culpa ou responsabilidade, e, se isso é o necessário para tornar a coisa fácil, eu o ajudarei.

— Pense dessa forma, então — eu o aconselho. — Você doou esperma.

— Isso. Foi só isso.

Sinto vontade de dizer a Michael que ele é um grande babaca, mas não digo. Permito que ele fale para si mesmo o que quer que precise falar. Eu sei que este bebê poderia arruinar a família dele e não quero isso. De verdade. Não quero separar uma família, independentemente de quem esteja certo ou errado. Não preciso dele. E não estou certa de que seria melhor para a criança tê-lo por perto. Ele não demonstrou ser um cara muito legal.

— Ok — digo.

— Ok — repete ele.

Estou prestes a desligar quando digo uma coisa pelo meu filho que ainda nem nasceu.

— Se algum dia você mudar de ideia, pode me telefonar. Se quiser conhecer o bebê... E eu espero que, se ele ou ela quiser te conhecer algum dia, você esteja aberto a isso.

— Não — diz ele.

A reação dele me surpreende.

— O quê?

— Não — repete ele. — Você está escolhendo ter esse bebê. Eu não quero. Se você vai ter esse filho, precisa lidar com o fato de que a criança não vai ter pai. Não vou viver a minha vida sabendo que qualquer dia desses uma criança pode bater na minha porta.

— Nossa. Que classe você tem. — É tudo o que digo.

— Eu tenho que cuidar do que já tenho — diz ele. — Fim de papo?

— Sim. Fim de papo.

Estamos perdidas na ala da maternidade e não parece que estamos nem perto de encontrar uma forma de sair daqui. Primeiro, ficamos presas no corredor onde tem as salas de partos. Agora, estamos do lado de fora do berçário.

A última coisa que quero, no momento, é ver bebês lindos e preciosos. Mas noto que Gabby já não está atrás de mim. Está parada, olhando fixamente para alguma coisa.

— Vamos começar a tentar em breve — diz. Ela não está olhando para mim, está olhando para os bebês.

— Vamos começar a tentar o quê?

Ela me olha como se eu fosse tão idiota que sente vergonha de mim.

— Não nós duas. Mark e eu. Nós vamos tentar ter um bebê.

— Você quer ter um filho?

— Quero — responde ela. — Eu ia te perguntar o que você achava quando chegou, mas não tive oportunidade antes do acidente aí... aí, quando você acordou...

— Claro — interrompo Gabby. Não quero que ela diga aquilo em voz alta. A alusão ao fato já é o bastante. — Mas você acha que está pronta? Nossa, isso é tão empolgante! — Por um instante, minha própria ambivalência sobre um bebê não rouba nada da minha alegria com o fato de ela querer ter um. — Um pequeno meio Gabby meio Mark — acrescento. — Que legal!

— Eu sei. É realmente uma ideia empolgante. E assustadora. Mas é empolgante.

— Então vocês vão... vão fazer um bocado de... será que existe algum eufemismo pra dizer que a pessoa está tentando engravidar?

— Não sei. Mas, sim, vamos fazer um bocado de...

— Que legal — repito. — Não consigo nem acreditar que temos idade o bastante pra *tentar* engravidar.

— Eu sei — concorda ela. — A gente passa a vida toda aprendendo a *não* engravidar. Então, um dia, de repente, tem que fazer tudo ao contrário.

— Ah, isso é fantástico. Você e o Mark dão tão certo juntos. Vão ser ótimos pais.

— Obrigada — diz ela, apertando meu ombro.

Uma enfermeira se aproxima de nós.

— Qual deles vieram visitar? — pergunta.

— Ah, não — responde Gabby. — Desculpe. Estamos perdidas. Poderia nos mostrar o caminho até a ala de cirurgia geral?

— É só seguir o corredor, dobrar a primeira à direita, depois a segunda à esquerda. Vocês vão ver uma máquina que vende doces. Aí é só seguir esse corredor até o fim, dobrar à esquerda... — As instruções parecem demorar uma vida. Fica claro que eu nos levei para muito mais longe do que queria.

— Ok — diz Gabby. — Muito obrigada. — Ela se vira para mim. — Vamos.

Passamos pelo que parece ser a unidade neonatal, talvez de tratamento intensivo. Então atravessamos portas duplas e nos vemos na pediatria.

— Não acho que esse seja o caminho certo — observo.

— Ela disse que era pra dobrar à esquerda aqui, em algum lugar...

Olho para as enfermeiras, então espio os quartos pelas janelas enquanto seguimos. São, em sua maioria, crianças de colo e crianças que devem estar no ensino fundamental. Vejo poucos adolescentes. Quase todos estão em camas, ligados a aparelhos, assim como eu tenho estado. Muitos usam meias ou toucas, que estão cobrindo cabeças raspadas.

— Tá — diz Gabby. — Você tem razão. Estamos perdidas.

Paro no corredor.

— Vou pedir um mapa a uma enfermeira — diz Gabby.

— Ok.

Da posição estratégica onde me encontro, consigo olhar para dentro de um quarto com duas crianças. Elas estão conversando. São duas meninas pré-adolescentes que estão deitadas em camas separadas. Há um médico de pé, ao lado, conversando com os pais, que parecem confusos e angustiados. O médico sai do quarto. Então noto que há uma enfermeira com eles. Ela também faz menção de sair, mas o casal a intercepta à porta. Agora os três estão perto o bastante de mim para que eu consiga escutar o que estão dizendo.

— O que foi aquilo tudo? — pergunta a mãe.

A enfermeira responde com cuidado.

— Como o Dr. Mackenzie disse, é um câncer de osso que afeta, em grande parte, os adolescentes. Às vezes, mais de uma pessoa na mesma família tem. É raro, mas é possível que mais de um irmão o desenvolva. É por isso que ele quer examinar a sua filha mais nova também. Só pra ter certeza.

A mãe começa a chorar. O pai afaga as costas dela.

— Ok, obrigado — diz ele.

Mas a enfermeira não sai do quarto. Ela fica onde está.

— Sophia é uma guerreira. Não estou dizendo nada que não saibam. E o Dr. Mackenzie é um oncologista pediátrico excepcional. E eu quero dizer excepcional. Se fosse com a minha filha, ela tem 8 anos e o nome dela é Madeleine, podem ter certeza de que eu estaria fazendo exatamente o que vocês estão fazendo. Eu a entregaria nas mãos do Dr. Mackenzie.

— Muito obrigada — diz a mãe. — De verdade.

A enfermeira assente com a cabeça.

— Se precisarem de alguma coisa, se tiverem qualquer dúvida, é só mandarem me chamar. Eu respondo a tudo que puder, e, se não puder — ela os encara, procurando tranquilizá-los —, peço ao Dr. Mackenzie que explique. De maneira simples, se ele conseguir — ela tenta brincar.

O pai sorri. A mãe, eu noto, parou de chorar.

Eles terminam a conversa no momento em que Gabby retorna com o mapa. E tanto ela quanto a enfermeira percebem que eu estava escutando tudo. Desvio o olhar rapidamente, mas não importa. Fui flagrada.

Gabby empurra minha cadeira pelo corredor.

— Pode deixar — digo. Coloco as mãos nas rodas. Quando já estamos longe o bastante, pergunto a ela: — Aquela era a ala de câncer infantil?

— Era o "Departamento de Oncologia Pediátrica". Então a resposta é sim.

Não digo nada por um instante, nem ela.

— Na verdade, não estamos tão longe assim do seu quarto — diz ela. — Eu só errei uma virada pra esquerda.

— Ser enfermeira... parece ser um trabalho difícil, mas gratificante — comento.

— Meu pai sempre diz que quem *cuida* dos pacientes são as enfermeiras — confessa Gabby. — Sempre achei que fosse algum tipo de piadinha de duplo sentido, mas ele tem razão.

Eu acho graça.

— É verdade, ele podia simplesmente dizer: "Talvez uma enfermeira não cure o paciente, mas certamente faz com que ele se sinta melhor."

Gabby ri comigo.

— Você pode dizer isso a ele? Talvez ele comece a usar a sua citação de agora em diante.

Não sei o que se deve vestir para contar ao novo namorado, que já foi seu ex-namorado e quem você está praticamente convencida de que é o amor da sua vida, que você vai ter um filho de outro homem.

Escolho jeans e um suéter cinza.

Escovo os cabelos tantas vezes que eles ficam brilhando, então eu os prendo no coque alto mais caprichado que consigo fazer.

Antes de sair, eu me ofereço, mais uma vez, para ficar em casa com Charlemagne e Gabby.

— Nada disso — protesta Gabby. — De jeito nenhum.

— Mas eu não quero te deixar sozinha.

— Eu vou ficar bem — garante ela. — Quer dizer, você entendeu. Eu não vou ficar bem. Isso é mentira. Mas vou ficar bem no sentido de que não vou colocar fogo na casa ou fazer qualquer coisa do tipo. Vou estar tão triste quanto estou agora quando você voltar, se isso te consola.

— Não, não consola — digo e tiro a mão da maçaneta. Eu realmente não quero deixá-la sozinha. — Você não deveria ficar sozinha.

— E quem está sozinha? Eu tenho a Charlemagne. Nós duas vamos ver TV até nossos olhinhos murcharem e depois vamos dormir. Talvez a gente tome um Zolpidem. Quer dizer, talvez eu tome um Zolpidem. — Ela se corrige e continua olhando para mim. — Só pra deixar claro: eu não vou drogar a cachorra.

— Eu vou ficar — aviso.

— Você vai sair. Não me use como desculpa pra não enfrentar seus problemas. Você e eu temos um monte de coisas pra resolver, e é melhor pra todo mundo se a gente souber, o mais rápido possível, em que pé está a sua situação com o Ethan.

Ela tem razão. É claro que tem razão.

— A nova Hannah enfrenta a vida de frente, lembra? — cutuca ela.

— A nova Hannah não foge dos problemas.

— Argh — digo, abrindo a porta para sair. — Odeio a nova Hannah.

Gabby dá um sorriso quando saio. É o primeiro sorriso que a vejo dar em dois dias.

— Estou orgulhosa da nova Hannah — diz.

Eu lhe agradeço e saio.

São dez para as sete quando paro o carro na frente do prédio de Ethan. Tive de dar três voltas no quarteirão para achar uma vaga, mas então vi um carro sair de uma bem na frente do prédio dele. Fiquei igualmente frustrada e animada com meu achado. Subitamente, eu me pergunto como vai ser dirigir em Los Angeles com uma criança. Será que vou levar meia hora para entrar no carro e sair dele porque nunca vou descobrir realmente como prender a cadeirinha? Será que vou ter de dar voltas e mais voltas no quarteirão com o relaxante acompanhamento musical do choro de um bebê? Oh, Deus. Eu não consigo fazer isso.

Eu tenho de fazer isso.

O que se faz quando se tem de fazer uma coisa que você não consegue fazer?

Salto do carro e fecho a porta. Inspiro fundo e expiro lentamente.

A vida é só inspirar e expirar. Tudo o que eu tenho de fazer neste mundo é inspirar e, logo depois, expirar, em sucessão, até morrer. Isso eu consigo fazer. Inspirar e expirar.

Bato à porta de Ethan, e ele vem atender usando um avental com os dizeres "Tem Um Cara Gato Pilotando o Fogão" com o desenho de um boneco palito segurando uma espátula.

Eu consigo fazer isso.

— Oi, moça — diz ele e me abraça com força. Assim que sinto a pressão, me pergunto se pode ser incômodo para o bebê. Eu não sei porcaria nenhuma sobre gravidez! Não sei nada sobre ser mãe. O que estou fazendo? Isso vai ser um desastre. Sou o Furacão Hannah, e tudo o que toco vira merda.

— Senti sua falta — diz ele. — Isso não é ridículo? Não consigo mais passar um dia longe de você depois desses anos todos sem te ver.

Dou um sorriso.

— Eu sei o que quer dizer.

Ele me leva até a cozinha.

— Sei que falei que iríamos sair pra jantar, mas decidi preparar uma refeição decente pra você.

— Nossa — digo, tentando demonstrar entusiasmo, embora eu não saiba se estou tendo sucesso.

— Procurei umas receitas no Google, quando estava no trabalho, e cheguei do mercado alguns minutos antes de você. Estou fazendo *sopa seca* de frango. — Ele pronuncia o nome do prato com um sotaque espanhol afetado. Ele é bobinho, doce e sincero, e decido, naquele mesmo instante, que não vou lhe contar nada esta noite.

Eu o amo. E acho que sempre o amei. E vou perdê-lo. E, só por esta noite, quero saber como é ser dele, ser amada por ele, quero acreditar que isso é o início de alguma coisa.

Porque estou quase certa de que isso é o fim.

E, de uma hora para outra, volto a me transformar na versão que eu era há apenas dois dias. Eu sou Hannah Martin, a mulher que não tem a menor ideia de que está grávida e de que está prestes a perder a única coisa que talvez tenha desejado em toda a sua vida adulta.

— Muito chique! — elogio. — Parece ser bem trabalhoso.

— Na verdade, só faltam mais alguns passos e, depois, vai tudo pro forno. Eu acho. É, eu acho que vai ao forno.

Caio na gargalhada.

— Você nunca fez isso antes?

— *Sopa seca*? Quando na minha vida eu teria motivo pra fazer *sopa seca*? Eu nem sabia do que se tratava até algumas horas atrás. Faço queijo quente, batata assada. Quando quero fazer algo sofisticado, preparo uma panela de *chili*. Não sou de sair por aí seduzindo mulheres com *sopa seca*.

Ele corta os legumes e os coloca numa panela. Eu fico um pouco para trás e me sento num banco próximo à cozinha.

— O que é *sopa seca*? — pergunto.

— Ainda não tenho muita certeza — confessa ele, rindo. — Mas envolve massa, então...

— Você nem nunca comeu isso?

— Mais uma vez, Hannah, eu te pergunto: quando você acha que eu tive oportunidade de comer *sopa seca*?

Acho graça.

— Ora, por que está fazendo isso então? — indago, quando ele despeja caldo de galinha na panela. Parece à vontade na cozinha.

— Porque você é o tipo de pessoa que merece ser coberta de atenções. Só por isso. E eu sou o cara perfeito pra fazer isso.

— Você podia simplesmente ter feito um pãozinho de canela — comento.

Ele ri da minha sugestão.

— Pensei nisso, mas descartei a ideia. Óbvio demais. Todo mundo compra pãezinhos de canela pra você. Eu queria fazer algo diferente.

— Bem, já que não vai fazer pãezinhos de canela, o que tem de sobremesa?

— Ah! Ainda bem que perguntou. — Ele saca um cacho de bananas.

— Bananas?

— Bananas Foster. Vou botar essas gracinhas no fogo.

— Isso me parece uma péssima ideia.

Ele dá uma risada.

— Brincadeira. Comprei fruta e Nutella.

— Ah, graças a Deus.

— Como está a Charlemagne? — pergunta ele.

Charlemagne, o bebê, Gabby e Mark: quero deixar tudo isso do lado de fora. Não quero trazer nada disso aqui para dentro.

— Não vamos falar sobre a Charlemagne — começo. — Vamos falar sobre...

— Vamos falar sobre o quanto você é sensacional — interrompe Ethan.

— Começando num emprego novo, com um carro novo, um cachorro novo e um namorado gato que prepara pratos sofisticados pra você.

213

É agora que eu devo dizer alguma coisa. Essa é a minha deixa.

Mas os olhos dele são tão gentis e seu rosto é tão familiar. E tantas outras coisas na minha vida são assustadoras e novas.

Ele me beija, e eu imediatamente afundo para dentro dele, para dentro do seu hálito, para dentro de seus braços.

Isso tudo vai acabar. Isso tudo está chegando ao fim.

Ele me ergue do banco e eu passo os braços em torno de seu pescoço.

Ele me carrega até o quarto, tira minha blusa, começa a abrir o meu sutiã.

— Espere — peço.

— Ah, não, está tudo bem — diz ele. — A *sopa seca* tem que ferver em fogo brando por um tempo. Não vai queimar.

— Não — insisto. Eu me sento na cama. Olho-o nos olhos. Visto a blusa outra vez. — Eu estou grávida.

Mais para o fim do dia, a Dra. Winters vem ver como estou. Gabby foi para casa.

— Então — começa ela —, eu já soube que você tem badalado bastante pelo hospital na sua cadeira de rodas. — Ela sorri. É uma bronca, mas uma bronca educada.

— Acho que não era pra eu estar fazendo isso, era?

— Na verdade, não — responde ela. — Mas eu tenho problemas muito mais importantes pra resolver agora.

Sorrio, agradecida.

— Você vem se recuperando bem. Estamos a um passo de deixar pra trás o pior em termos de riscos e de complicações.

— É mesmo?

— Sim — responde ela, olhando para o meu prontuário. — Vamos conversar sobre os seus próximos passos.

— Ok. Pode falar.

— Um dos seus fisioterapeutas vem aqui amanhã, por volta das onze.

— Tudo bem.

— Ele vai avaliar sua mobilidade pra sabermos o que pode esperar num espaço de tempo razoável.

— Ótimo.

— E vamos elaborar um programa com um cronograma preliminar pra você voltar a andar sozinha.

— Isso me parece ótimo — comento.

— Você tem um longo caminho pela frente, e que pode ser bastante frustrante.

— Eu sei — digo. Estou nessa cama há uma semana e só saio daqui de vez em quando... e ainda não consigo fazer isso sozinha.

— Bom, as coisas podem ser um pouco mais frustrantes — continua ela. — Você vai ter que aprender a fazer uma coisa que já sabe. Vai sentir raiva. Vai querer desistir.

— Não se preocupe. Eu não vou desistir.

— Ah, eu sei disso. Eu só quero que você saiba que tudo bem se você sentir *vontade* de desistir. Que está tudo bem se você chegar ao seu limite num caso como esse. Você precisa ser paciente consigo mesma.

— Está dizendo que vou ter que reaprender a andar? Eu já sei disso. Estou preparada pra isso!

— Estou dizendo que você vai ter que reaprender a viver — explica ela. — Aprender a fazer coisas com as mãos, por um tempo, e não com as pernas. Aprender a pedir ajuda. Aprender a saber quando chegou ao seu limite e quando ainda pode insistir. E tudo o que estou dizendo é que temos vários recursos à sua disposição. Podemos ajudá-la a superar tudo isso. Você vai superar tudo isso.

Antes de ela entrar aqui, eu tinha a sensação de que tinha tudo sob controle — até certo ponto. Agora, depois do que ela disse, começo a achar que minha vida está um caos.

— Ok — digo. — Vou deixar isso marinando.

— Combinado. Amanhã de manhã venho ver como você está.

— Ótimo — digo, mas não estou sendo completamente sincera.

São quatro da tarde, mas eu sei que, se dormir agora, vou acordar a tempo de ver Henry. Então é o que faço. Vou dormir. Só tenho mais algumas noites neste hospital. Odiaria desperdiçar uma delas dormindo.

Estou acordada às onze, quando ele entra no meu quarto. Estou esperando uma de suas piadinhas sobre eu parecer um ser noturno ou algo assim, mas ele não faz nenhuma brincadeira. Apenas diz:

— Olá.

— Oi — respondo.

Ele olha para o meu prontuário.

— Parece que você vai embora logo — diz.

— É. Parece que sou saudável demais pra esse lugar.

— Uma bênção, na minha opinião. — Ele me dá um sorriso indiferente e depois afere minha pressão.

— Quer me ajudar a tentar ficar em pé? — pergunto. — Quero que você veja como estou indo bem. Eu me levantei praticamente sozinha hoje de manhã.

— Tenho que dar uma olhada em um monte de pacientes. Acho que não vai dar — diz ele, sem nem olhar para mim.

— Henry? O que está acontecendo com você?

Ele finalmente olha para mim.

— Henry?

— Vou ser transferido pro turno do dia em outro andar. Uma mulher muito simpática, a Marlene, vai cuidar de você nas noites em que ainda estiver aqui. — Ele tira o medidor de pressão do meu braço e se afasta de mim.

— Ahhh — digo. — Tá. — De alguma maneira, eu me sinto rejeitada. Desamparada. — Você pode passar aqui só pra dizer um oi?

— Hannah — começa ele. Agora sua voz soa mais sombria, mais séria. — Eu não deveria ter sido tão... amigável com você. A culpa é minha. Não podemos continuar fazendo piadas e andando pelos corredores.

— Tudo bem. Eu entendo.

— Nosso relacionamento precisa continuar sendo profissional.

— Ok.

— Não é nada pessoal. — Então a frase fica ali, pairando no ar.

Eu achei que aquilo *foi* pessoal. E deve ser justamente esse o problema.

— É melhor eu ir andando — diz ele.

— Como assim, Henry? — Eu me pego ficando emotiva; ouço minha própria voz falhar. Tento, desesperadamente, controlá-la. Eu sei que deixar que Henry saiba o quanto quero vê-lo outra vez só fará com que ele se afaste ainda mais de mim. Eu sei disso. Mas, às vezes, precisamos demonstrar o que sentimos. Às vezes, por mais que tentemos lutar contra nossos sentimentos, eles se revelam em nossos olhos apáticos, nos lábios virados para baixo, no tremor da nossa voz, no nó que se forma em nossa garganta. — Nós somos amigos — afirmo.

Ele para onde está. Depois caminha na minha direção, com uma expressão bondosa e compassiva no rosto. Eu não quero um cara bondoso e compassivo. Não quero isso, estou tão cansada disso.

— Hannah — diz ele.

— Não. Eu entendo. Desculpe.

Ele olha para mim e suspira.

— Provavelmente interpretei tudo errado — digo, por fim.

— Ok — diz ele. Então sai do quarto. Sai mesmo. Simplesmente vira as costas para mim e atravessa a porta.

Eu não durmo, embora esteja cansada. Não que eu não consiga dormir. Até acho que consigo. É que fico na esperança de que ele venha ver como estou.

Às duas da manhã, uma mulher de uniforme hospitalar azul-claro entra no meu quarto e se apresenta como Marlene.

— De agora em diante, vou cuidar de você durante a noite — diz ela. — Estou surpresa que esteja acordada!

— É — digo, de forma sombria. — É que dormi a tarde toda.

Ela apenas sorri gentilmente para mim e me deixa sozinha. Fecho os olhos e me obrigo a dormir.

Henry não vem. Não há motivo para que eu fique acordada esperando.

Quer saber de uma coisa? Não acho que eu tenha interpretado nada de maneira errada.

Eu *gosto* dele. Gosto de sua companhia. Gosto de estar perto dele. Gosto do cheiro dele e do fato de ele nunca fazer a barba rente demais à pele. Gosto de sua voz rouca e grave. Gosto de sua paixão pelo trabalho, de ver como é bom no que faz. Eu simplesmente gosto dele. Do jeito que a gente se encanta pelas pessoas quando gosta delas. De como ele me faz rir quando eu menos espero. Do fato de que minhas pernas não doem tanto quando ele está olhando diretamente para mim.

Ou... eu não sei. Talvez isso tudo seja coisa da enfermagem. Talvez ele faça todo mundo se sentir assim.

Desligo a luminária ao meu lado e fecho os olhos.

A Dra. Winters disse hoje mais cedo que talvez eu seja liberada para tentar caminhar amanhã.

Vou tentar me concentrar nisso.

Se consegui sobreviver a um atropelamento, posso sobreviver a uma paixonite pelo meu enfermeiro da noite.

Corações são iguais a pernas, eu acho. Eles se curam.

— N ão é seu — aviso a Ethan. Ele sabe disso, é claro, com base unicamente no timing. Mas preciso deixar esse detalhe bem claro.

— Mas podia ser, não? — pergunta ele. — Quer dizer, talvez na semana passada...

Balanço a cabeça.

— Estou na décima primeira semana. Não é seu.

— De quem é?

Eu inspiro e expiro. Isso é tudo o que tenho de fazer. Inspirar, expirar. O resto é opcional.

— O nome dele é Michael. Eu ficava com ele em Nova York. Achei que fosse mais sério do que realmente era. Enfim, nós nos descuidamos no final. Ele não quer outro filho.

— Outro filho?

— Ele é casado e tem dois filhos — conto.

Ele deixa escapar um ruidoso suspiro, como se não conseguisse acreditar no que acabou de ouvir.

— Você sabia que ele tinha uma família?

— É meio difícil explicar — começo. — Eu não sabia, no começo. Por um bom tempo, achei que eu era a única na vida dele. Mas, por outro lado, eu devia ter desconfiado e, digamos apenas que... cometi alguns erros.

— E agora ele não quer nem saber que você está grávida? — Ethan fica de pé, está furioso. Só agora ele começa a se dar conta do que está sentindo. É como se a ficha tivesse acabado de cair. É mais fácil Ethan sentir raiva de Michael do que de mim ou até da situação. Então, eu o deixo digerir a informação.

— Ele não quer o bebê — conto. — E isso é um direito dele. — Respeito a decisão de um homem de não querer ter um filho tanto como a de uma mulher.

— E você vai simplesmente deixar esse babaca te tratar assim?

— Ele não quer essa criança. Eu quero. E estou preparada pra fazer isso sozinha.

Essa palavra, *sozinha*, o traz de volta à realidade.

— O que isso significa pra nós dois? — pergunta ele.

— Bem — começo —, isso é você quem sabe.

Ethan olha para mim. Seus olhos encontram os meus e permanecem fixos neles. Então, ele desvia o olhar. Em seguida olha para as mãos, posicionadas firmemente sobre os joelhos.

— Você está me pedindo pra ser o pai dessa criança?

— Não. Mas também não vou te dizer que isso não muda nada. Eu estou grávida. E, se você vai ficar comigo, vai ter que passar por isso junto comigo. Meu corpo vai sofrer um monte de transformações. Vou ter alterações de humor, vou sentir medo, dor, vou ficar confusa. Quando o bebê nascer, terei uma criança na minha vida em todos os momentos. Se você quiser ficar comigo, vai estar com o meu filho.

Ele escuta, mas não diz nada.

— Eu sei que você não pediu nada disso — digo.

— É, não pedi mesmo — diz, curto e grosso, mas logo depois olha para mim com remorso.

— Mas eu queria que você soubesse disso pra poder tomar uma decisão sobre o seu futuro.

— Nosso futuro — corrige ele.

— Talvez — digo. — É.

— O que você quer? — pergunta ele.

Caramba. Como responder a essa pergunta?

— Eu quero que o meu bebê seja saudável e feliz e que tenha uma infância segura e estável. — Suponho que essa seja a única coisa da qual tenho certeza.

— E nós dois?

— Não quero perder você. Acho que a gente tem algo verdadeiro, que isso é o início de um relacionamento com um enorme potencial pra nós dois... Mas eu nunca vou te forçar a tomar uma decisão para a qual não esteja preparado.

— Isso é muito pra digerir.

— Eu sei — concordo. — Leve o tempo que precisar. — Eu me levanto, pronta para ir embora, pronta para lhe dar tempo para pensar.

Ele me interrompe.

— Você está mesmo preparada pra ser mãe solo?

— Não — confesso. — Mas a vida resolveu que vai ser assim. E eu vou abraçar isso.

— O que eu quero dizer é que talvez isso seja um erro — opina ele. — E se você tiver apenas cometido um erro numa noite com esse cara? Está pronta pra viver com as consequências disso pelo resto da vida? Eu tenho que viver com as consequências disso pelo resto da minha?

Eu me sento novamente.

— Preciso acreditar que existe uma explicação nessa loucura toda — digo a Ethan. — Que existe um plano maior. Que tudo acontece por algum motivo. Não é o que dizem? Eu conheci o Michael e me apaixonei por ele. Mas hoje consigo ver claramente que ele não era quem eu achava que fosse. E, em alguma noite, aconteceu sei lá o que pra que eu tivesse ficado grávida. E talvez isso tenha acontecido porque estou destinada a ter essa criança. Foi dessa forma que escolhi ver a situação.

— E se eu não conseguir? E se eu não estiver pronto pra assumir essa responsabilidade?

— Acho que, se nós enxergamos algum obstáculo que não conseguimos ultrapassar, então não é pra ficarmos juntos, certo? Significa que nós não somos as pessoas certas um para o outro. Quer dizer, acho que tenho que acreditar que a vida vai dar um jeito de seguir o seu rumo. Se tudo o que acontecesse no mundo fosse resultado apenas do acaso e não existisse o menor sentido em nada, seria caótico demais pra mim. Eu seria obrigada a questionar cada decisão que já tomei, cada decisão que vou tomar na vida. Se o nosso destino fosse determinado a cada passo que damos... seria exaustivo demais. Prefiro acreditar que as coisas acontecem da forma que têm que acontecer.

— Então você e eu finalmente acertamos o nosso timing, finalmente conseguimos ficar juntos e virar o que suspeitávamos que sempre fomos um para o outro... E, quando acontece isso tudo, você engravida de outro homem e diz *"que será será"*?

Sinto vontade de chorar. Sinto vontade de gritar, de berrar. Quero implorar a Ethan que fique do meu lado durante isso tudo. Quero lhe dizer o quanto estou com medo, o quanto sinto que preciso dele. Quero lhe dizer que a noite em que nos reencontramos, a noite que passamos juntos, foi a primeira vez que me senti realmente à vontade depois de muitos anos. Mas não falo nada. Porque isso só vai prolongar ainda mais o sofrimento, o que só vai piorar as coisas.

— É isso. *"Que será será."* É exatamente o que eu estou dizendo.

Eu me levanto e caminho em direção à sala de estar. Ele me segue. Sinto o cheiro da *sopa seca*. Queria, só por um instante, não ter lhe contado. Neste momento, estaríamos no quarto dele.

Mas, em seguida, penso assim: se é para eu desejar alguma coisa, talvez eu devesse desejar não estar grávida. Ou que esse bebê fosse dele. Ou que eu nunca tivesse saído de Los Angeles. Ou que Ethan e eu nunca tivéssemos terminado.

Mas eu me pergunto quanto o meu mundo seria diferente se qualquer uma dessas coisas tivesse realmente acontecido. Não dá para mudar apenas uma coisa, dá? Quando a gente deseja que algumas coisas tivessem acontecido de forma diferente, não dá para querer que as coisas ruins simplesmente evaporem. Precisamos pensar também nas coisas boas que a gente talvez pudesse perder. Bom, acho que o melhor a fazer é permanecer no agora e se concentrar no que pode fazer melhor no futuro.

— Ethan, no instante em que eu te vi de novo, sabia que você e eu éramos... quer dizer, tenho quase certeza de que você e eu...

— Não — interrompe ele. — É só que... agora não, está bem?

— Está bem. Vou te deixar com a sua *sopa seca*. — Sorrio com ternura e abro a porta para ir embora. Ele me acompanha e fecha a porta.

Quando chego ao último degrau, ele me chama, e eu me viro.

Ele está no topo da escada, olhando para mim

— Eu te amo — diz ele. — Acho que nunca deixei de te amar.

Eu me pergunto se vou conseguir chegar ao carro sem chorar, antes de deixar de ser uma humana para me transformar numa simples poça — com peitões e um coque no alto da cabeça.

— Eu ia te dizer isso hoje à noite — confessa Ethan. — Antes disso tudo.

— E agora? — pergunto.

Ele sorri para mim com doses iguais de doçura e amargura.

— Eu ainda te amo — diz. — Sempre te amei. Talvez nunca deixe de te amar.

Seus olhos se voltam para o chão, então ele levanta a cabeça.

— Eu só achei que você devia saber agora... caso... — Ele não termina a frase. Não quer dizer as palavras e sabe que eu não quero ouvi-las.

— Eu também te amo — digo, erguendo o rosto para encará-lo. — Então agora você sabe. Por via das dúvidas.

P or sorte, de todos os envolvidos, meu fisioterapeuta não faz o meu tipo.

— Ok, Srta. Martin — diz ele. — Vamos...

— Ted, me chame de Hannah.

— Certo, Hannah — diz Ted. — Hoje vamos tentar utilizar o andador.

— Parece fácil.

Digo isso porque é o que eu costumo falar para tudo, e não porque realmente pareça fácil. Neste estágio da minha vida, isso parece bastante difícil.

Ele apoia meus pés no chão. Nisso, já fiquei craque. Então, ele coloca o andador na minha frente e faz com que eu me apoie nele, repousando meus braços e peito em seus ombros. Ted está sustentando todo o peso do meu corpo.

— Devagar, tente colocar o peso do corpo sobre seu pé direito — diz ele. Eu me apoio nele, mas tento chegar só um pouquinho para trás. Meus joelhos se dobram. — Devagar — repete ele. — É uma maratona, não uma corrida a toda a velocidade.

— Não sei se você deveria estar usando termos de corrida com uma pessoa que não consegue nem andar — comento.

Mas ele não responde com ironia. Limita-se apenas a sorrir.

— Tem razão, Srta. Martin.

Quando as pessoas são boazinhas e sinceras e não revidam meus comentários com observações perspicazes, fazem com que minhas palavras inofensivas e sarcásticas pareçam grosseiras.

— Eu estava brincando — digo, imediatamente tentando voltar atrás. — Pode usar todas as analogias esportivas que quiser.

— Pode deixar.

A Dra. Winters entra para ver como estamos indo.

— Ela está indo bem — elogia ela.

Estou mais ou menos em pé, usando uma camisola hospitalar e meias três quartos brancas, com as mãos num andador e inclinada por cima de um homem. A última coisa que estou é "indo bem". Opto por dizer apenas coisas simpáticas porque acho que a Dra. Winters e Ted, o fisioterapeuta, não estão a fim de aturar meu sarcasmo. É por isso que preciso do Henry.

A Dra. Winters começa a fazer perguntas diretamente a Ted. Eles estão falando de mim e, no entanto, me ignoram. Igual a quando eu era pequena e as amigas de minha mãe iam à nossa casa e diziam coisas como: "Ah, como ela é linda" ou "Olhem só que gracinha!", e eu vivia querendo dizer: "Eu estou bem aqui!"

Ted se desloca ligeiramente, fazendo com que eu transfira um pouco mais do meu peso para meus próprios pés. Não sinto que tenho o equilíbrio necessário para fazer aquilo, mas aguento firme.

— Na verdade, Ted — digo —, será que você... — Indico o andador pedindo a ele que o coloque diretamente à minha frente, o que ele faz. Eu remexo o corpo, desvencilhando-me dele, e coloco os dois braços sobre o andador. Estou sustentando todo o meu peso, em pé. Não estou me apoiando em ninguém.

A Dra. Winters chega a aplaudir. Como se eu estivesse aprendendo a engatinhar.

Mas é praticamente impossível aturar a condescendência alheia por muito tempo sem dar um chilique.

— Avise quando quiser se sentar, Srta. Martin — diz Ted.

— Hannah! — explodo. — Eu já disse pra me chamar de Hannah! — Minha voz sai áspera e grosseira. Ted nem se abala.

— Ted, você se incomodaria em nos deixar a sós por um instante? — pede a Dra. Winters.

Ainda estou de pé, sem ninguém me ajudando, segurando no andador. Mas ninguém mais está na torcida.

Ted sai do meu quarto e fecha a porta.

A Dra. Winters se vira para mim.

— Consegue se sentar sozinha?

— Consigo — respondo, mesmo sem ter certeza de que isso seja verdade. Tento dobrar o corpo até a altura dos quadris, mas parece que não consigo controlá-los direito. Aterrisso na cama com um impacto maior do que calculei. — Eu deveria pedir desculpa ao Ted — digo

Ela sorri.

— Não foi nada que ele nunca tivesse ouvido antes — comenta ela.

— Mesmo assim...

— Isso é difícil.

— É — concordo. — Mas eu consigo. Eu só quero *fazer* isso logo. Não quero mais ficar sendo tratada cheia de cuidados ou ver as pessoas comemorando porque estou sentindo os dedos dos pés. Sei que é difícil, mas eu quero fazer isso. Quero começar a andar.

— Eu não quis dizer que andar é difícil — explica ela. — Eu quis dizer que é difícil não conseguir andar.

— Você quase me enganou — digo, achando graça. — Sua frase deu a impressão errada.

A Dra. Winters começa a rir também.

— Confie em mim. Essas coisas são frustrantes, mas não dá pra apressá-las.

— Eu só quero ir embora daqui — confesso.

— Eu sei, mas também não dá pra apressar isso...

— Ah, fala sério — começo, falando mais alto. — Estou deitada nessa cama há dias. Perdi meu bebê, não consigo andar. Só saio daqui quando alguém me empurra por esses corredores horrorosos. Fazer algo banal como andar por esse quarto é inimaginável pra mim. Essa é a minha realidade agora. O comum é inimaginável. E eu não tenho o menor controle sobre nada! Minha vida inteira deu um nó, e não posso fazer nada a respeito. — Sem falar no Henry. Agora nem o Henry eu tenho mais.

A Dra. Winters não diz nada, apenas olha para mim.

— Desculpe — digo, tentando me controlar.

227

Ela me passa um travesseiro. Eu o seguro e olho para ela. Não sei ao certo aonde isso vai chegar.

— Coloque o travesseiro no rosto — diz a Dra. Winters.

Estou achando que essa médica é louca.

— Apenas obedeça — diz ela. — Faça a minha vontade só agora.

— Tá — concordo, levando o travesseiro em direção ao rosto.

— Agora grite.

Afasto o travesseiro do rosto.

— O quê?

Ela pega o travesseiro e o leva ao meu rosto com toda delicadeza. Eu o tomo dela.

— Grite como se a sua vida dependesse disso.

Tento gritar.

— Ah, vamos, Hannah, você pode fazer melhor do que isso.

Tento gritar outra vez.

— Mais alto! — diz ela.

Então eu grito

— Vamos!

Grito mais e mais e mais alto.

— Isso! — diz ela.

Grito até não ter mais ar nos pulmões, até que minha garganta não tenha mais forças. Inspiro e dou outro grito.

— Você não consegue andar e perdeu um bebê.

Grito.

— Vai levar meses pra se recuperar totalmente — diz ela.

Grito.

— Não prenda nada aí dentro. Não ignore. Coloque tudo para fora.

Eu grito, grito e grito.

Sinto raiva por ainda não poder andar. Sinto raiva pelo fato de a Dra. Winters ter razão ao me aplaudir quando fico de pé com um andador, porque ficar de pé sozinha, até mesmo com um andador, é muito, muito difícil.

Sinto raiva da dor.

E daquela mulher, que simplesmente continuou dirigindo e me atropelou, como se eu não fosse nada. Ela seguiu seu caminho, como se nada tivesse acontecido, enquanto eu fiquei lá, caída na rua.

E sinto raiva do Henry. Porque ele fez tudo ficar melhor e agora foi embora. Porque fez com que eu me sentisse uma idiota. Porque achei que ele se importasse comigo. Achei que eu, talvez, significasse alguma coisa para ele.

E sinto raiva de não significar nada.

Sinto raiva de ter ficado grávida de Michael.

Sinto raiva de mim mesma por ter me apaixonado por ele.

Sinto raiva dos meus pais por ficarem entrando na minha vida e saindo dela.

Neste instante, neste momento, tenho a sensação de estar com raiva do mundo todo.

Então berro no travesseiro.

Quando paro de gritar, afasto o travesseiro do rosto, coloco-o outra vez em cima da cama e me viro para a Dra. Winters.

— Você está pronta? — pergunta ela.

— Pra quê?

— Pra ir em frente — responde ela. — Pra aceitar que, agora, você não consegue andar. E pra ser paciente com você mesma e com a gente enquanto aprende a andar de novo.

Eu não tenho certeza. Então pego o travesseiro e o levo outra vez ao rosto. Grito uma última vez. Mas não sinto a mesma vontade de antes. Não tenho mais nada para colocar para fora. Quer dizer, ainda estou com raiva. Mas, tipo, já não está fervendo até transbordar. Está cozinhando em fogo brando. E dá para controlar uma coisa que está cozinhando em fogo brando.

— Estou — respondo. — Estou pronta.

Ela para na minha frente e me ajuda a me levantar. Depois chama Ted novamente.

Então os dois ficam de pé ao meu lado, me ajudam, me instruem, me treinam na arte do equilíbrio sobre dois pés.

Quando entro em casa, Charlemagne corre na minha direção e ouço Gabby se levantar da cama.

Ela desce as escadas e olha para mim. Percebe pelo meu rosto que as coisas não correram bem. E eu noto, pelo rosto dela, que esteve chorando.

— Voltou cedo.

— Pois é — respondo.

— Contou pra ele?

— Contei.

Ela faz um sinal indicando o sofá; caminhamos até ele e nos sentamos.

— O que foi que ele disse?

— Nada? Tudo? Vai pensar no assunto... E o Mark? Ligou de novo?

— Mark ligou pelo menos dez vezes desde que foi embora. Gabby não atendeu nenhuma ligação.

— Ligou, mas não atendi outra vez. Não quero conversar com ele agora. Preciso ficar bem primeiro, tenho que me preparar pra essa conversa. Vou ouvir o que ele tem a dizer. Acho que não vou descartá-lo totalmente não.

— Entendi.

— Mas também estou sendo realista. Ele já estava tendo um caso há um bom tempo. Não consigo pensar numa explicação que ele possa me dar que me faça mudar de ideia sobre o divórcio.

— Você não fica com vontade de atender o telefone e gritar com ele? Ela ri.

— Com certeza. É claro que fico tentada. E provavelmente vou fazer isso em breve.

— Mas não agora.

— O que eu vou ganhar com isso? — pergunta ela, dando de ombros. — No fim da conversa, eu ainda vou ser eu, e ele ainda vai ser ele. Nada vai mudar o fato de ele ter me traído. Tenho que aceitar isso.

— Então pelo menos estamos enfrentando os nossos problemas de frente.

Ela olha para mim com tristeza.

— Pelo menos isso.

— Que dupla nós formamos, hein?

Gabby bufa.

— Nem me fale.

— Eu não conseguiria fazer nada disso sem você.

— Nem eu — diz ela.

— Eu meio que só tenho vontade de sentir pena de mim mesma e de chorar — confesso. — Talvez pelo futuro próximo.

Ela assente com a cabeça.

— Sinceramente, isso me parece ótimo.

Gabby e eu nos encolhemos no sofá. Charlemagne se junta a nós.

Choramos baixinho pelo resto da noite, nos alternando entre quem chora e quem consola a outra.

Acho que, com essa comiseração toda, pelo menos conseguimos liberar um pouco do nosso medo e da dor porque, no dia seguinte, quando acordamos, estamos nos sentindo mais fortes, melhor, mais aptas a enfrentar o mundo, independentemente do que ele atirar em nós.

Saímos para tomar o café da manhã e tentamos fazer piadas. Gabby me lembra de tomar as minhas vitaminas. Levamos Charlemagne para passear, então vamos comprar uma caminha para ela e uns brinquedinhos de morder. Começamos a treiná-la a fazer xixi no lugar certo. Toda vez que parece que ela vai fazer xixi, nós a pegamos no colo e a levamos até a porta, onde colocamos um tapete higiênico. Gabby e eu fazemos um high five — cujo nível de animação não equivale à situação — quando Charlemagne vai sozinha até o tapete higiênico.

Quando Mark liga à noite, Gabby atende e escuta pacientemente o que ele tem a dizer. Tento não escutar. Minha intenção é lhe dar espaço.

Horas depois, ela vem ao meu quarto.

— Ele pediu perdão um milhão de vezes. Disse que nunca teve a intenção de me magoar. Que se odeia pelo que fez.

— Ok — digo.

— Disse que ia me contar, que estava tentando criar coragem pra me contar.

— Ok... — A voz dela está trêmula, e isso está me deixando nervosa.

— Ele ama a mulher e quer o divórcio.

Eu me sento na cama.

— *Ele* quer o divórcio?

Ela faz que sim com a cabeça, tão perplexa quanto eu.

— Disse que posso ficar com a casa, que não vai brigar por ela num possível acordo. Falou que eu mereço tudo o que ele puder me dar e que me ama, mas que não tem certeza se algum dia foi apaixonado por mim. E que sente muito por não ter sido corajoso o suficiente pra abrir o jogo mais cedo.

Estou boquiaberta.

— Ele disse que, olhando pra trás, reconhece que não lidou com a situação da melhor forma, mas sabe que isso é o certo a fazer... por nós dois.

— Eu vou matar o Mark — digo.

Ela balança a cabeça.

— Não... Eu estou bem.

— O quê?

— Bem, na verdade, acho que estou em estado de choque — confessa ela. — Então me dê um desconto.

— Tá...

— Mas eu sempre tive a sensação de que havia alguém melhor pra mim em algum lugar.

— Sério?

— Sério. Quer dizer, nós estamos juntos desde a faculdade, aí continuamos nossos estudos e, numa época dessas, quem tem tempo pra se concentrar em namoro, não é mesmo? Então acabei ficando com ele porque... porque não vi motivo nenhum pra não ficar. Nós nos sentíamos à vontade um com o outro. Éramos felizes o bastante. Aí, sabe, cheguei à idade em que senti que devia me casar. E as coisas até que estavam indo bem entre nós. Estava sempre tudo bem.

— Mas só bem?

— É. Quer dizer, sei lá — continua ela. — É só que, de vez em quando, eu esperava poder ter alguma coisa a mais. Alguém que fizesse com que eu me sentisse o máximo. Mas eu meio que parei de acreditar que esse tipo de coisa existisse, eu acho. Aí, pensei: por que não me casar com um cara como o Mark? Ele é legal.

— Questionável.

Ela ri.

— Tem razão. Hoje em dia isso é questionável. Mas, na época, nem pensei duas vezes, sabe? Eu estava num relacionamento legal com um homem em quem eu podia confiar e que queria se casar comigo e comprar uma casa e fazer todas as coisas que a gente deve fazer. Não vi nenhum motivo pra não aceitar o que ele estava me oferecendo só porque tinha a sensação de que ele era nota sete. E eu estava perfeitamente feliz. Quer dizer, duvido muito que, se ele não tivesse me traído, eu iria conseguir verbalizar qualquer coisa sobre nosso relacionamento. Simplesmente não pensava nisso. Eu estava feliz o bastante. Estava mesmo.

Ela começa a chorar de novo.

— Você está bem? — pergunto.

— Não — responde Gabby, tentando se controlar. — Estou arrasada, mas...

— Mas o quê?

— Quando ele me contou, eu só ficava pensando que, se eu conhecesse alguém que fosse melhor pra mim, alguém por quem eu me apaixonasse, também ia querer deixá-lo. Essa é a verdade. Eu ia querer ir embora. Não acho que teria feito o que ele fez, mas iria querer.

Charlemagne entra no quarto e se encolhe numa bolinha.

— E agora? — pergunto.

— Agora? — repete Gabby. — Eu não sei. É muito difícil pensar a longo prazo. Meu coração está partido, estou arrasada e, ao mesmo tempo, meio aliviada, envergonhada e enjoada.

— Então talvez seja melhor a gente dar um passo de cada vez — sugiro.

— É.

— Eu realmente estou com desejo de comer um pãozinho de canela — digo.

Ela ri.

— Acho uma ótima ideia. Talvez com bastante cobertura.

— E que ser humano no mundo vai querer um pãozinho de canela com pouca cobertura? — pergunto.

— Tem razão.

— Talvez, nesse momento, a única coisa a fazer seja comprar pãezinhos de canela com cobertura caprichada.

— É. Eu e a grávida devorando meia dúzia de pãezinhos de canela.

— Isso.

Ela sai do meu quarto para calçar os sapatos. Visto uma jaqueta e calço chinelos de dedo. Dá para sair assim em Los Angeles.

Entramos no carro.

— O Ethan não ligou, né? — pergunta Gabby.

Faço que não com a cabeça.

— Ele vai ligar quando souber o que quer fazer.

— E até lá?

— Eu não vou ficar esperando homem nenhum me ligar — digo, caçoando dela. — Minha melhor amiga não ia apoiar isso.

Ela dá de ombros.

— Não sei — diz ela. — São circunstâncias extraordinárias.

— Ainda assim, se ele quiser ficar comigo, vai ficar comigo. Se não quiser, sigo com a minha vida. Tenho um bebê pra criar, um emprego novo. Estou passando por muitas coisas agora. Não sei se te contei, mas minha melhor amiga vai se divorciar.

Gabby acha graça.

— Nem me fale! A minha está grávida de um bebê que nem do namorado é!

— Caramba! — exclamo.

— Pois é! E outro dia ela chegou em casa com um cachorro. Decidiu adotar o bichinho sem mais nem menos.

— Nossa — digo. — Sua amiga parece ser meio doida.

— A sua também.

— Acha que elas vão ficar bem? — pergunto.

— Sei que é pra eu dizer que sim, mas, na verdade, acho que as duas estão ferradas.

Começamos a rir. É possível que isso seja muito mas muito mais engraçado para nós duas do que para qualquer outra pessoa. Mas o jeito como ela diz que estamos ferradas deixa claro o quão *não* ferradas estamos. E isso parece ser motivo suficiente para relaxar e achar graça.

Depois de 11 dias neste hospital, hoje eu tenho alta. Volto para cá daqui a 48 horas, mesmo que só para o atendimento ambulatorial. Vou me consultar com Ted, o fisioterapeuta sério, várias vezes por semana nos próximos meses.

A Dra. Winters vem me preparando para isso. Repassou cada detalhe comigo, e eu já conheço todos eles de trás para a frente.

Gabby está aqui me ajudando a arrumar as minhas coisas. Para mim, já é muito tentar chegar ao banheiro sozinha. Mas estou indo bem devagar. Quero escovar os dentes.

Uso o andador para chegar bem perto da pia.

Paro na frente do espelho e me vejo de verdade pela primeira vez em quase duas semanas. Tenho um hematoma claro do lado esquerdo do rosto, próximo à têmpora. Provavelmente estava horrível quando cheguei, mas agora não está tão ruim assim. Eu certamente estou pálida. Mas acho que isso é praticamente normal quando se fica confinada em um único local por dias. Meu cabelo está um horror. Não tomo um banho de verdade no que parece fazer uma eternidade.

Estou ansiosa para dormir numa cama de verdade, para tomar banho sozinha e quem sabe secar o cabelo com secador. Aparentemente, para que isso aconteça, preciso de algumas adaptações. Mark instalou um assento no chuveiro. Ah, poder me lavar sem a ajuda de outra pessoa! Que sonho!

Agora que estou saindo do hospital, começo a me dar conta do quanto isso é um atraso na minha vida. Semanas atrás, eu teria imaginado que, a essa altura, já teria comprado pelo menos um carro ou começado a procurar emprego. Em vez disso, não estou nem onde estava quando cheguei a Los Angeles e, sim, muito atrás.

Mas também sei que progredi bastante em relação à minha recuperação e também como pessoa. Enfrentei coisas que talvez, de outra forma, não tivesse enfrentado. E, enquanto me olho no espelho pela primeira vez desde que cheguei a este hospital, me sinto preparada para encarar a mais cruel das realidades: talvez tenha sido uma misericordiosa manobra do destino que eu esteja em pé aqui, livre de uma vida que estaria crescendo dentro de mim.

Não estou pronta para ser mãe.

Não estou nem perto disso.

Lentamente, escovo meus dentes. Estão limpos e lisos quando termino.

— Por que sempre tem flan no seu quarto? — pergunta Gabby, e eu me viro bem devagar para ela.

Ela está com um flan de chocolate na mão. Não sei quando isso apareceu aqui, mas sei que foi Henry quem o trouxe.

Ele deixou flan para mim em algum momento ontem. Henry trouxe flan de chocolate para mim. Será que isso não *significa* alguma coisa?

Gabby já esqueceu o flan. Já passou para outro assunto.

— A Dra. Winters deve aparecer por agora pra te dar alta — diz. — Eu já li toda a papelada e tenho pesquisado sobre fisioterapia pra reabilitação...

Ninguém deixa flan para uma pessoa com quem não se importa.

— Você pode me trazer a cadeira de rodas? — peço.

— Ah. Claro. Pensei que ia tentar usar o andador até a hora de ir embora.

— Vou procurar o Henry.

— O enfermeiro da noite?

— Ele está trabalhando durante o dia em outro andar. Vou procurá-lo. Vou convidá-lo pra sair.

— Isso é uma boa ideia? — pergunta ela.

— Ele trouxe flan pra mim — respondo. É a única resposta que tenho. Ela aguarda, esperando que eu tenha mais alguma coisa a dizer, mas não tenho. É só o que sei. *Ele trouxe flan pra mim.*

— Quer que eu vá com você? — pergunta ela, assim que se dá conta de que eu não vou mudar de ideia.

Faço que não com a cabeça.

— Quero fazer isso sozinha.

Eu me sento na cama. Isso leva um total de trinta segundos para acontecer. Mas, quando consigo me sentar, estou instantaneamente melhor. Gabby puxa a cadeira para perto de mim.

— Tem certeza de que não quer que eu vá com você? Pra te empurrar, talvez?

— Eu já vou precisar que você me ajude a entrar no boxe na hora de tomar banho. Minha dignidade já está no chão. A última coisa de que preciso é você me vendo dizer a uma pessoa que eu gosto dela e provavelmente levando um fora.

— Será que você não deveria esperar e pensar melhor?

— E falar com ele quando? O que eu vou fazer? Ligar? "Alô, hospital. Quero falar com o Henry, por favor. É a Hannah."

— Nossa, é muito "h" junto — comenta ela.

— A gente só consegue reunir tanta coragem assim algumas vezes na vida. E eu sou idiota o bastante pra estar sentindo essa coragem agora. Então me ajude a me sentar nessa maldita cadeira de rodas pra que eu possa fazer papel de idiota.

Ela acha graça.

— Está bem, está bem.

Gabby me ajuda a me sentar na cadeira, e logo estou saindo do quarto.

— Me deseje sorte! — peço, dirigindo-me à porta para, então, frear abruptamente, como aprendi a fazer. — Você acha que, às vezes, a gente simplesmente *sabe* quando é a pessoa?

— Tipo quando a gente conhece alguém e pensa: esse não é igual aos outros, esse daqui é diferente?

— Isso. Exatamente assim.

— Não sei. Talvez. Eu gostaria de pensar que sim, mas não tenho certeza. Quando conheci o Mark, achei que ele tinha cara de dentista.

— Mas ele *é* dentista — digo, confusa.

— É, mas quando estávamos na faculdade, quando eu tinha, sei lá, 19 anos, achei que ele parecia ser o tipo de cara que seria dentista um dia.

— Ele parecia estável? Inteligente? O quê? O que você está tentando me dizer?

— Nada. Deixa pra lá.

— Você achou que ele tinha cara de chato? — pergunto, tentando entender.

— Eu achei que ele parecia sem graça — responde ela. — Mas eu estava errada, não é mesmo? Só estou tentando dizer que não senti isso que você está falando quando conheci o meu marido. E ele acabou se revelando um cara ótimo. Então, não tenho como confirmar ou negar se existe essa coisa de simplesmente *saber* quando é a pessoa.

Eu acho que é possível. É o que eu acho. Acredito que sempre achei isso. Pensei isso quando conheci Ethan. Senti uma coisa de diferente nele, algo de especial. E eu estava certa. Olhe só o que tivemos! Acabou não durando a vida toda, mas tudo bem. Pelo menos foi verdadeiro enquanto durou.

E eu me senti exatamente assim com relação ao Henry.

Só não sei como conciliar isso com o que Gabby está dizendo. Não quero dizer que acredito que dê para saber, quando a gente conhece alguém, que um cara é o certo para a gente e depois ter de admitir que, por essa lógica, o Mark não é o cara certo para ela.

— Talvez algumas pessoas consigam saber.

— É — concorda Gabby. — Talvez algumas pessoas consigam saber. De alguma maneira, você acredita que consegue. É isso o que importa.

— É isso. Tenho que falar com ele.

— O que você vai dizer? — pergunta ela.

— Iiiihhh — digo, virando a cadeira mais uma vez em direção a ela. — O que *eu* vou dizer? — Penso naquilo por um instante. — Eu devia ensaiar antes. Você é o Henry.

Gabby sorri e se senta na cama, assumindo uma afetada pose masculina.

— Não, ele não é assim — digo. — E ele ficaria em pé.

— Ah — diz ela, levantando-se. — Desculpe, eu só queria que ficasse mais fácil porque você está...

— Numa cadeira de rodas. Beleza — concordo. — Mas não seja boazinha. Se eu vou sair nessa cadeira pelos corredores tentando encontrar o Henry, o mais provável é que ele vá estar em pé e eu sentada.

— Ok. Então fale.

Respiro fundo. Fecho os olhos e falo.

— Henry, eu sei que parece loucura...

— Não — ela me interrompe. — Não comece assim. Jamais comece com "eu sei que parece loucura..." Seja forte. Ele teria muita sorte em ter você na vida dele. Você é uma mulher extraordinária, tem um coração lindo e um otimismo contagiante. Você é um sonho de mulher. Seja forte.

— Tá — concordo, então olho para minhas pernas. — Não sei, Gabby. Não consigo andar. Não estou no meu momento mais forte.

— Você é a Hannah Martin. Seu momento mais fraco já é um momento de força. Seja a Hannah Martin. Vamos, quero ouvir o que você tem a dizer.

— Muito bem — digo, começando outra vez. Então, aquilo tudo simplesmente sai. — Henry, eu acho que nós temos uma ligação especial. Eu sei que sou uma paciente e que você é enfermeiro nesse hospital e que isso tudo é completamente contra as regras e tudo o mais, mas realmente acredito que nós poderíamos significar alguma coisa um para o outro, e precisamos ver no que isso vai dar. Com que frequência você pode dizer isso sobre alguém e estar falando sério? Que duas pessoas têm o potencial de ter alguma coisa de excepcional? Quero ver até onde a gente consegue chegar. Tem alguma coisa em você, Henry. Alguma coisa em nós dois. Eu simplesmente sei. — Olho para Gabby.

— E aí, como foi?

Gabby me encara.

— É assim mesmo que você se sente?

Faço que sim.

— É.

240

— Então vá atrás desse homem! O que você ainda está fazendo aqui, ensaiando comigo?

Dou uma risada.

— O que você acha que ele vai falar?

— Não sei. Mas, se ele te der o fora, é tão idiota que tenho certeza de que você vai ter se livrado de uma.

— Isso não faz com que eu me sinta melhor.

Ela dá de ombros.

— Às vezes, a verdade faz isso — diz ela. — Agora, vá.

Então eu vou.

Dou impulso para sair do quarto e sigo rapidamente pelo corredor até o posto de enfermagem. Pergunto onde Henry está, mas ninguém parece saber. Então entro no elevador, vou até o último andar e começo a percorrer os corredores. Não vou parar até encontrá-lo.

É sábado à noite. Gabby e eu estamos assistindo a um filme. Charlemagne está deitada em sua caminha aos nossos pés. Pedimos comida tailandesa, e Gabby já está comendo todo o *pad thai* antes de eu pensar em chegar perto dele.

— Você sabe que eu estou grávida, não sabe? Eu deveria poder comer pelo menos um pouco da comida.

— Meu marido me traiu e depois me deixou — argumenta ela.

Ela nem olha para mim. Está enfiando o macarrão na boca com os olhos grudados na televisão.

— Não tenho que ser simpática com ninguém agora.

— Argh, está bem, você venceu.

O telefone toca e eu olho perplexa para o identificador de chamadas. É o Ethan.

Gabby pausa o filme.

— Bem, atende! — diz ela.

Eu atendo.

— Oi — digo.

— Ei — diz ele. — Pode falar agora?

— Claro. Posso, sim.

— Eu estava pensando em ir até aí — diz ele. — Agora, se não tiver problema. Posso passar aí...

— Sim — digo. — Claro, pode vir.

Desligo o telefone e olho para Gabby.

— O que ele vai dizer? — eu lhe pergunto.

— Eu ia justamente te perguntar isso. O que foi que ele *disse*?

— Ele falou que quer vir aqui. Disse que vai dar uma passada aqui.

— Qual dos dois? Vir aqui ou dar uma passada aqui?

— Os dois. Primeiro disse um, depois o outro.

— Qual dos dois falou primeiro?

— Dar uma passada aqui. Quer dizer, vir aqui. É, isso, depois ele disse que ia "passar aqui".

— Não sei se isso é bom ou ruim — diz ela.

— Nem eu. — De repente, sou tomada pelo desespero. O que será que vai acontecer? — Você acha possível que ele esteja disposto a lidar com isso tudo? Que talvez ele fique comigo?

— Não sei! — responde ela. Gabby está tão curiosa quanto eu.

— Devia ser proibido terminar o namoro quando a mulher está grávida — comento. — Essa ansiedade toda certamente não é boa pro bebê.

— Você vai trocar de roupa? — pergunta Gabby.

Olho para as roupas que estou usando. Estou com uma legging preta e um moletom enorme.

— Eu devo?

— Acho que sim.

— Tá. E o que eu coloco? — Eu me levanto e me dirijo ao quarto pensando no que vestir.

— Que tal aquele suéter vermelho? — grita ela escada acima. — E jeans, ou algo assim. Bem informal.

— Está bem — grito, enfiando a cabeça para fora do quarto para falar com ela. — Informal, mas bonitinha.

— Isso — berra ela. — E arrume esse coque. Está despencando.

— Tá.

A campainha toca quando estou passando rímel. Tenho me sentido tão gorda ultimamente. Mas não sei se é porque estou gorda mesmo, porque acho que estou gorda ou as duas coisas.

— Pode deixar que eu abro a porta! — diz Gabby. De repente, eu a vejo subir as escadas correndo, tipo, na direção contrária à da porta, vindo na minha direção. — Mas, antes de eu abrir... — diz ela, já na porta do meu quarto.

— O quê?

— Você é incrível. Você é inteligente, amorosa e a melhor amiga que eu já tive, e você é simplesmente a melhor, melhor, melhor pessoa do universo. Jamais se esqueça disso.

Dou um sorriso.

— Ok.

Então ela se vira e desce as escadas correndo para abrir a porta. Eu a ouço cumprimentar Ethan. Saio do quarto e desço as escadas.

— Oi — digo.

— Oi — responde ele. — A gente pode conversar?

— Claro.

— Podem ficar aqui na sala — diz Gabby. — Eu já ia levar a Charlemagne pra dar uma volta.

Ethan se abaixa e faz carinho em Charlemagne enquanto Gabby vai pegar a coleira e calçar o tênis. E logo ela e Charlemagne saem.

Ethan olha para mim.

Não precisamos dizer nada. Pela expressão triste em seu rosto, já sei o que ele veio falar.

Acabou.

Tudo o que eu tenho a fazer agora é superar isso. É tudo o que tenho a fazer. E, depois que ele for embora, posso chorar para sempre.

— Nós podemos nos sentar — digo e fico orgulhosa do quanto minha voz sai calma.

— Eu não vou conseguir — diz ele, sem sair do lugar.

— Eu sei.

A voz dele falha. O queixo começa a tremer, mesmo que ligeiramente.

— Há anos eu pensava que era só conseguir ter você de volta que tudo ficaria bem. — Ele está tão triste que não sobra espaço para a minha tristeza.

— Eu sei. Vamos nos sentar. — Eu o levo até o sofá e me sento para que ele faça o mesmo. Isso ajuda gente triste, eu acho. Mais tarde, quando ele tiver ido embora, quando eu voltar a ser a parte triste dessa história, vou me sentar. Vou me sentar bem aqui.

— Eu estraguei tudo. Nós nunca deveríamos ter terminado na faculdade. Deveríamos ter ficado juntos. Deveríamos ter... deveríamos ter feito tudo diferente.

— Eu sei — concordo.

— Não estou pronto pra isso — diz ele. — Eu não consigo.

Eu sabia que era isso que ele ia dizer, mas ouvir aquelas palavras foi como levar um soco no estômago.

— Entendo perfeitamente — digo, porque é verdade. Gostaria de não compreender. Talvez, então, eu pudesse sentir raiva dele. Mas não tenho do que sentir raiva. Tudo isso é obra minha.

— Faz dias que venho tentando me animar com a ideia, que fico achando que vou me acostumar, que vai ficar tudo bem. Fico pensando que, se alguém é a pessoa certa pra gente, nada deveria atrapalhar. Fico tentando me convencer de que consigo fazer isso.

— Você não tem que...

— Não — interrompe ele. — Eu te amo. Eu estava falando sério quando disse isso antes e estou falando sério agora. E eu quero estar ao seu lado pra tudo o que você precisar. E quero ser o tipo de homem que consegue dizer: "Ok, você está grávida de outro cara e tudo bem." Mas eu não sou esse homem, Hannah. Ainda não estou pronto pra ter meu próprio filho, muito menos criar o filho de outra pessoa... E eu sei que você falou que eu não seria o pai. Eu sei disso. Mas como eu posso te amar e não compartilhar uma coisa dessas com você? Como eu poderia não estar presente em todos os momentos? Isso nos afastaria antes mesmo de nossa história começar.

— Ethan, escute, eu entendo. Me desculpe por ter te colocado nessa posição. Nunca quis fazer isso com você. Fazer você escolher entre a vida que quer ter e estar comigo.

— Eu quero ter a minha própria família um dia. E, se eu disser sim pra você agora, se eu disser que acho que podemos ficar juntos, eu, você e o bebê, acho que estaria me comprometendo a formar uma família com você. Eu realmente acredito que nós poderíamos ter um futuro maravilhoso juntos, só não acho que estejamos prontos pra isso agora, pra termos um bebê juntos. Até mesmo se *fosse* meu.

— Bem, a gente nunca sabe pro que está preparado até ter que enfrentar a situação — digo. Não estou tentando convencê-lo a nada. É só uma coisa que aprendi recentemente.

— Se eu tivesse chegado pra você na semana passada e dito: "Hannah, vamos ter um bebê?", o que você teria falado?

— Eu teria falado que isso é loucura. — Odeio o fato de ele ter razão. — Eu teria dito que não estou pronta pra isso.

— Eu não estou pronto pra assumir o bebê de outro cara — diz ele. — E sinto vergonha disso. De verdade. Porque quero ser o homem do qual você precisa. Quantas vezes eu te disse que não havia nada que nós dois pudéssemos fazer pra estragar isso?

Faço que sim, demonstrando que entendo perfeitamente o que ele está dizendo.

— Queria ser o homem certo pra você — continua ele. — Mas eu não sou. Não acredito que eu esteja dizendo isso, mas... eu não sou o homem certo pra você.

Olho para ele, mas não digo nada. Nada que eu possa dizer mudaria nossos sentimentos. Prefiro, de longe, problemas com soluções, conflitos nos quais haja uma pessoa certa e outra errada, e tudo o que você precisa fazer é descobrir quem é quem.

Esse não é um desses casos.

Ethan estende a mão e agarra a minha. Ele a aperta.

E, com esse único movimento, ele já não é mais a pessoa triste da história. Sou eu.

— Quem sabe? — diz ele. — Talvez eu acabe me tornando um pai solo daqui a alguns anos e a gente se encontre outra vez. Talvez seja só o timing. Talvez esse não seja o nosso momento.

— Talvez — digo. Meu coração ficando em pedaços. Eu posso senti-lo se partir.

Engulo em seco e tento me controlar.

— Vamos deixar as coisas como estão — digo. — Assim como na época do ensino médio... esse não é o nosso momento. Talvez um dia a gente acerte o timing. Talvez a gente esteja na metade de uma história de amor mais longa.

— Gosto dessa ideia.

— Ou talvez não seja o nosso destino ficarmos juntos — falo. — E tudo bem.

Ele assente muito ligeiramente com a cabeça e olha para os pés.

— Talvez — diz ele. — É. Talvez.

Henry não está no meu andar nem em nenhum andar acima. Perguntei a enfermeiros, a alguns funcionários do hospital, a três médicos e a dois visitantes que confundi com funcionários. Passei por cima de três pés, de duas pessoas diferentes, e derrubei uma lata de lixo. Talvez andar numa cadeira de rodas não seja tão difícil assim. Acho que eu só sou muito descoordenada.

Quando desisto da busca, no sexto andar, entro no elevador mais uma vez e me dirijo ao quarto andar, um abaixo do meu. É minha última tentativa. Segundo os botões do elevador, nos três primeiros andares há o saguão, a cafeteria e a administração. Então ele só pode estar no quarto andar. Foi o único que sobrou.

A porta do elevador se abre e vejo um homem à espera. Começo a dar impulso para sair do elevador e ele mantém a porta aberta para que eu passe. Ele sorri e então entra no elevador. Sua beleza é pouco convencional, ele aparenta ter 40 e muitos anos. Por um instante, eu me pergunto se ele sorriu para mim porque me achou bonitinha, mas então me lembro de que sou uma inválida. Ele deve ter apenas se sentido mal por mim e quis me ajudar. Perceber isso me incomoda. Não é muito diferente da vez que pensei que as pessoas estavam olhando para mim no supermercado porque meu cabelo estava lindo e, mais tarde, percebi que estava com uma meleca no nariz. Só que, para ser sincera, isso é pior. O incidente da meleca foi menos condescendente.

Deixo pra lá da mesma forma que deixo pra lá tudo o que vem me incomodando e respiro fundo, pronta para continuar minha busca por Henry. Mas sou interceptada por uma enfermeira.

— Posso ajudar? — pergunta ela.

— Pode — respondo. — Estou procurando o Henry. Ele é enfermeiro.

— Qual é o sobrenome dele? — ela quer saber. É alta, tem os ombros largos e cabelos curtos e crespos. Tem cara de quem já faz esse trabalho há muito tempo e está cansada dele.

Na verdade, não sei o sobrenome de Henry. Nenhum dos outros enfermeiros o mencionou, pois provavelmente não havia outro Henry em nenhum dos demais andares. O fato de ela estar perguntando isso é um bom indicativo de que ele está aqui.

— Ele é alto, tem cabelos escuros e olhos castanhos — eu o descrevo. — Tem uma tatuagem. No antebraço. Acho que você sabe de quem estou falando.

— Sinto muito, senhorita, não posso te ajudar. Você está internada em qual andar? — Ela aperta o botão para chamar o elevador. Acho que é para mim.

— O quê? No quinto andar — respondo. — Não, escute. Henry, o da tatuagem. Preciso falar com ele.

— Eu não posso te ajudar.

À nossa frente, o elevador apita e a porta se abre. Ela olha para mim, esperando uma reação, mas eu não me mexo. Ela ergue as sobrancelhas e eu ergo as minhas, olhando para ela. As portas se fecham. Ela revira os olhos para mim.

— O Henry não está aqui hoje — diz ela. — Ele vai começar a trabalhar pra mim amanhã. Eu nunca o vi, então não tenho certeza se é o Henry do qual está falando. Mas o Henry em questão foi transferido pra mim porque a chefe achou que ele estava ficando próximo demais de uma paciente. — Ela percebe minha expressão mudar, e isso a deixa mais audaciosa. — Você entende a minha hesitação — continua ela, apertando o botão outra vez.

— Isso causou algum problema pra ele? — pergunto e, no instante em que a pergunta sai da minha boca, eu sei que falei demais.

Ela franze as sobrancelhas e me encara. É como se eu tivesse acabado de confirmar seus piores temores a meu respeito, além de parecer que não entendi o que deveria ter entendido.

— Retiro a minha pergunta — digo. — Você provavelmente não está disposta a me ajudar a encontrá-lo fora do hospital, correto? Nada de sobrenomes ou de telefones?

— Correto — responde ela.

Eu assinto com a cabeça.

— Entendi. Será que posso deixar um recado pra ele? Com o meu telefone?

Ela permanece impassível.

— Acho que, mesmo se eu deixasse um bilhete, você provavelmente o jogaria fora, né?

— Se eu fosse você, não perderia muito tempo pensando nisso — diz ela.

— Ok — digo. Finalmente percebo que isso não vai acontecer hoje. Mesmo se eu conseguisse passar por essa mulher, não adiantaria nada. Ele não está aqui. A não ser que... será que ela está mentindo? Será que ele está aqui?

Chamo o elevador.

— Está bem. Entendi perfeitamente. Vou te deixar em paz.

Ela olha para mim de soslaio. O elevador apita e abre as portas outra vez. Começo a conduzir a cadeira para dentro dele e dou tchau. Ela se afasta. Deixo as portas do elevador se fecharem, então aperto o botão do mesmo andar onde me encontro.

As portas se abrem e eu saio voando. Dou impulso para o lado que ela não está olhando, passando pelo posto de enfermagem. Já estou virando o corredor antes de ela me ver.

— Ei! — exclama. Giro as rodas da cadeira com todas as minhas forças até o final do corredor. Meus braços estão cansados e meu coração bate mais rápido do que em dias, mas sigo em frente. Eu me viro e a vejo caminhar energicamente atrás de mim. Parece estar com raiva, mas eu tenho a impressão de que está tentando não fazer alarde.

Há duas portas de vidro duplas na minha frente. Elas não abrem pelo meu lado, então estou presa. Sem saída. A enfermeira má está vindo me pegar. Do outro lado do vidro, vejo um médico se aproximar. Daqui a alguns instantes, ele vai abrir as portas e eu vou poder passar. Bom, eu acho.

Não sei ao certo o que foi que me levou a agir dessa forma. Talvez tenha sido o desejo de encontrar Henry. Ou o fato de ter estado confinada dentro de um quarto por tanto tempo com todo mundo me dizendo o que fazer. Talvez tenha sido o fato de eu quase ter morrido e isso, de alguma maneira, ter me deixado mais destemida. Ou quem sabe foram as três coisas?

A porta se abre, e o médico passa por mim. Giro as rodas e passo pelas portas, rezando para que elas se fechem antes de a enfermeira Ratched se aproximar. Não tenho tempo de parar e olhar. Sigo em frente dando impulso na cadeira, espiando dentro de cada quarto atrás de Henry. Chego ao finalzinho do corredor. Viro à esquerda e sinto duas mãos agarrarem o espaldar da minha cadeira. Abruptamente, eu paro por completo.

Fui pega.

Eu me viro para olhá-la.

— O que posso dizer pra você não me prender?

Ela empurra minha cadeira para a frente, mas não responde à minha pergunta. De repente, com a adrenalina agora diminuindo, eu me dou conta de que minha proeza foi idiota e infrutífera. Ele realmente não está aqui. E, a não ser que eu volte ao hospital e tente fazer isso outra vez, provavelmente nunca vou encontrá-lo.

— Eu posso ir sozinha — aviso.

— Não — diz ela.

Eu rio, nervosa.

— Aposto que esse tipo de coisa acontece o tempo todo — brinco, tentando deixar o clima mais leve.

— Não.

Chegamos ao elevador. Ela aperta o botão. Não consigo olhar para ela. O elevador abre.

— Bem — começo —, acho que é hora de me despedir.

Ela me encara, então coloca a mão de volta em minha cadeira.

— Não.

Ela me empurra elevador adentro e aperta o botão do quinto andar. Fico em silêncio, olhando fixamente para a frente. Ela está de pé ao meu lado. Quando o elevador abre, a enfermeira me empurra em direção ao posto de enfermagem.

— Oi, Deanna — diz ela —, você pode me dizer em que quarto essa paciente está?

— Eu posso te dizer — ofereço. — Estou bem ali.

— Se você não se importa, Fujona, eu gostaria de ouvir isso da Deanna.

Deanna ri.

— A Hannah está certa. O quarto dela é ali. — Deanna aponta para a porta do meu quarto, e a enfermeira Ratched me empurra até estarmos lá dentro, onde Gabby está me esperando.

Quando ela nos vê entrar, não sabe bem como reagir.

— O que aconteceu?

A enfermeira Ratched fala antes que eu consiga dizer qualquer coisa.

— Olhe — começa ela, dirigindo-se a mim —, todo mundo toma decisões erradas de vez em quando, e essa, provavelmente, é uma época confusa na sua vida, então vou deixar passar. Mas você não vai descer ao meu andar outra vez. Ficou claro?

Faço que sim com a cabeça, e ela vai saindo.

— Enfermeira — começo e logo me dou conta de que não devo chamá-la de enfermeira Ratched na sua frente. — Desculpe — digo. — Qual é o seu nome?

— Hannah — responde ela.

— Ah, pelo amor de Deus! Estou tentando me desculpar. Só estou perguntando o seu nome.

— Eu sei — diz ela. — Meu nome é Hannah.

— Oh. Desculpe.

Hannah olha para Gabby.

— Ela é sempre encantadora assim?

— Pelo visto, não está em seu melhor dia — responde Gabby. Acho que isso é o mais perto que consegue chegar de me defender. Então, eu me sinto agradecida.

— Eu só queria dizer que sinto muito por ter te causado problemas. Eu estava errada.

— Tudo bem. Não tem problema — diz ela, virando-se para sair.

— Hannah — chamo.

Ela se vira para mim outra vez.

— Eu sou uma *stalker*.

— Como?

— A culpa não é do Henry — digo. — De termos ficado tão próximos. Ele não foi nada além de profissional comigo e eu, basicamente, corri atrás dele. Ele deixou claro, várias vezes, que o nosso relacionamento era profissional e nada mais. E eu fiquei forçando a barra, tentando fazer com que ele mudasse de ideia. A culpa é minha, e não dele... Eu iria odiar que ele fosse visto como um mau profissional por causa do meu comportamento. A culpa é toda minha.

Ela assente com a cabeça e vai embora. Não tenho certeza se acredita em mim, mas as minhas ações hoje meio que sustentam a afirmação de que sou pelo menos um pouco louca. Então tenho isso a meu favor.

Eu me viro para Gabby.

— Ele não estava lá, e eu fiz besteira.

— Não fez o seu grande discurso?

Nego com a cabeça.

— Mas houve uma perseguição.

— Bem, acho que já tivemos drama suficiente pra um dia. A Dra. Winters veio aqui nesse meio-tempo e disse que você recebeu alta.

— Podemos ir embora, então?

— Isso.

— E o que eu faço em relação ao Henry? Não posso ir embora sabendo que nunca mais vou vê-lo.

— Não sei — diz ela. — Quem sabe você esbarra com ele outra vez um dia desses? Aqui no hospital, durante uma sessão de fisioterapia?

— Quem sabe, né?

— Se for o destino, vocês vão se encontrar. Não é mesmo?

— É. Não sei. Acho que sim.

253

Instintivamente, puxando pela memória muscular, eu me apoio nos descansos para os braços da cadeira de rodas como se pensasse que vou conseguir me levantar. Então eu me lembro de quem sou. E do que está acontecendo.

Deanna entra no quarto.

— Está pronta pra ir embora? — pergunta.

— Sim, senhora — respondo.

Gabby está com as minhas coisas. Deanna empurra a minha cadeira até o elevador e fica com a gente durante o caminho. Eu me pergunto se está fazendo isso porque é o protocolo ou porque represento perigo de fuga. O elevador abre um instante no quarto andar para que uma senhora entre. Vejo a enfermeira Hannah de pé no posto de enfermagem conversando com um paciente. Ela olha para mim, então desvia o olhar. Eu juro que vejo um breve sorriso se abrir em seu rosto, mas às vezes sei que enxergo o que me convém.

Quando chegamos ao saguão, Deanna me diz que a cadeira de rodas é minha. Por um instante penso: *Que legal, uma cadeira de rodas de graça*, aí me lembro de que sou a pessoa que está ganhando uma cadeira de rodas. *Deixa pra lá.*

— Obrigada, Deanna — agradeço a ela ao sairmos para a rua. Ela acena e volta para o hospital.

Mark se aproxima com o carro. Salta e corre em minha direção. Eu me dou conta de que é a primeira vez que o vejo desde o acidente. Isso é meio esquisito, não é? Não seria educado ele ter me visitado? Eu o teria visitado.

Gabby e Mark colocam minhas coisas no carro, e eu me impulsiono até ele. Tento abrir a porta sozinha, mas isso é mais difícil do que eu pensava. Espero, pacientemente, até que um deles chegue até a minha porta e, enquanto espero, olho para o hospital.

Talvez eu nunca mais veja o Henry de novo.

Gabby abre a porta e me ajuda a me acomodar no banco de trás. Mark coloca minha cadeira de rodas na mala. Nós vamos embora.

Se for para eu encontrá-lo, eu irei encontrá-lo. Acho que acredito nisso.

Mas às vezes *eu* queria poder decidir meu próprio destino.

G abby saiu cedo esta manhã para passar o dia com os pais. Mark
vai passar aqui mais tarde para pegar o restante de suas coisas,
e ela não quer estar aqui.

Mark só esteve aqui uma vez desde que saiu de casa, veio pegar
uns ternos e outras coisas. Nem Gabby nem eu estávamos presentes,
e achei meio esquisito, para falar a verdade, entrar em casa e vê-la
meio depenada. Gabby trocou a fechadura depois disso. Então, agora
Mark precisa que uma de nós esteja aqui para pegar o restante das
coisas, e me parece bastante óbvio que eu seja a pessoa designada
para essa tarefa.

No e-mail que mandou, ele disse que estaria aqui por volta do
meio-dia, mas ainda é cedo, e tenho um tempinho. Decido que este é
o momento de ligar para os meus pais e lhes contar a novidade. Neste
horário, é provável que eu consiga pegá-los antes de saírem para jantar.

Digito o número do telefone, pronta para dizer que estou grávida
no instante em que um deles atender. Vou simplesmente abrir a boca e
deixar as palavras escaparem antes de pensar no que vão dizer.

Mas a voz que ouço do outro lado da linha, a voz que diz "Alô?", não
é a da minha mãe nem a do meu pai. É a da minha irmã.

— Sarah? — pergunto. — O que você está fazendo aí?

— Hannah! — exclama ela. — Oi! O George e eu vamos passar o fim
de semana aqui. — Ela diz "fim de semana" com um sotaque afetado.
Reviro os olhos. Ouço meu pai ao fundo perguntando quem é. Percebo
que minha irmã afasta a boca do fone.

— É a Hannah, pai. Espere aí... O pai quer falar com você — diz ela.

— Ah, ok — digo, mas ela não passa o telefone para ele.

— Quero saber quando você vem nos visitar — diz ela. — Não veio no Natal passado, como costuma fazer, então acho que está nos devendo.

Eu sei que ela está brincando, mas me irrita o fato de ela pressupor que eu sempre tenha de ir até eles. Só uma vez eu gostaria de ser importante o bastante para ser a pessoa que recebe a visita em vez de ser a visita. Só uma vez.

— Bem, agora estou em Los Angeles, então o voo é um pouco mais longo. Mas eu chego aí. Algum dia.

— Está bem, está bem — diz ela para o meu pai. — Hannah, eu tenho que ir. — Sarah passa o telefone para ele antes mesmo de eu conseguir me despedir.

— Hannah Savannah — diz meu pai. — Como está?

— Estou bem, pai. Estou bem. E você?

— Como estou? Como estou? Eis a questão.

Eu rio.

— Estou brincando. Tudo bem, querida, tudo bem. Sua mãe e eu estamos aqui sentados discutindo se devemos pedir comida italiana ou tailandesa pro jantar. Sua irmã e o George estão tentando nos fazer ir a algum lugar, mas está chovendo pra caramba, e eu não estou com vontade.

Meu plano de simplesmente abrir a boca e deixar as palavras escaparem falhou.

Ou será que não?

— Legal. Então, pai, eu estou grávida.

...

...

...

Juro por Deus que o telefone parece ter ficado mudo.

— Pai?

— Estou aqui — diz ele, sem ar. — Vou chamar a sua mãe.

Agora eu ouço outra voz ao telefone.

— Oi, Hannah — diz minha mãe.

— Você pode repetir o que disse, Hannah? — pede meu pai. — Tenho medo de que a sua mãe ache que estou brincando se ouvir isso de mim.

Será que vou ter de abrir a boca e deixar as palavras escaparem duas vezes?

— Estou grávida.

...

...

...

Silêncio outra vez. De repente, um guincho dos mais agudos. Um guincho tão alto e dissonante que preciso afastar o fone do ouvido.

Então, ouço minha mãe gritar:

— Sarah! Sarah, venha aqui!

— O que é, mãe? Pelo amor de Deus. Pare de berrar.

— A Hannah está grávida.

Ouço o telefone ser passado de mão em mão. Ouço-os todos brigarem pelo fone. Ouço minha mãe ganhar.

— Conte tudo. Isso é maravilhoso. Fale do pai! Eu não sabia que você estava namorando sério.

Ai, não.

Minha mãe acha que engravidei porque quis.

Minha mãe acha que estou pronta para ter um bebê.

Minha mãe acha que tem um pai na história.

Minha mãe, minha própria mãe, é tão alheia a quem eu sou de verdade e à minha vida que acha que essa gravidez foi planejada.

Essa é uma das coisas mais engraçadas que já ouvi na vida. Começo a rir e não consigo parar, até as lágrimas transbordarem dos meus olhos e começarem a escorrer pelas minhas bochechas.

— Não tem pai nenhum na história — declaro, entre crises de riso. — Vou ser mãe solo. Foi totalmente acidental.

Minha mãe muda o tom rapidamente.

— Ah — diz. — Ok.

Meu pai tira o telefone da mão dela.

— Uau! — exclama. — Isso é que é uma notícia chocante. Mas uma ótima notícia! Uma ótima, ótima notícia!

— É? — Quer dizer, é. É, sim. Mas eles acham que é?

— Eu vou ser avô! — diz ele. — Vou ser um avô maravilhoso. Vou ensinar ao seu filho todo o tipo de coisas que um avô ensina.

Eu sorrio.

— É claro que vai! — Digo isso, mas não estou sendo nem um pouco sincera. Ele não está aqui. Nunca está.

Sarah arranca o telefone da mão do meu pai e começa a falar que está muito feliz por mim e que não importa que eu vá criar o bebê sozinha. Então ela se corrige:

— Quer dizer, importa. É claro que *importa*. Mas você vai ser tão boa mãe que não vai *importar*.

— Obrigada — digo.

Então minha mãe rouba o telefone de Sarah e eu consigo ouvir a barulheira de fundo enquanto ela passa para outro cômodo. Ouço a porta se fechar.

— Mãe? — pergunto. — Você está bem?

Ela se prepara para dizer alguma coisa.

— Você devia vir pra casa — diz ela.

— O quê? — indago. Não entendo o que ela está falando.

— Nós podemos te ajudar — continua ela. — Podemos te ajudar a criar o bebê.

— Está querendo dizer que eu deveria me mudar pra Londres?

— É, ficar aqui com a gente. Na nossa casa.

— Londres não é a minha casa — digo, embora isso não a faça parar de insistir.

— Bem, talvez devesse ser — continua ela. — Você precisa de uma família pra criar o bebê. Não vai querer fazer isso sozinha. E o seu pai e eu adoraríamos te ajudar, adoraríamos ter você aqui. Você deveria estar aqui com a gente.

— Eu não sei... — digo.

— Por que não? Você acabou de se mudar pra Los Angeles, então nem venha me dizer que já construiu uma vida aí. E, se não tem pai nenhum nessa história, não tem ninguém prendendo você aí.

Penso no que ela diz.

— Hannah, deixe a gente te ajudar. Deixe que sejamos seus pais. Você pode ficar no quarto de hóspedes. Venha ter o bebê aqui. Eu sempre disse que você deveria ter vindo com a gente pra Londres há muito tempo. — Ela nunca disse isso. Pelo menos não para mim.

— Vou pensar a respeito — prometo.

Ouço a porta se abrir. Ouço-a falar com meu pai.

— Estou dizendo pra Hannah que chegou a hora de ela se mudar pra Londres.

— Sem dúvida, deve mesmo — eu o escuto dizer. Então ele pega o telefone: — Quem sabe, Hannah Savannah, talvez sempre tenha sido o seu destino morar em Londres.

Até este exato momento, jamais me ocorrera que meu lugar talvez fosse em Londres. A cidade onde minha própria família vive e que nunca me passou pela cabeça.

— Talvez, pai — digo. — Quem sabe?

Até eu desligar, meus pais estão convencidos de que estou de mudança para lá o quanto antes, apesar de eu ter prometido apenas, claramente, pensar a respeito. Para fazê-los desligarem, tenho de prometer que ligarei amanhã. Então eu prometo. E eles me deixam desligar.

Fico ali, deitada na minha cama, olhando fixamente para o teto, durante o que parecem ser horas. Fico sonhando acordada com o que poderia acontecer se eu fosse embora de Los Angeles e me mudasse para Londres.

Penso em como seria a minha vida se eu fosse morar no apartamento dos meus pais com um bebê recém-nascido. Penso no meu filho crescendo, falando com sotaque britânico.

Mas, acima de tudo, penso em Gabby.

E em tudo que eu deixaria para trás se fosse embora.

É meio-dia quando Mark aparece.

Abro a porta com rapidez, minhas mãos estão trêmulas e nervosas. Não estou nervosa porque ele me intimida ou porque não sei o que dizer a ele. Estou nervosa porque tenho medo de dizer alguma coisa da qual me arrependa.

— Oi — diz ele. Está de pé na minha frente, usando jeans e uma camisa verde, com caixas desmontadas debaixo do braço.

— Oi. Entre.

Ele dá um passo para dentro da casa, pisa com leveza, como se não pertencesse a esse lugar.

— A van da mudança chega daqui a meia hora — explica ele. — Pedi uma pequena. Acho que dá, não? Não tenho tanta coisa assim, eu acho.

— Dá.

Observo seu olhar descer até Charlemagne, os dois são oponentes no sentido mais convencional da palavra. A casa não é grande o suficiente para os dois.

Mark esfrega os olhos, então vira-se para mim.

— Bem — diz —, vou começar a encaixotar as coisas. Com licença.

Está mais desconfortável com a situação do que eu. Sua vulnerabilidade me acalma. Fico menos propensa a gritar com um homem arrependido.

Então eu me sento no sofá e ligo a TV. Não vou conseguir relaxar enquanto ele estiver aqui, mas não vou ficar andando atrás dele.

Os homens contratados para fazer a mudança tocam a campainha logo depois, e ele corre para abrir a porta.

— Se vocês vão ficar entrando e saindo, vou prender a Charlemagne no quarto — digo.

— Ótimo — fala ele. — Obrigado. — Os homens da mudança entram, e Charlemagne e eu vamos para o meu quarto.

Por algum motivo, sinto vontade de chorar. Talvez sejam os hormônios, ou porque eu nunca quis que Gabby passasse por uma situação dessas. Não sei. Atualmente, é difícil saber ao certo o verdadeiro motivo para eu chorar, rir ou simplesmente ficar parada.

Quando Mark termina, bate à minha porta.

— Acabei — diz.

— Ótimo.

Ele olha para o chão, depois para mim.

— Eu sinto muito, se isso serve de consolo.

260

— Não serve muito, não. — Não tenho um pingo de pena dele, talvez por ele ter a audácia de tentar se desculpar.

— Eu sei. Essa situação não é a ideal.

— Não vamos fazer isso — digo.

— Ela vai acabar encontrando alguém melhor pra ela do que eu — diz ele. — Você, de todas as pessoas, devia saber que isso é uma boa notícia.

— Ah, eu *sei* que ela vai acabar encontrando alguém melhor do que você. Mas isso não muda o fato de você ter agido como um bosta e que, em vez de ser sincero, mentiu e foi infiel.

— Sabe, quando conhecemos o amor da nossa vida, podemos cometer várias atitudes imbecis — diz ele, em sua própria defesa. Como se eu não pudesse compreender aquilo porque ainda não encontrei minha alma gêmea. Como se estar apaixonado fosse desculpa para alguma coisa. — Eu não queria amar a Jennifer desse jeito. Essa não era a minha intenção. Mas, quando se sente esse tipo de ligação com alguém, nada é capaz de atrapalhar.

Eu não acredito que estar apaixonado absolva alguém de qualquer coisa. E já não acredito mais que tudo seja válido no amor e na guerra. Eu até diria que suas ações quando apaixonado não são uma exceção a quem você é. Elas são, na verdade, a própria definição de quem se é.

— Por que está tentando me convencer de que é um cara legal?

— Porque você é a única pessoa que a Gabby escuta.

— Eu não vou defender você.

— Eu sei disso...

— E, indo bem direto ao ponto, Mark, não concordo com você. Eu não acredito que conhecer o amor da sua vida lhe dê carta branca pra passar por cima de tudo o que estiver no seu caminho. Tem muita gente no mundo que encontra a pessoa com a qual acredita que deve estar e a coisa não vai adiante porque ela acha que há outras coisas no meio e, em vez de mentir e fugir das próprias responsabilidades, age como adulto e faz o que é certo.

— Eu só quero que a Gabby saiba que nunca tive a intenção de magoá-la.

— Ok, tudo bem — digo, só para que ele vá embora. Mas a verdade é que não está tudo bem. Não está nada bem.

Não importa se não tivemos a intenção de fazer o que fizemos. Não importa se foi um acidente ou um erro. Muito menos se acreditamos que isso tudo seja obra do destino. Porque, independentemente dele, ainda temos de responder pelos nossos atos. Fazemos escolhas, grandes e pequenas, todos os dias das nossas vidas, e essas escolhas têm consequências.

Precisamos lidar com essas consequências de frente, para o bem ou para o mal. Não podemos apagá-las simplesmente dizendo que não foi nossa intenção. Destino ou não, nossas vidas continuam sendo o resultado das nossas escolhas. Estou começando a achar que, quando não nos apropriamos delas, não somos nossos próprios donos.

Mark caminha em direção à porta, e eu o acompanho.

— Então, acho que é isso — diz ele. — Acho que não moro mais aqui.

Charlemagne sai do quarto e corre até ele. Ele fica retraído perto dela, assustado. Talvez seja por isso que ela faz xixi em seu sapato. Ou porque ele está em pé onde normalmente colocamos o tapete higiênico dela.

De qualquer forma, eu apenas observo enquanto ela se abaixa e faz xixi nele.

Ele faz cara de nojo e olha para mim. Eu o encaro.

Ele dá meia-volta e vai embora.

Quando Gabby chega, mais tarde, Charlemagne e eu corremos para a porta. Eu a recebo contando o que a Charlemagne fez.

Gabby solta uma sonora gargalhada e se abaixa para pegar Charlemagne.

Ficamos as duas ali, rindo, com a cachorrinha.

— Meus pais querem que eu me mude pra Londres — conto. — Disseram que querem me ajudar a criar o bebê.

Gabby olha para mim surpresa e pergunta:

— Sério? E o que você acha disso? Acha que vai?

Então eu digo algo que nunca havia dito na vida:

— Não. Quero ficar aqui. — E, de repente, desato a rir.

Gabby olha para mim como se eu tivesse três cabeças.

— O que tem de tão engraçado nisso?

Entre risadas, respondo:

— É só que eu estraguei tudo com o único homem que acho já ter amado de verdade. Estou esperando um bebê que não planejei porque dormi com um cara casado e que não quer fazer parte da vida do meu filho. Estou mais gorda do que nunca. E minha cachorra continua fazendo xixi dentro de casa. Mas, de alguma forma, tenho a sensação de que a minha vida aqui é tão boa que eu não poderia deixá-la. Pela primeira vez na vida, tenho alguém sem a qual eu acho que não seria capaz de viver.

— Quem, eu? — pergunta Gabby, em dúvida. — Porque, se não for, essa conversa está ficando esquisita.

— É, cara. Você.

— Aaah, valeu, mano!

Estou sentada no banco de trás do carro, olhando pela janela aberta. Inspiro o ar fresco enquanto atravessamos a cidade. É possível que, vista de fora, eu pareça um cachorro. Mas nem ligo. Estou muito feliz por ter saído do hospital. Por estar vivendo aqui fora, no mundo real. Por ver a luz do sol sem o filtro de uma vidraça. Tudo no mundo tem um cheiro próprio. O mundo exterior não se resume ao cheiro de grama recém-cortada e de flores. É também a fumaça das lanchonetes e o aroma de alho que vem dos restaurantes italianos. E eu amo todos esses cheiros. Provavelmente por ter passado esse tempo todo inalando os cheiros inorgânicos de um hospital esterilizado. E talvez daqui a um mês eu não aprecie isso da forma que estou apreciando neste instante, mas tudo bem. Estou apreciando agora.

Desvio o olhar da janela por um instante quando ouço Mark suspirar ao parar num sinal vermelho. Noto agora que faz um silêncio inquietante dentro do carro. Mark parece cada vez mais nervoso conforme nos aproximamos da casa deles. Prestando mais atenção, percebo que ele parece meio fora do ar.

— Você está bem? — Gabby lhe pergunta.

— Hum? O quê? Não, sim, estou, sim — responde ele. — Só estou concentrado no trânsito.

Percebo que suas mãos estão se contraindo, ouço o ar lhe faltar e começo a me perguntar se está acontecendo alguma coisa que eu não sei, se talvez ele não queira que eu more com eles, na verdade, se encara isso como um fardo.

Se for esse o caso e ele tiver dito a Gabby que não quer assumir uma responsabilidade como essa, ela provavelmente ficou contra ele.

Disso eu sei. E ela nunca permitiria que eu soubesse. Disso eu também sei. Então, é perfeitamente possível que eu esteja sendo inconveniente sem saber.

Quando paramos em frente à casa deles, percebo que Mark instalou uma rampa para que eu consiga subir os três pequenos degraus que levam à casa. Ele salta do carro e imediatamente dá a volta até o meu lado para me ajudar a sair. Abre a minha porta até mesmo antes de Gabby se aproximar.

— Ah — diz ele —, você precisa da cadeira. — Antes que eu consiga responder, ele já está abrindo a mala e tirando-a de lá. Ela aterrissa no chão com um baque. — Desculpe — diz ele. — É mais pesada do que imaginei.

Gabby caminha em sua direção para ajudá-lo a abri-la, e eu percebo que ele se encolhe diante de seu toque.

Não sou eu quem o está deixando desconfortável. É ela.

— Tem certeza de que você está bem? — insiste ela.

— Vamos entrar de uma vez, ok? — retruca ele.

— É... ok...

Os dois me ajudam a me sentar na cadeira, e Mark pega minhas bolsas. Vou seguindo Gabby até a porta.

Quando ela a abre, a tensão é palpável. Algo está errado, e nós três sabemos disso.

— Instalei um assento no chuveiro e tirei a porta do boxe. Agora só tem a cortina. Vai ficar mais fácil pra você entrar e sair sozinha — diz Mark.

Ele está falando comigo, mas está olhando para Gabby. Quer que ela saiba de todo o esforço que fez.

— Também passei todas as suas coisas para o escritório do primeiro andar e coloquei a cama de hóspedes lá pra você não ter que subir e descer as escadas. E baixei a cama. Você pode testar.

Eu não me mexo.

— Ou mais tarde, talvez.

Gabby olha para ele de soslaio.

— Acho que você consegue se deitar e então jogar as pernas pra cima, em vez de usar o quadril pra se sentar ou pra se levantar.

— Mark, o que está acontecendo? — pergunta Gabby.

— Comprei um *pager* bidirecional, então, se você estiver deitada, é só falar nele e a Gabby vai saber que você precisa de ajuda. E, como a mesa da sala de jantar era alta demais, comprei uma mais baixa e, hoje de manhã, mandei que a entregassem aqui pra que a sua cadeira se acomode melhor.

Gabby vira a cabeça, surpresa.

— Você fez isso hoje de manhã? Pra onde você levou a nossa mesa?

Mark inspira.

— Hannah, você poderia nos dar um minuto? Por que não vai dar uma olhada na cama pra ver se está na altura certa?

— Mark, o que diabos está acontecendo? — A voz de Gabby sai tensa e severa. Não há a menor flexibilidade ali, nenhuma paciência.

— Hannah — implora ele.

— Tá — digo, já começando a me afastar.

— Não! — vocifera Gabby, perdendo a paciência. — Ela mal consegue se deslocar de um lado pro outro. Não peça a ela que saia da sala.

— Está tudo bem, sério — digo, mas, no instante em que falo isso, Mark deixa escapar:

— Eu vou embora — diz ele e olha para o chão.

— E vai pra onde? — pergunta Gabby.

— Quero dizer que vou te deixar.

Ela passa de confusa a perplexa, como se tivesse levado um tapa no rosto. O queixo cai, os olhos se arregalam, a cabeça balança sutilmente de um lado para o outro, como se ela fosse incapaz de processar o que ouviu.

Ele preenche as lacunas.

— Eu conheci uma pessoa. E acredito que ela seja a mulher da minha vida. E vou embora. Deixei tudo que vocês poderiam precisar. As coisas estão preparadas pra Hannah. Vou deixar a casa e a maior parte dos móveis pra você. Louis Grant já está providenciando a papelada.

— Você ligou pro nosso advogado antes de falar comigo?

— Eu só pedi a ele que me indicasse alguém, e ele se ofereceu pra fazer tudo. Não foi minha intenção agir pelas suas costas.

Ela começa a rir. Eu sabia que ela ia rir quando ele disse isso. Eu me pergunto se, no instante em que ele terminou de falar, pensou: *Merda, eu não deveria ter falado isso.* Quero desesperadamente empurrar minha cadeira para fora da sala, embora saiba que ela vai começar a ranger e que somos só três pessoas aqui. Se um de nós sair, os outros dois vão notar. E eu nem tenho certeza de que repararam que estou aqui. Não quero chamar atenção para o fato de que estou aqui não estando mais.

— Você só pode estar brincando — diz ela.

— Eu sinto muito, mas não estou — fala ele. — É melhor conversarmos daqui a alguns dias, quando você já tiver tido tempo de processar isso. Eu realmente sinto muito por ter magoado você, essa nunca foi minha intenção. Mas estou apaixonado por outra pessoa e não me parece justo que continuemos do jeito que estamos.

— O que eu estou deixando passar aqui? — pergunta ela. — Nós estávamos falando em ter um bebê.

Mark balança a cabeça.

— Isso foi... isso foi errado da minha parte. Eu estava... fingindo ser alguém que não sou. Eu cometi erros, Gabrielle, e agora estou tentando repará-los.

— E me deixar significa consertar os seus erros?

— Acho que devemos conversar sobre isso depois. Já levei minhas roupas e outras coisas pra minha nova casa.

— Levou a minha mesa de jantar?

— Eu queria ter certeza de que você e a Hannah teriam tudo o que precisassem, então levei a mesa pra minha casa nova e comprei uma mesa nova pra vocês, uma que seria melhor pra Hannah.

— Ela não é uma inválida, Mark. Vai voltar a andar em breve. Quero a minha mesa de volta.

— Eu fiz o que achei melhor. Agora acho que devo ir.

Ela o encara pelo que parecem ser horas, mas provavelmente não passam de trinta segundos. Então, Gabby explode. Eu nunca a vi assim.

— Saia da minha casa! — grita. — Saia daqui! Fique longe de mim!

Ele se dirige à porta.

— Eu nunca deveria ter me casado com você — continua ela, e dá para perceber que está sendo sincera. Está sendo totalmente sincera. Não diz aquilo como se fosse algo que tivesse acabado de lhe ocorrer ou apenas para magoá-lo. Diz aquilo como se estivesse com o coração partido pelo fato de que seus piores temores estão se confirmando bem diante de seus olhos.

Ele não se vira para olhar para ela. Simplesmente passa pela porta, deixando-a aberta ao sair da casa. Aquilo me parece cruel, aquele pequeno gesto. Ele poderia tê-la fechado. É quase que instintivo, não é? Fechar a porta quando a gente passa? Mas ele não a fechou. Deixou-a escancarada, forçando Gabby a fechá-la.

Mas ela não fecha. Em vez disso, desaba no chão, gritando a plenos pulmões. É um som gutural e profundo, mais do que um grito, um grunhido.

— Eu te odeio!

Então ela olha para cima, lembrando-se de que estou aqui.

Ela se recompõe da melhor maneira que pode, mas eu não diria que consegue voltar ao normal. As lágrimas molham seu rosto, seu nariz escorre, a boca está aberta.

— Você pode pegar a chave dele? — pede. Ela sussurra as palavras, mas, mesmo tentando murmurar, não consegue controlar a aspereza da voz.

Entro em ação. Passo com a cadeira pela porta pela qual entramos e desço a rampa. Ele está entrando no carro.

— A chave — digo. — A sua chave da casa.

— Está em cima da mesa de centro — diz ele. — Junto com a escritura. Passei a casa pro nome dela — confessa ele, como se fosse um segredo que vem esperando poder contar, como um aluno animado em relatar à professora que resolveu a pergunta-bônus da prova.

— Ok — digo, então dou meia-volta com a cadeira e sigo em direção à porta.

— Quero que ela fique bem — diz ele. — Foi por isso que dei a casa pra ela.

— Ok, Mark — repito.

— Vale muito dinheiro — insiste ele. — Considerando o valor já pago, quero dizer. Meus pais nos ajudaram com a entrada, e eu a estou dando a ela.

Eu viro a cadeira.

— O que você quer que eu diga, Mark? Você quer uma medalha de ouro?

— Eu quero que ela entenda que estou fazendo tudo o que posso pra tornar isso mais fácil pra ela. Que me importo com ela. Você entende, não entende?

— Entendo o quê?

— Que o amor leva a gente a cometer loucuras, que às vezes você precisa fazer coisas que parecem erradas pra quem está de fora, mas que você sabe que estão certas. Eu achei que você iria compreender. Gabby me contou o que aconteceu entre você e o Michael.

Se eu não tivesse sido atropelada por um carro e quase perdido a vida, talvez me deixasse magoar por uma coisinha tão pequena quanto uma frase. Se eu não tivesse passado a última semana aprendendo a me levantar sozinha e a usar uma cadeira de rodas, talvez me deixasse abater por esse tipo de merda. Mas Mark está completamente equivocado a meu respeito. Não sou mais aquela pessoa disposta a fingir que as coisas que fiz de errado são justificáveis pela forma como fizeram com que eu me sentisse.

Eu cometi um erro. E esse erro faz parte de tudo o que me trouxe a este momento. Embora eu não me arrependa do que fiz ou me perdoe por isso, aprendi com isso. Cresci desde então. E sou uma pessoa diferente agora.

Só é possível perdoar-se pelos erros que você cometeu no passado se tivermos consciência de que nunca mais os cometeremos. E eu sei que nunca mais vou cometer esse erro. Então eu deixo que as palavras dele passem por cima de mim e sigam com o vento.

— Apenas vá embora, Mark. Vou contar a Gabby que a casa é dela.

— Nunca foi minha intenção magoá-la. — Ele abre a porta do carro.

— Ok — digo, dando-lhe as costas. Subo a rampa. Ouço o carro dele se afastar da casa. Não vou dizer nada daquilo a Gabby. Ela vai encontrar a escritura sozinha e tirar as próprias conclusões. Não vou tentar lhe dizer que ele não quis magoá-la. Isso é absurdo e sem propósito.

Não importa se não tivemos a intenção de fazer o que fizemos. Não importa se foi um acidente ou um erro. Muito menos se acreditamos que isso tudo seja obra do destino. Porque, independentemente dele, ainda temos de responder pelos nossos atos. Fazemos escolhas, grandes e pequenas, todos os dias das nossas vidas, e essas escolhas têm consequências.

Temos de lidar com essas consequências de frente, para o bem ou para o mal. Não podemos apagá-las simplesmente dizendo que essa não foi nossa intenção. Destino ou não, nossas vidas continuam sendo o resultado das nossas escolhas. Estou começando a achar que, se não nos apropriamos delas, não somos nossos próprios donos.

Sigo na cadeira de volta para dentro de casa e vejo Gabby ainda deitada no chão e quase catatônica, olhando fixamente para o teto. As lágrimas caem do seu rosto e formam minúsculas poças no chão.

— Não sei se já senti uma dor igual a essa — diz ela. — E acho que ainda estou em estado de choque. Ela só vai piorar, não vai? Só vai ficar mais profunda e mais forte, e já está muito profunda e muito forte.

Pela primeira vez no que parece ser muito tempo, estou mais alta do que Gabby. Tenho de olhar para baixo para encontrar sua linha de visão.

— Você não precisa passar por isso sozinha — digo. — Vou estar ao seu lado o tempo todo. Eu faria qualquer coisa por você, sabia? Isso ajuda? Saber que eu moveria montanhas por você? Que dividiria os mares por você?

Ela olha para mim.

Coloco um dos pés no chão e inclino o meu corpo. Tento colocar as mãos no chão, à minha frente.

— Hannah, pare — diz ela, quando estou mais perto dela, tentando me deitar ao seu lado. Mas eu não consigo. Ainda não tenho a força necessária para isso. Despenco no chão. E dói. Dói muito, aliás. Mas eu tenho remédio para dor na bolsa e coisas a fazer. Então vou em frente e me arrasto para perto dela, empurrando a cadeira de rodas para longe.

— Eu te amo — digo. — E acredito em você. Eu acredito em Gabby Hudson. Acredito que ela pode fazer qualquer coisa.

Ela olha para mim com gratidão, então começa a chorar de novo.

— Estou tão envergonhada — diz, entre uma respiração e outra. Está prestes a começar a hiperventilar.

— Shhh. Não tem por que ficar envergonhada. Eu não posso ir ao banheiro sozinha. Então você não tem o menor direito de ficar envergonhada.

Ela ri, mesmo que pelo mais curto e infinitesimal segundo, então começa a chorar outra vez. Vê-la nesse estado faz meu coração doer.

— Aperte a minha mão — digo, tomando a mão dela na minha. — Quando a dor for tanta que você achar que não vai mais aguentar, aperte a minha mão.

Ela começa a chorar outra vez e aperta a minha mão.

E, naquele momento, eu me dou conta de que, se consegui levar embora pelo menos uma pequena parte de sua dor, tenho mais propósito na vida do que achei que tivesse.

Não vou me mudar para Londres. Vou ficar aqui.

Encontrei a minha casa. E ela não é Nova York ou Seattle ou Londres ou mesmo Los Angeles.

É a Gabby.

N aquela noite, Gabby e eu decidimos levar Charlemagne para fazer um longo passeio. De início, íamos só dar a volta no quarteirão, mas Gabby dá a ideia de sairmos do bairro. Então, pegamos o carro e vamos até o Museu de Arte do Condado de Los Angeles.

Gabby diz que é lindo à noite lá. Há uma instalação de luzes que brilha na escuridão que ela quer me mostrar.

Paramos no Coffee Bean e compramos chás com leite. O meu é de ervas porque Gabby leu um artigo que diz que grávidas não devem consumir cafeína. Há uns dez outros artigos afirmando que a cafeína não causa problemas se consumida com moderação, mas Gabby é muito persuasiva.

Paramos o carro a algumas quadras do museu, colocamos Charlemagne na calçada e começamos a andar. O ar está fresco; o sol se pôs cedo esta noite e as ruas de Los Angeles estão silenciosas, mesmo para uma noite de domingo.

Gabby não quer falar sobre Mark, e eu, na verdade, não quero falar sobre o bebê. Ultimamente, parece que só o que fazemos é conversar sobre Mark e sobre o bebê. Então, decidimos conversar sobre o ensino médio.

— No primeiro ano, você estava a fim do Will Underwood — lembra Gabby. Ela beberica o chá logo depois de comentar isso e, ao olhar para minha amiga, vejo seus olhos brilharem com malícia. É verdade, eu realmente estava a fim do Will Underwood. Mas ela também sabe que a simples menção àquilo é o bastante para me deixar morta de vergonha. Durante o nosso primeiro ano, Will Underwood era um garoto muito brega do último ano que saía com meninas do primeiro. Quando se é uma menina do primeiro ano, não se entende o que há de tão desprezível em caras que se interessam por garotas da nossa idade. E eu tinha uma esperança enorme de que ele me notasse. Queria ser uma daquelas meninas. Hoje em dia ele é um DJ irreverente numa rádio FM daqui. E sai com strippers.

— Bem, eu nunca tive bom gosto — confesso, rindo de mim mesma para, então, apontar para a minha barriga. — Como prova o meu bebê sem pai.

Gabby acha graça.

— O Ethan era legal — comenta ela. — Você foi esperta o bastante pra escolher o Ethan.

— Duas vezes — digo, enquanto andamos. Charlemagne puxa a coleira, nos levando até uma árvore. Nós paramos na frente dela.

— Bem, eu claramente não sou muito melhor em fazer escolhas — comenta Gabby, e me ocorre que, quando se está passando por um divórcio ou quando se está para ter um bebê, não há como não falar a respeito do assunto. Isso faz sombra em tudo o que fazemos. É preciso falar sobre o assunto, até mesmo quando não se está falando sobre isso. E talvez seja normal. Talvez o importante seja ter alguém que nos escute.

Charlemagne faz xixi ao lado da árvore e, então, começa a cavar a grama tentando esconder a urina. Isso é uma coisa que irrita Gabby profundamente porque ela adora uma calçada bem ajardinada.

— Charlemagne, não — diz Gabby. Charlemagne para e olha para ela, esperando agradá-la. — Boa garota — elogia Gabby. — Ela é tão esperta. Você sabia que os cachorros eram tão espertos assim?

Acho graça dela.

— Ela não é tão esperta assim — digo. — Mais cedo, ela deu de cara na parede. Você a ama, então acha que ela é esperta. Vê tudo o que ela faz por lentes cor-de-rosa.

Gabby inclina a cabeça para o lado e olha para Charlemagne.

— Não — reclama. — Ela é superesperta. Eu sei que é. Dá pra perceber isso. Quer dizer, sim, eu a amo. Eu a amo até não poder mais. Eu sinceramente não sei como consegui viver sem ter um cachorro esse tempo todo. Mark estragou tudo de bom no mundo.

É óbvio que Mark não estragou tudo o que há de bom no mundo, mas eu não a contrario. A raiva faz parte do processo de cura.

— É — digo. — Bem, na verdade, você já teve bom gosto pra homens em algum momento da vida. Você se lembra do quanto foi apaixonada pelo Jesse Flint durante todo o ensino médio? E, depois, no último ano? Quando vocês tiveram aquele único encontro?

— Oh, meu Deus! — diz Gabby. — Jesse Flint! Eu nunca poderia me esquecer do Jesse Flint! Ele era realmente um gato. Eu ainda acho que ele é o homem mais bonito que já vi na vida.

Eu rio dela.

— Ah, sério? Ele era um tampinha. Eu nem sei se era mais alto do que você.

Ela faz que sim.

— Ah, mas era. Era 2,5 centímetros mais alto do que eu e perfeito. Aí aquela idiota da Jessica Campos voltou com ele um dia depois do nosso encontro, e eles acabaram se casando depois da faculdade. A maior tragédia da minha jovem vida.

— Você devia ligar pra ele — sugiro.

— Ligar pro Jesse Flint? E dizer o quê? "Oi, Jesse, meu casamento acabou, e eu me lembro do encontro simpático que tive com você quando tínhamos 17 anos. Como vai a Jessica?"

— Eles se divorciaram. Há uns dois anos.

— O quê? — pergunta Gabby. Ela para onde está. — Não existe mais Jesse e Jessica? Por que eu não fiquei sabendo disso?

— Achei que você soubesse. Estava no Facebook.

— Ele é divorciado?

— É, então talvez vocês dois possam conversar sobre como é se divorciar, ou algo assim.

Ela começa a andar outra vez. Charlemagne e eu a acompanhamos.

— Posso revelar uma coisa constrangedora?

— O quê?

— Eu pensei no Jesse no dia do meu casamento. Isso não é ridículo? Enquanto eu caminhava em direção ao altar, eu pensei, especificamente:

Jesse Flint já está casado, então não é com ele que você devia estar mesmo. Isso fez com que eu me sentisse melhor sobre a minha decisão. Acho que pensei assim: dos homens disponíveis, o Mark realmente é o melhor pra mim.

Não consigo evitar. Caio na gargalhada.

— É como se você, na verdade, quisesse comprar Count Chocula, mas alguém foi lá e comprou a última caixa, então só sobrou Cheerios, e você se convenceu de que, "ok, eu estava mesmo destinada a comer Cheerios".

— O Mark é totalmente Cheerios — concorda Gabby. Mas ela não diz isso como se tivesse entendido a piada. Diz isso como se aquilo fosse um enigma zen que a deixou impressionada. — E também não é nenhum Honey Nut, não. É cem por cento Cheerios, aquela coisa boa pras artérias.

— Ok — digo. — Então, qualquer dia desses, quando você estiver pronta, não num futuro tão distante assim, você liga pro Count Chocula.

— Assim, do nada? — pergunta ela.

— É. Assim, do nada.

— Assim, do nada — repete ela para mim.

Caminhamos mais um pouco, então ela vê um monte de luzes brilhando em longas fileiras.

— Essa é a instalação de luzes urbanas da qual falei — diz ela.

Nós nos aproximamos um pouco mais e paramos bem na frente, do outro lado da rua, e eu tenho uma visão ampla.

É feita com postes de luz antigos. Parece coisa de estúdio de cinema. As luzes são lindas, ordenadas em fileiras e colunas. Não sei ao certo se compreendo o sentido exato que há por trás da obra. Não sei se entendo a intenção do artista, mas é certamente impressionante. E estou aprendendo a não procurar muito significado nas coisas boas. Estou aprendendo a simplesmente apreciar o bom enquanto a gente o tem por perto. Não me preocupar demais com o significado das coisas e o que vai acontecer em seguida.

— O que acha? — pergunta Gabby. — É bonito, não é?

— É. Eu gostei. Tem algo de muito esperançoso.

Então, com a mesma rapidez com a qual chegamos, damos meia-volta e caminhamos outra vez em direção ao carro.

— Você vai encontrar uma pessoa maravilhosa um dia — digo a Gabby. — Sinto isso. Tenho certeza de que nós estamos indo na direção certa.

— É? — pergunta ela. — Quer dizer, todos os sinais parecem apontar pra direção oposta.

Balanço a cabeça.

— Não — insisto. — Acho que tudo está acontecendo exatamente do jeito que tem que acontecer.

É de manhã, e Gabby e eu passamos a noite toda deitadas no chão. O sol está começando a surgir por entre as nuvens, seus raios atravessando as janelas e batendo diretamente nos meus olhos. Fica claro tão cedo ultimamente.

— Você está acordada? — sussurro. Se ela estiver dormindo, quero que continue dormindo. Se estiver acordada, preciso que me ajude a me levantar para que eu possa ir fazer xixi.

— Estou — responde ela. — Acho que não dormi a noite toda.

— Você podia ter me acordado. Eu teria feito companhia a você.

— Eu sei. Eu sei que teria.

Viro a cabeça em sua direção, então ergo o tronco usando os braços para me sentar. Meu corpo parece rígido, mais rígido do que jamais esteve durante meus dias no hospital.

— Preciso fazer xixi — digo.

— Tá — diz ela, levantando-se lentamente. É um movimento desajeitado, mas ela se levanta. Vejo agora que seus olhos estão vermelhos, seu rosto tem manchas vermelhas, a pele está pálida e amarelada. Ela não parece nada bem. Suponho que seja de se esperar.

— Se você conseguir me levantar e me trouxer o andador, posso ir sozinha. — Quero conseguir ir sozinha.

— Tudo bem — concorda ela e pega o andador onde o deixamos ontem, próximo à porta.

Ela o desdobra e o trava na posição certa. Coloca-o à minha frente. Então posiciona os braços sob os meus e me levanta. Ficar de pé parece tão fácil, mas é incrivelmente difícil. Gabby sustenta quase todo o meu peso. Não deve ser fácil para ela. É bem menor que eu. Mas ela consegue. Gabby me ajuda a ficar inclinada sobre o andador e me solta. Agora estou de pé sozinha, graças a ela.

— Muito bem — digo. — Vou levar entre três e sessenta minutos. Depende se vou cair dentro da privada ou não.

Ela tenta rir, mas não está no clima. Eu me desloco lentamente, passo a passo, na direção certa.

— Tem certeza de que não quer ajuda? — pergunta.

Eu nem mesmo me viro.

— Estou bem — digo. — Se cuide.

Tenho a sensação de que o banheiro fica a um milhão de quilômetros de distância, mas eu chego lá dando um minúsculo passinho hesitante de cada vez.

Quando volto à sala, estou sentindo frio, então caminho até as minhas coisas, que Gabby trouxe para casa do hospital. Vasculho a bolsa procurando meu casaco de moletom. Quando finalmente o vejo e o puxo lá de dentro, um envelope cai no chão. A frente diz simplesmente "Hannah". Não reconheço a letra, mas sei de quem é.

Hannah,

Sinto muito por ter tido que passar os seus cuidados para outra enfermeira. Não posso continuar cuidando de você. Gosto demais da sua companhia, e meus colegas de trabalho estão começando a notar isso.

Tenho certeza de que você sabe disso, mas é muito pouco profissional que qualquer um de nós da equipe de enfermagem tenha um relacionamento pessoal com um paciente, independentemente do objetivo. Não posso trocar qualquer informação de contato com você. Não posso tentar contatar você depois que sair do hospital. Se por acaso nos esbarrarmos na rua, não é nem mesmo para eu te dizer oi, a não ser que você diga oi para mim primeiro. Eu posso ser despedido.

Não preciso te dizer o quanto este emprego, este trabalho, significa para mim.

Eu tenho pensado em desrespeitar as regras. Tenho pensado em te dar o meu telefone. Ou em pedir o seu. Mas eu me importo demais com o meu trabalho para comprometê-lo fazendo algo que jurei que não ia fazer.

Tudo isso é para te dizer que eu gostaria de ter conhecido você em outras circunstâncias.

Talvez um dia a gente esteja no mesmo lugar, ao mesmo tempo. Talvez a gente se encontre outra vez quando você não for mais minha paciente, e eu não for mais seu enfermeiro. Quando formos apenas duas pessoas.

Se isso acontecer, eu realmente espero que você diga oi. Para que eu possa retribuir o oi e te convidar para sair.

Afetuosamente,
Henry

— Ele deixou a casa pra mim — ouço Gabby falar do sofá. Enfio a carta de volta na bolsa e me viro para ver Gabby chorando, olhando para a mesa de centro. Está segurando a escritura da casa.

— É — digo.

— Os pais dele deram a entrada. Grande parte do financiamento foi paga com o dinheiro dele.

— É.

— Ele se sente mal — diz. — Sabe que o que está fazendo é errado, mas está fazendo assim mesmo. Isso é tão estranho. Ele não é assim.

Coloco o andador na frente do sofá e me deixo cair nele, lentamente. Eu realmente espero que não nos desloquemos deste sofá tão cedo porque acho que essa é toda a energia que vou ter por algum tempo.

Gabby olha para mim.

— Ele deve amar mesmo aquela mulher.

Olho para Gabby com a testa franzida. Coloco a mão em suas costas.

— Isso não justifica o que ele fez — opino. — Não justifica o timing, o egoísmo.

— É, mas...

— Mas o quê?

— Ele fez tudo o que pôde, a não ser ficar.

Seguro a mão dela.

— Talvez ele simplesmente tenha uma sensação especial a respeito dela — diz Gabby, ecoando o que eu havia expressado na manhã do dia anterior. Embora eu deva confessar que parece ter sido há uma década. — Talvez ele simplesmente *saiba*.

Não sei o que dizer em resposta a isso, então não digo nada.

— Eu nunca tive certeza de que ele era o homem certo pra mim. Quando você me perguntou outro dia, eu meio que me senti disfarçando o que realmente achava. Só achei que me casar com o Mark era uma decisão inteligente. Estávamos juntos há tanto tempo, achei que era o que eu deveria fazer. Mas nunca houve um momento em que eu simplesmente *soube*. Você, sim, tem essa sensação.

Desconsidero o que ela diz.

— Eu já tive essa sensação antes. Por um bom tempo, me senti assim em relação ao Ethan. Agora me sinto assim em relação ao Henry. Quer dizer, talvez não conte, se a gente sentir isso por mais de uma pessoa.

— Mas eu *nunca* tive essa sensação a respeito do Mark. E ele nunca teve isso a meu respeito. E talvez tenha agora. Isso faz com que eu me sinta um pouquinho melhor — diz ela. — Pensar que ele me deixou porque encontrou a pessoa certa.

— Por que isso te faz se sentir melhor? — Não posso conceber como isso poderia fazê-la se sentir melhor.

— Porque se eu não sou a alma gêmea dele, isso significa que ele não é a minha. Existe alguém, em algum lugar, pra mim. Se ele encontrou a dele, posso encontrar a minha.

— E isso te faz se sentir melhor?

Ela junta o indicador e o polegar para me mostrar o menor dos espaços.

— Muito pouco — responde. — Tão pouco que quase não existe.

— Invisível a olho nu — acrescento.

— Mas está lá.

Afago suas costas um pouco mais enquanto ela digere aquilo tudo.

— Sabe em quem eu pensei ontem? Quando você falava dessa sensação? O único por quem eu talvez tenha sentido isso?

— Em quem?

— No Jesse Flint.

— Do ensino médio?

Ela faz que sim.

— É — confirma ela. — Ele acabou se casando com aquela garota, a Jessica Campos. Mas eu... eu não sei. Até então, sempre tinha achado que teríamos alguma coisa.

— Eles se divorciaram — digo. — Há alguns anos, eu acho. Vi no Facebook.

— É mesmo? Olhe só — diz ela. — Só esse pouquinho de informação já me dá esperança de que exista alguém no mundo que faça com que eu me sinta como o Henry faz você se sentir.

Sorrio para ela.

— Posso te prometer que tem alguém melhor pra você em algum lugar. Eu poderia jurar.

— Você tem que encontrar o Henry — diz ela. — Você não acha? Como a gente faz isso? Como você vai encontrar o Henry?

Conto a ela sobre a carta e, então, dou de ombros.

— Talvez eu não o encontre — digo. — E tudo bem. Se você me dissesse, há um mês, que eu ia ser atropelada por um carro e que o Mark ia te deixar, você nunca ia ser capaz de me convencer de que tudo ficaria bem. Mas eu fui atropelada por um carro e o Mark te deixou e... ainda estamos em pé. Bem, você consegue ficar em pé. Eu estou sentada. Mas ainda estamos vivas, certo? Ainda estamos bem.

— As coisas estão uma boa bosta, Hannah — diz ela.

— Mas estão bem, não estão? Nós não estamos bem? Não temos esperança no futuro?

— É. — Ela assente com a cabeça, sobriamente. — Temos, sim.

— Então eu não vou ficar me preocupando muito — falo. — Vou dar o melhor de mim e viver sob a premissa de que, se houver alguma coisa nessa vida que devemos fazer, se houver gente neste mundo que devemos amar, nós encontraremos isso tudo. Com o tempo. O futuro é tão incrivelmente imprevisível que tentar se planejar pra ele é como estudar pra uma prova que nunca vai fazer. Estou bem agora. Estou bem por estar com você. Aqui. Em Los Angeles. Se ficarmos as duas em silêncio, podemos ouvir os passarinhos cantando lá fora. Se pararmos um pouco, podemos sentir o cheiro das cebolas do restaurante mexicano da esquina. Agora, nós estamos bem. Então eu vou me concentrar no que quero e no que preciso *nesse instante* e confiar que o futuro vai acontecer do jeito que tiver que acontecer.

— O que é, então? — pergunta Gabby.

— O que é o quê?

— O que você quer da vida *nesse instante*?

Olho para ela e sorrio.

— Um pãozinho de canela.

TRÊS SEMANAS DEPOIS

Estou agora no meu segundo trimestre. Já ganhei peso o bastante para estar grande, mas não o suficiente para deixar claro que estou grávida. Só estou um pouco mais cheia, parece que eu tenho uma barriguinha de chope. Tenho certeza de que vou reclamar quando estiver enorme, mas fico inclinada a achar que este estágio é o pior, pelo menos para o meu ego. Em alguns dias, eu me sinto bem. Em outros, tenho dores nas costas e como três sanduíches na hora do almoço. Estou convencida de que tenho uma papada. Gabby diz que não, mas eu tenho, sim. Eu a vejo quando me olho no espelho. Vejo o meu queixo, depois um segundo queixo bem abaixo dele.

Gabby me acompanha em várias das consultas médicas e nas aulas de preparação para o parto. Não em todas, mas na maioria. Também tem lido os livros comigo e discutido tudo o que lemos. Vou fazer parto natural? Vou usar fraldas de pano? (Meu instinto responde não e não). É legal ter alguém ao meu lado. Me deixa mais confiante de que vou conseguir fazer isso.

E eu finalmente estou ficando mais autoconfiante. Claro que é tudo muito assustador, e de vez em quando quero me enfiar debaixo das cobertas e não sair nunca mais, mas sou uma mulher que tem buscado, desesperadamente, um objetivo de vida e uma família. E acabei encontrando os dois. Nunca esteve tão claro para mim que eu tenho uma família à minha volta em lugares pouco convencionais e que sempre tive mais razão do que jamais imaginei.

Não tenho mais pressa de deixar esta cidade em busca de pastos mais verdejantes, porque não há pastos mais verdejantes e não existe cidade melhor. Eu me sinto enraizada aqui. Tenho um sistema de apoio aqui. Tenho alguém que precisa que eu crie raízes e que escolha um lugar para viver.

Meus pais ficaram desapontados em saber que eu não ia morar com eles em Londres, mas, no momento em que se resignaram à minha decisão, sugeriram vir para Los Angeles com Sarah quando o bebê nascesse. *Eles* vêm *me* visitar. Eles vêm nos visitar.

Comecei a trabalhar no consultório de Carl, e isso teve um efeito imensamente estabilizador e revelador sobre mim. Vejo mães e pais todos os dias em nosso consultório ou porque estão com o filho doente ou porque têm um recém-nascido ou porque estão preocupados com isso ou com aquilo. A gente vê quanto eles amam seus filhos, quanto fariam por eles, quão longe estão dispostos a ir para fazê-los felizes, para mantê-los saudáveis. Isso me fez parar para pensar no que é importante para mim, até onde eu estaria disposta a chegar, não só como amiga ou como mãe, mas também como pessoa.

Estou gostando tanto que tenho pensado em trabalhar num consultório pediátrico no longo prazo. É óbvio que isso tudo é uma grande novidade, mas não consigo me lembrar da última vez em que um emprego me deixou tão animada. Gosto de trabalhar com crianças e com os pais delas. Gosto de ajudar as pessoas a superarem coisas que podem ser assustadoras, tensas ou novas.

Então, esta manhã, enquanto Gabby leva Charlemagne ao veterinário, eu me vejo procurando escolas de enfermagem no Google. Quer dizer, me parece uma ideia completamente absurda ter um emprego, fazer faculdade de enfermagem e criar um filho, mas não vou deixar isso me deter. Estou estudando a possibilidade. Vou descobrir se existe alguma forma de fazer isso acontecer. É o que se faz quando se quer uma coisa. A gente não procura os motivos pelos quais ela pode não funcionar. Procura os motivos pelos quais vai funcionar. Então estou procurando, estou cavando formas de fazer acontecer.

Estou pesquisando a faculdade pública local quando meu telefone toca.

É Ethan.

Hesito por um instante. Hesito por tanto tempo que até eu decidir atender, já perdi a chamada.

Fico olhando para o telefone, perplexa, até ouvir a voz dele.

— Eu sei que você está em casa — diz ele, debochando de mim. — Estou vendo o seu carro parado na rua.

Viro a cabeça subitamente em direção à entrada e vejo sua testa e seus cabelos encostados na vidraça da porta.

— Não consegui atender o telefone a tempo — digo, enquanto me levanto e caminho até a porta.

Há uma parte de mim que não quer abrir. Ultimamente, tenho pensado que talvez seja para eu criar esse bebê sozinha, que talvez seja para eu estar sozinha até o meu filho entrar na faculdade e eu estar perto dos 50 anos. Às vezes, quando acordo no meio da noite, imagino um Ethan de meia-idade batendo à minha porta, no futuro. Ele diz que me ama e que já não consegue mais viver sem mim. E eu lhe digo que me sinto da mesma forma. E nós passamos a segunda metade das nossas vidas juntos. Eu já disse a mim mesma, em mais de uma ocasião, que o timing haverá de funcionar algum dia. Eu já disse isso a mim mesma tantas vezes que comecei até a acreditar nisso.

E, agora, sabendo que ele está do outro lado da porta, a coisa me parece errada. Isso não faz parte do meu novo plano.

— Você vai abrir a porta? — pergunta ele. — Ou você me odeia tanto assim?

— Eu não te odeio — respondo. — Não odeio nem um pouco. — Minha mão está na maçaneta, mas meu punho não gira.

— Mas você não vai abrir a porta?

É educado abrir a porta. É o que se deve fazer.

— Não — respondo. Então, eu me dou conta do verdadeiro motivo pelo qual não quero abrir a porta e percebo que o melhor a fazer é contar a ele o porquê: — Não estou pronta pra te ver — aviso. — Pra olhar pra você.

Ele fica em silêncio por um instante. Por tanto tempo que começo a achar até que ele talvez tenha ido embora. Então, Ethan diz:

— Então que tal simplesmente conversar comigo? Tudo bem assim? Só conversar?

— Tá. Tudo bem.

— Bem, acho que é melhor você se sentar. Isso pode levar um tempo — diz ele, então vejo seu cabelo sumir de vista e me dou conta de que ele está se sentando no degrau em frente à porta.

— Ok — digo. — Estou ouvindo.

Ele volta a ficar em silêncio. Mas agora eu sei que não foi embora.

— Eu terminei com você — diz ele.

— Bem, não tenho tanta certeza disso — digo. — Eu não te dei muita opção. Vou ter um bebê.

— Não — diz ele. — No ensino médio.

Sorrio e balanço a cabeça, mas logo me dou conta de que ele não consegue me ver, então lhe dou a deixa verbal que está esperando.

— Não me diga, Sherlock.

— Acho que queria que a culpa fosse sua porque não quis admitir que eu poderia ter evitado isso tudo se tivesse agido de forma diferente naquela época.

— Evitado o quê? O fato de eu estar grávida? — Não quero evitar estar grávida. Gosto disso, do caminho para o qual a vida me levou. E, se ele não consegue lidar com isso, o problema não é meu.

— Não — responde ele. — Passar tantos anos sem você.

— Ah — digo.

— Eu te amo. Tenho quase certeza de que eu te amo desde o momento em que te conheci no baile de boas-vindas e você me disse que escutava Weezer.

Eu rio e começo a me abaixar para me sentar no chão.

— E eu terminei com você porque achei que ia me casar com você.

— Como assim?

— Eu tinha 19 anos e estava no primeiro ano de faculdade, então pensei assim: eu já conheci a garota com a qual vou me casar. E aquilo me deixou assustado, sabe? Eu me lembro de ter pensado que não ia fazer sexo com mais ninguém. Que nunca mais beijaria outra garota. Que nunca faria o que todos os meus amigos da faculdade estavam fazendo, coisas que eu queria fazer. Porque eu tinha conhecido você. Tinha conhecido a garota dos meus sonhos. E, sabe, por um único momento idiota na faculdade, achei que isso era ruim. Então deixei que você fosse embora. E, sendo totalmente sincero, embora isso me faça soar como um completo babaca, eu sempre achei que teria você de volta. Achei que poderia terminar com você e me divertir e ser jovem e, então, quando isso tudo passasse, eu iria atrás de você e te pegaria de volta pra mim. Nunca imaginei que deveríamos segurar com firmeza o que nos é sagrado.

— Eu não sabia disso — digo.

— Eu sei, porque eu nunca te contei. Então, é claro, acabei percebendo que não queria fazer todas aquelas coisas idiotas de estudante universitário, que eu queria você. Mas aí voltei pra casa no Natal pra te dizer isso, e você já estava saindo com outra pessoa. Eu devia ter me culpado, mas culpei você. E devia ter lutado por você, mas não lutei. Eu me senti rejeitado e procurei outra pessoa.

— Desculpe.

— Não. Você não tem do que se desculpar. Eu é que tenho. Eu é que peço desculpas por viver me acovardando. Eu vejo o que quero ver e tenho medo de fazer o que tem que ser feito pra conseguir o que quero. Sou idiota demais pra sacrificar as coisas pequenas em prol das grandes. Eu te amo, Hannah. Mais do que já amei qualquer outra pessoa. E eu te disse, quando você voltou pra cá, que nunca mais deixaria que nada atrapalhasse a gente.

Assinto com a cabeça, mesmo sabendo que ele não pode me ver.

— E o que eu faço? Ao primeiro sinal de dificuldade, dou pra trás.

— Não é tão simples assim, Ethan. Nós começamos a sair outra vez e, em duas semanas, eu te disse que estava grávida de outro homem. São circunstâncias extraordinárias.

— Não sei — diz ele. — Não sei se acredito em circunstâncias extraordinárias, não quando o assunto é esse.

— Você mesmo disse que às vezes o timing não bate.

— Eu também não sei se acredito mais nisso — diz ele. — O timing parece ser uma desculpa. Circunstâncias extraordinárias parecem ser uma desculpa. Se a gente ama uma pessoa, se acha que pode fazê-la feliz passando o resto da sua vida com ela, então nada deveria te deter. Você deveria estar preparado pra aceitar essa pessoa como ela é e lidar com as consequências. Relacionamentos não são bonitinhos e perfeitos. São feios, confusos e não fazem qualquer sentido a não ser pras duas pessoas que estão nele. É isso que eu acho. Acho que, se a gente ama alguém de verdade, aceita as circunstâncias, não se esconde por trás delas.

— O que você quer dizer com isso?

— Quero dizer que eu te amo, que quero ficar com você e que, se você quiser ficar comigo, nada vai me impedir. Nem timing, nem bebês nem nada. Se você quiser fazer isso, se você quiser ficar comigo, eu te aceito de qualquer maneira. Eu te amarei exatamente como você é. Não vou tentar mudar nada em você.

— Ethan, você não sabe o que está falando.

— Sei, sim — insiste ele. Encostada na porta, consigo sentir que ele se levantou. Eu me levanto também. — Hannah, acho que você é o amor da minha vida e prefiro ter uma vida com quarenta bebês que não são meus a ter que viver sem você. Sinto sua falta todos os dias desde a última vez em que te vi. Eu sinto a sua falta há anos. Não estou dizendo que essa situação é a ideal. Mas estou disposto a aceitar se você me aceitar.

— E o que vai acontecer quando o meu bebê nascer?

— Não sei. Eu sei que disse que não estava preparado pra ser pai, mas fico pensando comigo mesmo: e se o bebê fosse meu? Eu me comportaria de forma diferente? Sim, eu me comportaria de forma diferente. Se você estivesse grávida de um filho meu, sendo descuido ou não, eu daria um *jeito* de ficar preparado.

— E agora? Considerando que o filho não é seu?

— Não sei se vejo mais muita diferença — responde ele. — O que você ama, eu amo.

Olho para o chão. Minhas mãos estão tremendo.

— Você pode decidir como vamos lidar com isso — diz ele. — Eu posso ser o pai, o padrasto ou então um amigo ou tio. Posso ajudar com todos os cursos preparatórios e estar presente quando você for dar à luz, se me permitir. Ou posso manter distância, se você preferir. Faço o que você quiser. Vou ser a pessoa que você precisar que eu seja. Só me deixe fazer parte disso, Hannah. Me deixe estar ao seu lado.

Coloco as mãos na porta para que elas parem de tremer. Tenho a sensação de que vou cair.

— Não sei o que dizer — falo.

— Diga como se sente.

— Estou confusa — confesso. — E surpresa.

— Claro.

— E acho que talvez a gente consiga fazer isso.

— É mesmo?

— É. Tenho a impressão de que talvez estivesse destinado a ser assim.

— É? — pergunta ele. Sinto a alegria em sua voz vibrando pela porta.

— É. Talvez eu estivesse destinada a ter esse bebê. Destinada a estar ao seu lado. E tudo está acontecendo como tinha que acontecer. — O que eu acredito estar destinado a acontecer está perfeitamente alinhado com o que acredito ser verdadeiro em qualquer momento. Mas acho que tudo bem. Acho que isso se chama esperança. — É uma confusão — digo. — Você disse mais cedo que é confuso e tem razão. É mesmo.

— Tudo bem ser confuso — diz ele. — Não? A gente consegue lidar com a confusão.

— Consegue, sim — concordo, com as lágrimas escorrendo pelo rosto. — A gente consegue lidar com a confusão.

— Abra a porta, querida, por favor — pede ele. — Eu te amo.

— Eu também te amo — digo, mas não abro a porta.

— Hannah? — pergunta Ethan.

— Eu estou gorda — digo.

— Tudo bem.

— Não, sério, estou com papada.

— Eu tenho espinha nas costas — argumenta ele. — Ninguém é perfeito.

Eu rio, apesar das lágrimas.

— Tem certeza de que consegue ficar com uma gorda?

— O que foi que eu te disse? Falei que você poderia engordar 180 quilos que eu ainda ia querer ficar com você.

— E estava falando sério?

— Estava.

Abro a porta e vejo que Ethan está de pé no primeiro degrau. Está usando uma camisa azul-clara e jeans escuros. Seus olhos estão brilhando e seu sorriso é imenso. Ele está com uma caixa de pãezinhos de canela nas mãos.

— Você é a mulher mais linda que eu já vi — diz ele, para então entrar na casa e me beijar. E, pela primeira vez na minha vida, sei que fiz tudo certo.

TRÊS MESES DEPOIS

Eu já posso andar. Sem o andador. Sozinha. Uso uma bengala de vez em quando, quando me sinto cansada ou dolorida. Mas isso nunca me impede de fazer nada. Às vezes ando até a loja de conveniência da esquina para comprar um chocolate, não porque eu queira o chocolate, mas porque gosto da caminhada que preciso dar para comprar um.

Gabby ainda não está pronta para sair com ninguém, continua ressabiada devido ao choque da situação toda, mas está seguindo em frente. Está feliz. Comprou um cachorro para nós duas. Um São Bernardo igual ao de Carl e de Tina. Deu a ele o nome de Tucker.

A mulher que me atropelou também foi responsável por outro acidente do qual fugiu, há dois anos. Nesse, não chegou a atropelar ninguém, mas bateu num carro e deixou o local. Juntando as indenizações do seguro e a ação judicial, vou ter dinheiro o suficiente para ficar confortável.

Quando finalmente consegui me deslocar de um lugar para outro por conta própria, comprei um carro. É vermelho-cereja. Dá para me ver chegando a quilômetros de distância, e eu adoro isso. Acho o carro muito "eu".

Então, quando comprei o carro, comecei a procurar emprego.

Eu disse a Carl e a Tina que estava pensando em fazer faculdade de enfermagem. Depois que o dinheiro entrar, vou ter condições de pagar o curso, e não consigo parar de pensar nos enfermeiros que cuidaram de mim durante a minha internação. Penso com muito carinho na enfermeira Hannah e em como ela lidou comigo no meu momento mais irritante. E em Deanna e naquela enfermeira da pediatria que ajudou aqueles pais no andar da oncologia.

E é claro que penso em Henry.

Enfermeiros ajudam as pessoas. E eu estou começando a achar que não há nada mais importante que eu possa fazer com o meu tempo do que isso.

Quando a gente quase perde a vida, sente vontade de redobrar os esforços, de fazer algo realmente importante e maior do que você mesmo. E eu acho que é aí que eu me encaixo.

Carl me ofereceu um emprego em seu consultório pediátrico até eu decidir o que quero fazer. Ele disse que o consultório tem um programa que ajuda a equipe a estudar à noite, se a pessoa se encaixar em determinados critérios financeiros. Quando lembrei-lhe que provavelmente eu não iria me encaixar nesses critérios, ele riu de mim e disse:

— Bem lembrado! Então aceite o emprego pela experiência e pelo salário. Gaste o seu dinheiro com a faculdade.

Então aceitei a proposta. Ainda é cedo, só estou trabalhando lá há algumas semanas, mas tem confirmado o que eu já sabia: estou indo na direção certa.

Falei com os meus pais que não vou me mudar para Londres, e eles ficaram tristes, mas pareceram receber bem a notícia.

— Tudo bem — disse minha mãe —, nós entendemos. Mas, já que é assim, temos que conversar sobre a melhor época pra visitarmos você.

Então, meu pai tirou o telefone da mão dela e disse que viria em julho, quer eu gostasse ou não.

— Eu não quero esperar até o Natal pra te ver outra vez e, pra ser sincero, estou começando a sentir falta dos churrascos do Quatro de Julho.

Algumas semanas depois, minha mãe ligou para dizer que estavam pensando em comprar um apartamento em Los Angeles.

— Sabe, só um lugarzinho pra ficarmos quando formos te visitar de agora em diante — disse ela. — Isso é, se você for ficar em Los Angeles...

Eu disse que ia. Que não ia a lugar algum. Disse que estava aqui para ficar. Nem pensei duas vezes. Simplesmente falei.

Porque é verdade.

Ethan começou a namorar uma mulher muito legal chamada Ella. É professora do ensino médio e uma ciclista aplicada. Ele comprou uma bicicleta no mês passado e agora os dois estão fazendo um passeio de três dias para angariar fundos para a pesquisa do câncer. Ele parece incrivelmente feliz. Outro dia me disse que não consegue acreditar que passou tantos anos morando em Los Angeles sem ver a cidade pedalando em uma bicicleta. Agora ele tem até bermudas de ciclismo. E fica bem engraçado naquelas bermudinhas de ciclismo apertadinhas que ele usa com camisas de ciclismo e capacete. Fomos jantar outro dia, e ele chegou ao restaurante de bicicleta, o que seria uma viagem de trinta minutos de carro. Assim que ele passou pela porta, o sorriso em seu rosto ofuscou o brilho do pôr do sol.

E ele tem sido ótimo comigo. Criou o hábito de me mandar mensagens de texto sempre que vê um lugar que tem um pãozinho de canela que ainda não experimentei. Quando consegui subir escadas sozinha de novo, ele veio nos ajudar a voltarmos com as minhas coisas para o segundo andar da casa. Até mesmo ele e Gabby ficaram próximos. O que eu quero dizer é que Ethan é um ótimo amigo. E fico feliz em não ter estragado nossa amizade achando que ainda havia algo entre nós. Estamos ótimos assim.

Eu estaria mentindo se dissesse que nunca penso no bebê que eu talvez tivesse se não fosse o acidente. De vez em quando, do nada, quando estou tomando banho ou dirigindo, penso nele, no bebê. A única forma de eu conseguir me sentir em paz com isso é saber que não estava pronta para ser mãe na época. Mas que estarei, um dia. E tento não ocupar a mente com muitos pensamentos sobre o passado ou sobre como as coisas poderiam ter sido.

Na maioria das manhãs, acordo me sentindo renovada e descansada, animada para o dia. E, contanto que a gente possa dizer isso, acho que está tudo bem.

Acordei cedo esta manhã e com vontade de pegar o carro e ir até a Primo's. É um pequeno hábito que adquiri sozinha, um pequeno capricho quando tenho tempo. Normalmente ligo para o meu pai quando estou lá. Não é a mesma coisa de quando ele me levava até a confeitaria quando eu era criança, mas lembra bastante essa época. E descobri que, pelo menos no caso dos meus pais, quanto mais nos falamos ao telefone, melhor eu me sinto.

Ligo para ele agora, enquanto estou dirigindo, mas ele não me atende. Deixo um recado. Conto que estou a caminho da Primo's e que estou pensando nele.

Embico no estacionamento lotado da Primo's e paro o carro. Pego a bengala no banco de trás e caminho até a entrada da loja. Entro na fila e peço um pãozinho de canela e um *doughnut* de leitelho para Gabby.

Eu pago e pego uma embalagem já gordurosa.

Então ouço uma voz familiar dizer ao caixa:

— Um pãozinho de canela, por favor.

Então eu me viro. Por um instante, não o reconheço. Está usando jeans e camisa. Eu só o havia visto com o uniforme hospitalar azul-marinho.

Olho para o seu braço para me certificar de que não estou louca, para confirmar que não estou vendo coisas.

Isabella.

— Henry? — digo. Mas é claro que é ele. E me surpreende que ele me pareça tão familiar, que me pareça tão natural o fato de ele estar em pé bem na minha frente.

Henry.

— Olá — digo. — Olá, olá. Oi.

— Oi — diz ele, sorrindo. — Sabia que iria te encontrar aqui qualquer dia desses.

O homem atrás do balcão entrega a Henry seu pãozinho de canela, e ele lhe dá o dinheiro.

— Tantos lugares no mundo que vendem pãezinhos de canela e você tinha que vir justamente a esse — comento.

Ele ri.

— Na verdade, foi totalmente proposital — confessa ele.

— Como assim?

— Eu achei que, se fosse te ver outra vez, te encontrar outra vez e começar uma conversa como duas pessoas normais, sabia que seria num lugar com bons pãezinhos de canela.

Fico vermelha. Sei que estou vermelha porque sinto o calor nas bochechas.

— Podemos conversar lá fora? — pergunta ele. Estamos atrapalhando a fila.

Faço que sim com a cabeça e o acompanho para fora da loja. Ele se senta a uma das mesas de metal. Coloco meu lanche sobre ela. Nós dois pegamos nossos pãezinhos de canela. Henry morde o dele primeiro.

— Achou a minha carta? — pergunta ele, assim que acaba de mastigar.

Eu mastigo, fecho os olhos e faço que sim com a cabeça.

— Sim — respondo, por fim. — Eu te procurei por um tempo. Nas esquinas, nas lojas que eu entrava. Ficava olhando os braços dos homens.

— Procurando a tatuagem? — indaga ele.

— É.

— E nunca me achou.

— Não até hoje.

Ele sorri.

— Me desculpe se causei problemas pra você no trabalho — digo.

Ele faz um aceno com a mão para que eu não me preocupe com isso.

— Não causou, não. A Hannah é que não amou a proeza que você aprontou depois que eu saí — conta ele, às gargalhadas. — Mas também disse que você parecia ser uma *stalker*. E que eu claramente não tive culpa de nada.

Fico tão vermelha que tento cobrir o rosto com as mãos.

— Ai, que vergonha. Eu estava tomando um monte de remédios.

Ele ri.

— Não precisa ficar com vergonha. Ganhei o dia quando soube disso.

— É mesmo? — pergunto.

— Está brincando? A menina mais bonita que eu já vi na vida sai desesperada pelo hospital, de cadeira de rodas, atrás de mim? Ganhei a semana.

— Bem — começo —, eu... eu queria me despedir direito, eu acho. Tive a sensação de que nós...

Henry balança a cabeça.

— Você não precisa explicar nada pra mim. Está livre pra jantar hoje à noite? Eu quero sair com você.

— Quer mesmo? — pergunto.

— Quero — confirma Henry. — O que você me diz?

Eu rio.

— Aceito o convite. Acho a ideia maravilhosa. Ah, mas eu não posso hoje à noite. Já combinei uma coisa com a Gabby. E amanhã? Você pode amanhã?

— Posso. Posso o dia que você puder. E que tal agora? O que está fazendo agora?

— Agora?

— É.

— Nada.

— Quer dar uma volta comigo?

— Eu adoraria — digo, limpando o açúcar das mãos e agarrando minha bengala. — Espero que não se importe de eu ter que usar a bengala.

— Está brincando? — diz ele. — Há meses que eu vou a confeitarias na esperança de te encontrar. Uma coisinha tão insignificante quanto uma bengala não vai me deter.

Sorrio para ele.

— Além do mais, se eu não precisasse dessa bengala, provavelmente não teria te conhecido. Embora, quem sabe, talvez a gente pudesse ter se conhecido de alguma outra forma.

— Como um homem que vem tentando esbarrar com você há meses, posso dizer que é muito raro que os caminhos de duas pessoas específicas se cruzem.

Ele segura a minha mão. E, como eu esperei tanto tempo por isso, como acreditei tão piamente que isso talvez nunca fosse acontecer, o gesto se mostra mais íntimo do que qualquer outro que já experimentei.

— Aos acidentes de carro, então — digo.

Ele ri.

— Aos acidentes de carro. E a tudo o que levou a esse momento.

Então ele me beija, e eu me dou conta de que estava enganada com relação à coisa da mão. Agora aquilo parece adolescente e antiquado. Era por isso que eu vinha esperando.

E, enquanto eu estou ali em pé, no meio da cidade, beijando meu enfermeiro da noite, sei, pela primeira vez na vida, que fiz tudo certo.

Afinal de contas, ele tem gosto de pãozinho de canela, e eu nunca beijei ninguém que tivesse gosto de pãozinho de canela.

TRÊS ANOS DEPOIS

Gabby odeia surpresas, mas Carl e Tina insistiram em fazer uma festa surpresa. Eu disse a eles que concordaria com o plano e então contei tudo a Gabby na semana passada para que ela soubesse o que esperar. Se fosse comigo, eu ia querer saber de antemão. Então aqui estamos, no 32º aniversário dela: eu, Ethan e cinquenta dos seus amigos mais próximos, amontoados na sala de estar dos pais dela, completamente às escuras e esperando para surpreendermos uma pessoa que não irá se surpreender.

Ouvimos o carro dos pais dela parar na pista de acesso. Dou um último aviso a todos para que façam silêncio quando vejo os faróis se apagarem.

Nós os ouvimos caminharem até a porta.

Nós os vemos abrirem a porta.

Eu acendo as luzes, e a sala inteira grita:

— Surpresa! — Exatamente como é esperado de nós.

Gabby arregala os olhos. Ela finge bem. Parece realmente surpresa. Então ela se vira imediatamente para o peito de Jesse. Ele ri e a abraça.

— Feliz aniversário! — diz ele, então a gira outra vez para que olhe para nós.

Tina decorou a sala com muito bom gosto. Tem champanhe e um bufê de sobremesas. Balões brancos e prateados.

Gabby se aproxima de mim primeiro.

— Graças a Deus que você me contou — sussurra. — Acho que não teria conseguido lidar com isso se não tivesse preparada.

Eu rio.

— Feliz aniversário! — digo. — Surpresa!

Então nós duas caímos na risada.

— Onde está a Gabriella?

— Eu a deixei com a Paula — digo.

Paula é a nossa babá de plantão; talvez esteja mais para governanta. É uma mulher mais velha com quem trabalhei no consultório de Carl. Ela se aposentou e logo ficou morta de tédio, então agora cuida de Gabriella quando estou no trabalho ou sempre que Gabby, Ethan e eu não estamos por perto. Gabriella a adora. Ethan e eu sempre chamamos Gabby de a terceira responsável, é uma brincadeira nossa, então nada mais natural do que Paula ser a quarta. Para uma mulher que cresceu com os pais ausentes, eu certamente dei à minha filha um monte de responsáveis.

— Você já contou a Paula? — pergunta Gabby, com um sussurro.

— Sobre a *coisa*? — Só posso supor que ela esteja se referindo ao fato de que Ethan e eu decidimos, este mês, que vamos começar a tentar ter um segundo filho.

— Não — sussurro para ela. — Por enquanto você é a única que sabe.

— Me parece melhor simplesmente deixarmos que todo mundo descubra quando a gente conseguir — comenta Ethan. — Mas a Hannah esqueceu de te contar a melhor parte dessa noite.

— Esqueci?

— A Paula disse que ia dormir lá em casa, então, por mim, vamos aproveitar a noite! — diz Ethan, de pé ao meu lado. — E feliz aniversário! — Ele entrega a Gabby uma garrafa de vinho que escolhemos para ela.

— Obrigada! — diz ela, abraçando-o com força. — Eu amo vocês dois. Obrigada por tudo.

— Nós também te amamos — digo. — Você já viu os Flints? Estão lá nos fundos. — Eu aponto para eles, mas ela já está se dirigindo ao casal. Eu a observo abraçar os futuros sogros. Dá para perceber que eles a amam.

— Bela tentativa, garota — diz Carl, aproximando-se de mim. — Vocês duas quase me enganaram.

Eu ajo como se estivesse confusa.

— Não tenho a menor ideia do que você está falando.

— Ela sabia. Eu conheço a minha filha e sei que ela sabia. E eu sei que o Jesse não contou a ela porque ele ainda morre de medo de mim. Você é a única que tem coragem suficiente pra me desafiar.

Eu rio.

— Ela odeia surpresas — digo, em minha própria defesa.

Carl balança a cabeça, então olha para Ethan.

— Isso é um pedido de desculpas na opinião da sua mulher?

Ethan dá uma risada e ergue a mão em sinal de rendição.

— Prefiro ficar fora disso.

— Desculpe — digo a Carl, sendo sincera.

Ele faz um gesto com a mão como se dissesse que não tem problema.

— Estou brincando. Desde que ela esteja feliz, eu nem ligo. E ela parece estar.

Tina enfrenta a multidão para vir falar com a gente. Ela me dá um abraço apertado e vai direto ao assunto:

— Quando você vai sair do consultório pra começar a estudar em tempo integral?

— No mês que vem — respondo. — Mas ainda não tenho certeza quanto a isso.

Olho para Carl. Até aqui, consegui pagar os meus estudos trabalhando para ele um pouco menos do que horário integral e aproveitando o programa de reembolso estudantil proporcionado pela clínica. Tem sido uma oportunidade maravilhosa, mas com a Gabriella e a possibilidade de um segundo filho, quero me formar o mais rápido possível. Conversei com Ethan e decidi que vou largar o emprego para estudar em tempo integral. Mas se Carl quiser que eu fique mais tempo, eu fico. Eu faria qualquer coisa por ele. Sem ele, sem os Hudsons de uma maneira geral, eu não sei onde estaria.

— Dá pra você parar com isso? Tire logo esse diploma. E, quando conseguir, pelo menos me dê prioridade pra te contratar. É só o que eu peço.

— Mas vocês dois já fizeram tanto por mim. Eu nem sei como poderia retribuir.

— Você não precisa *retribuir* — diz Tina. — Nós somos sua família. Sorrio e coloco a cabeça no ombro de Carl.

— Mas eu preciso de um favor seu essa noite — diz Carl. — Se me permitir.

— É claro.

— Yates está insistindo comigo pra que eu contrate alguém do seu antigo consultório. Um enfermeiro que, ao que parece, está aqui com ele. E o Yates parece um cachorro quando pega um osso. Não desiste quando quer uma coisa.

O Dr. Yates é um médico novo no consultório. Carl e ele não concordam em um bocado de coisas, mas Yates é um bom sujeito. Eu o convidei para a festa, embora Carl achasse que não era necessário. Só que Carl queria convidar o consultório inteiro, *com exceção* de Yates. Então... acho que eu tinha razão com relação a isso.

— E você me conhece — continua Carl. — Eu não sou bom em conversar sobre negócios em festas. Ou melhor, detesto conversar sobre negócios em festas. — Carl é ótimo para conversar sobre negócios em qualquer lugar. Ele só não quer ter de conversar com o Yates.

— Eu faço uma entrevista rápida pra você se esbarrar com eles — digo.

— Vou tentar descobrir se está tudo bem com a Gabriella — diz Ethan. Ele vai até a cozinha e eu o observo enquanto liga para Paula. Ele sempre faz isso. Faz o maior alvoroço sobre o quanto é bom deixá-la em casa de vez em quando, então liga a cada duas horas. Ele tem de saber como ela está, o que comeu. Para um cara que não sabia se estava pronto para ser responsável por uma criança, ele é o pai mais cuidadoso que eu já conheci.

Adotou Gabriella oficialmente no ano passado. Ethan queria que todos nós tivéssemos os mesmos sobrenomes.

— Somos uma família — diz. — Uma equipe. — Ela agora se chama Gabriella Martin Hanover. Nós somos os Martin Hanovers.

E claro, talvez Gabriella e Ethan não sejam parentes de sangue, mas ninguém diria isso olhando para eles, ouvindo-os conversar um com o outro. São tão família quanto quaisquer duas pessoas podem ser. Outro dia, no supermercado, o caixa disse que Gabriella e Ethan tinham os mesmos olhos. Ele sorriu e lhe agradeceu.

— Eu sei, meu amor, mas o papai precisa falar com a Paula. — Eu o escuto dizer ao telefone. — Se você for dormir quando a Paula pedir, a mamãe e eu vamos até o seu quarto pra te dar um beijo quando a gente chegar, está bem? — Gabriella deve ter devolvido o telefone para Paula, pois, logo depois, o que ouvi sair da boca de Ethan foi: — Tudo bem, mas você conseguiu tirar a bola de gude de dentro do nariz dela?

Estamos cansados na maior parte do tempo. Não saímos, só nós dois, com a frequência que gostaríamos. Mas nós nos amamos loucamente. Eu sou casada com um homem que foi pai porque me amava e que agora me ama porque eu o tornei pai. E ele me faz rir. E ele fica tão bonito quando se arruma para sair, exatamente como esta noite.

Ele volta para a sala e, de repente, o ambiente está tão barulhento que mal conseguimos ouvir o que o outro fala. E, quando a festa parece estar no auge, alguém pede a Jesse que conte como ele e Gabby se conheceram. Lenta, mas definitivamente, a casa toda mergulha em silêncio. Jesse fica em pé na lareira para poder ser visto e ouvido por todos.

— Foi no primeiro dia da aula de geometria. No primeiro ano do ensino médio. Eu olhei para a frente da sala e dei de cara com a menina mais interessante que já tinha visto.

Jesse já contou essa história tantas vezes que, a essa altura, eu mesma poderia repeti-la.

— E, para o meu encanto, ela era mais baixa do que eu.

Todos acham graça.

— Mas eu não a chamei pra sair. Fiquei nervoso demais. Três semanas depois do início das aulas, outra menina me convidou pra sair, e eu aceitei porque tinha 15 anos e queria aproveitar todas as oportunidades.

Mais uma vez todos caem na risada.

— Jessica e eu namoramos durante um longo tempo, então terminamos no último ano. E, é claro, quando terminamos, eu imediatamente convidei a Gabby pra sair. E nosso encontro foi maravilhoso. Aí, na manhã seguinte, minha ex-namorada ligou dizendo que queria reatar o namoro. E... foi o que fizemos. Jessica e eu passamos a faculdade juntos, nos casamos depois disso e blá-blá-blá...

Ele sempre diz "blá-blá-blá".

— Jessica e eu nos separamos depois de dois anos de casados. Simplesmente não estava funcionando. Então, alguns anos depois, recebo um pedido de amizade de Gabby Hudson no Facebook. *A* Gabby Hudson.

Essa é a minha parte preferida. A parte na qual ele a chama de *a* Gabby Hudson.

— E eu fiquei supernervoso e animado e comecei a *stalkear* a Gabby pelo Facebook, tentando descobrir se ela estava solteira e se algum dia aceitaria sair comigo. E, quando dei por mim, estávamos jantando em um restaurante moderninho de Hollywood. E simplesmente tive um pressentimento. Não disse nada a ela na época porque não quis bancar o esquisitão, mas tive a sensação de finalmente compreender por que as pessoas se casam uma segunda vez. Quando eu me divorciei, não sabia se algum dia iria querer me casar de novo. Mas aí tudo se encaixou em seu devido lugar e eu entendi que meu casamento havia fracassado da primeira vez porque eu tinha escolhido a pessoa errada. E finalmente a pessoa certa estava ali, na minha frente. Então esperei o número apropriado de meses de namoro e contei a ela como eu me sentia. Depois a pedi em casamento, e ela aceitou.

Normalmente esse é o fim da história, mas ele continua.

— Recentemente, li um livro a respeito do cosmos — começa ele para então olhar à sua volta e dizer: — Acreditem, isso tem a ver.

A plateia ri outra vez.

— E li sobre as diferentes teorias a respeito do universo. Fiquei muito impressionado com uma teoria em especial que diz que tudo o que é possível acontece. Isso quer dizer que, quando a gente joga uma moeda pra cima, ela não dá cara *ou* coroa. Dá cara *e* coroa. Todas as vezes que você atira uma moeda pra cima e ela cai com a cara virada pra cima, significa apenas que você está num universo onde a moeda caiu com a cara pra cima. Existe outra versão de você, em algum lugar, criada no segundo em que a moeda foi jogada pra cima e que vê a moeda cair com a coroa pra cima. Isso acontece a cada segundo, todos os dias. O mundo se divide num número infinito de universos paralelos, onde tudo o que pode acontecer *de fato* acontece. Isso é completamente plausível, aliás. É uma interpretação legítima da mecânica quântica. É perfeitamente possível que a cada vez que tomamos uma decisão, haja uma versão de nós mesmos em algum lugar que escolheu seguir por outro caminho. Um número infinito de versões de nós está vivendo as consequências de cada possibilidade nas nossas vidas. O que estou tentando dizer com isso é que eu sei que podem existir universos por aí onde fiz escolhas diferentes e que me levaram a outro lugar, que me levaram a outra *pessoa*.

Ele olha para Gabby

— E o meu coração se parte por cada versão de mim que não terminou ao seu lado.

Sinto vergonha de dizer que eu começo a chorar. O olhar de Gabby cruza com o meu, e percebo que os olhos dela também estão marejados. Todos o encaram arrebatados. Jesse parou de falar, mas ninguém consegue desviar o olhar. Eu sei que deveria fazer alguma coisa, mas não sei o que fazer exatamente.

— Valeu por deixar todo mundo mal na fita! — É o que berra um sujeito no fundo da sala.

Todos caem na gargalhada, e a multidão se dispersa. Eu me viro para olhar, tentando encontrar o homem que disse aquilo, mas não o vejo. Em vez disso, avisto o Dr. Yates. Eu me viro para Ethan.

— O Dr. Yates está lá atrás. Vou falar com ele e volto daqui a um segundo.

Ele acena com a cabeça e vira-se para o bufê de sobremesas.

— Vou pegar um cheesecake pra você — diz ele. — A não ser que encontre um pãozinho de canela.

Vou até o Dr. Yates.

— Hannah — diz ele. — Que festa maravilhosa.

Eu rio.

— Sem dúvida.

— Escute, quero te apresentar a uma pessoa. — Ele meneia a cabeça em direção ao homem que está ao seu lado. O homem tem uma enorme tatuagem no antebraço. Não consigo decifrar o que diz. Algo escrito em letras cursivas. — Esse é o Henry. Estou tentando convencê-lo a deixar o Angeles Presbyterian pra vir trabalhar com a gente.

— Bem, é um ótimo lugar pra se trabalhar — comento.

— E o Henry é um dos melhores enfermeiros com quem já trabalhei — diz o Dr. Yates.

— Nossa, isso é que é recomendação! — digo a Henry.

— Bem, desembolsei uma boa grana pra que ele falasse isso — diz ele.

Eu acho graça do comentário.

— Vocês dois me dão licença? — pede o Dr. Yates. — Quero cumprimentar a Gabby.

Ele se afasta e me deixa com Henry. Fico sem saber o que dizer.

— Você viu o bufê de sobremesas? — pergunto.

— Vi, sim. Eu ia pegar alguma coisa, mas sinceramente gosto mais de doces de café da manhã. Pãozinho dinamarquês de queijo, por exemplo. Ou pãezinhos de canela.

— Eu sou obcecada por pãezinhos de canela — confesso.

— E tem toda razão de ser — diz ele. — São deliciosos. Eu sempre prefiro um pãozinho de canela a um brownie.

305

Eu rio.

— Eu juro que parece que você está roubando as palavras da minha boca.

Ele ri também.

— Você é daqui?

— Sou, sim. E você?

Ele balança a cabeça.

— Não, me mudei para cá há uns oito anos. Morava no Texas.

— Ah, de onde você é no Texas? — pergunto.

— Dos arredores de Austin.

Sorrio para ele.

— Morei um tempo em Austin — conto. — É uma região muito boa.

— É — concorda ele. — Mas é quente como o inferno.

— Isso é verdade — concordo.

— Você também é enfermeira?

— Estou tentando ser — respondo. — Estou saindo do consultório pra me dedicar à faculdade em tempo integral. Estou ansiosa pra terminar os estudos e começar a trabalhar.

— Eu me lembro de quando me tornei um enfermeiro licenciado. — Ele ri baixinho. — Parece que foi há uma eternidade.

— Bem, estou um pouquinho atrasada — brinco.

— Ah, não — diz ele. — Não foi isso que eu quis dizer. Eu só quis dizer que parece que se passaram milênios desde que eu comecei.

— Você sempre quis trabalhar na área de saúde? — pergunto. Já que estamos falando do assunto, não faz sentido desperdiçar a oportunidade de saber um pouco mais a seu respeito e ver se ele seria um bom funcionário para o consultório.

Ele faz que sim.

— É, mais ou menos. Minha irmã morreu quando eu era pequeno.

— Eu sinto muito.

Ele dá um aceno com a mão indicando que está tudo bem.

— Tudo bem, obrigado. Eu só me lembro de estar no hospital quando era criança e de ver o quanto os enfermeiros estavam se empenhando em cuidar dela, pra deixá-la confortável, pra deixar todos nós à vontade e, não sei, acho que sempre quis fazer isso. — Aaaaah, não há a menor chance de eu dizer não a um sujeito como ele, com uma história dessas.

— Pra mim, a certeza veio quando eu estava grávida da minha filha e tinha acabado de começar a trabalhar no consultório — conto. — Percebi o medo que alguns dos pais sentiam, de vez em quando, e do quanto precisavam de alguém que entendesse o que estavam passando. Percebi que eu queria ser essa pessoa. Então, depois que tive a minha filha, eu também passei a sentir esse medo. Senti como dói pensar que alguma coisa pode acontecer a um filho. Eu só queria ajudar a aliviar a ansiedade, sabe?

Ele sorri. É um sorriso simpático. Há algo de muito tranquilizador nele.

— É, eu entendo — diz ele.

Se Jesse estiver certo e existir outro universo em algum lugar, eu provavelmente já conheci Henry em algum. Talvez tenhamos trabalhado juntos em algum deles. Ou talvez nos conhecido no Texas há anos. Quem sabe numa fila comprando pãezinhos de canela.

— Bem, tenho certeza de que nos veremos por aí — digo. — De um jeito ou de outro.

— Claro — diz ele. — Quem sabe em outra vida?

Sorrio para ele e peço licença enquanto Ethan caminha em minha direção. Ele está segurando um minicheesecake.

— O que você acha de a gente ir embora mais cedo? — pergunta ele.

— Mais cedo? — questiono. — Achei que íamos aproveitar a noite. A Paula vai dormir lá em casa.

— Eu sei. Mas, e se a gente saísse da festa e fosse... para um *hotel*? Minhas sobrancelhas se levantam.

— Você está sugerindo o que eu acho que está sugerindo?

— Vamos fazer um bebê, querida.

Deixo o copo d'água que estou bebendo de lado e enfio o minicheesecake inteiro na boca. Vou até o canto da sala onde vejo Carl, Tina, Gabby e Jesse conversando.

— Carl, ele me parece ser um ótimo profissional. O Henry, quero dizer. Acho que você deve contratá-lo. Sério. Gabby, eu te amo. Feliz aniversário. Agora, se nos dão licença, Ethan e eu temos que ir pra casa.

Gabby e Tina me abraçam. Ethan aperta a mão de Carl e de Jesse.

Ethan e eu vamos embora. Começou a chover em algum momento da noite. Estou com um pouco de frio, e Ethan tira o paletó e o coloca em volta dos meus ombros.

— Podemos ficar a noite inteira acordados, sabia — diz ele, me provocando. — Ou então podemos transar, ligar a TV e adormecer tranquilamente.

Eu rio.

— Essa última opção é perfeita.

Entro no carro e sou dominada pela gratidão.

Se há um número infinito de universos, não sei como tive tanta sorte por acabar neste aqui.

Talvez eu esteja vivendo outras vidas em outros lugares, mas não consigo me imaginar sendo tão feliz em nenhuma delas como estou neste momento, hoje.

Sou levada a crer que, embora eu possa existir em outros universos, nenhum deles é tão bom quanto este aqui.

Gabby odeia surpresas, mas não consegui convencer Carl e Tina a fazerem isso de outra forma e eu é que não ia contar a ela. Então aqui estamos, no 32º aniversário dela: eu, Henry e cinquenta dos seus amigos mais próximos, amontoados na sala de estar dos pais dela, completamente às escuras.

Ouvimos o carro dos pais dela parar na pista de acesso. Dou um último aviso a todos para que façam silêncio quando vejo os faróis se apagarem.

Eu os ouço caminharem até a porta.

Eu os vejo abrirem a porta.

Acendo as luzes, e a sala inteira grita:

— Surpresa! — Exatamente como é esperado de nos.

Gabby arregala os olhos. Fica realmente surpresa por um instante. Então ela se vira imediatamente para o peito de Jesse. Ele ri e a abraça.

— Feliz aniversário! — diz ele, então a gira outra vez para que ela olhe para nós.

A sala está lindamente decorada. Taças de champanhe e Moët. Um bufê de sobremesas. Henry e eu corremos Los Angeles inteira hoje para comprar toalhas de mesa de linho que combinassem com a decoração. Henry adora Gabby, faria qualquer coisa por ela.

Gabby se aproxima de mim primeiro.

— Você está brava? — pergunto, quando ela me abraça. — Eu considerei a possibilidade de te contar.

Ela se afasta de mim. Dá para perceber pela expressão dela que ainda está surpresa.

— Não, não estou zangada. Admirada, talvez. Estou meio chocada porque nem você nem o Jesse deixaram escapar nada.

— Nós fizemos um pacto. De não te contar nada. Era muito importante para os seus pais.

— Eles fizeram isso tudo? — pergunta ela.

Faço que sim com a cabeça.

— A ideia foi toda deles.

— Feliz aniversário — diz Henry. Ele lhe passa uma taça de champanhe. Ela a aceita e o abraça.

— E eu acho que você não vai beber nada — comenta Gabby, olhando para a minha barriga. Estou no sétimo mês de gravidez. É menina. Vamos chamá-la de Isabella, em homenagem à irmã de Henry. Gabby não sabe que estamos pensando em chamá-la de Isabella Gabrielle, em homenagem a ela.

— Não — respondo. — Mas estarei bebendo com vocês em espírito. Você já viu os Flints? — pergunto. — Eles estão... — Eu olho à minha volta até vê-los nos fundos, acenando para ela e conversando com Jesse. Ela já está se dirigindo ao casal.

Eu a observo abraçar os futuros sogros. Eles a amam: isso é nítido.

— Muito bem, garota — Carl me parabeniza. — Eu não tinha certeza se você ia conseguir uma façanha dessas.

— Eu não sou boa em guardar segredos, mas achei que esse era um caso importante. Então... tchã tchã tchã tchã! — Ergo as mãos como se tivesse feito um truque de mágica.

Carl olha para as minhas mãos e, em seguida, para Henry:

— Você deixa a sua mulher ir a festas sem aliança de casamento, meu filho?

Henry ri.

— Discuta você com ela — diz ele. — Eu não digo a ela o que fazer.

— Eu tive que tirar — explico a Carl, me defendendo. — Meus dedos estão parecendo salsichas.

Carl balança a cabeça, rindo de mim.

— Não tem nem um ano que está casada e já está procurando motivos pra tirar a aliança. Tsc, tsc.

— Você tem razão. Posso sair correndo a qualquer instante — digo, apontando para a minha barriga.

Carl ri, e Tina enfrenta a multidão para vir falar com a gente.

— Olhe só pra você. Prestes a se tornar mãe e enfermeira — diz ela, me cumprimentando.

Vou conseguir o meu diploma de enfermagem daqui a mais ou menos um ano, mas isso parece ser daqui a uma vida. A única coisa na qual consigo pensar atualmente é no bebê que estou prestes a ter.

— Estou começando a ficar ansiosa em ter que fazer malabarismo para manter tudo em ordem quando o bebê nascer — digo. — Quer dizer, eu sei que consigo. Muitas mulheres conseguem. Acho que só estou ansiosa com tantas mudanças.

— Você vai se sair muito bem — diz Tina, sorrindo para mim.

— Quantas vezes eu tenho que te pedir pra voltar a trabalhar pra mim depois que terminar os estudos? — pergunta Carl.

— Não quero que você se sinta na obrigação de me oferecer um emprego como enfermeira — digo. — Quero conquistá-lo por mérito próprio.

— Eu tiraria a minha camisa pra te dar, se você precisasse dela — diz Carl. — Mas não é por isso que estou te oferecendo um emprego.

— Não?

— Não. Acho que você vai ser uma excelente enfermeira e quero que trabalhe no meu consultório.

— Além do mais, essa garotinha é o mais próximo que temos de uma netinha — diz Tina. — E eu gostaria de mantê-la o mais perto possível.

— Todo mundo quer ter acesso a essa criança — comenta Henry.

— Quando vocês dois tiverem tanto tempo de casamento quanto nós — Carl diz a ele —, e os seus filhos estiverem crescidos, você vai querer ter acesso aos seus netos também. Pode acreditar. Tem ideia de quanto tempo passo em frente à TV? É uma vergonha. Preciso de uma distração.

Gabby e Jesse se juntam a nós outra vez.

— Do que vocês estão falando? — pergunta Gabby.

— De netos — responde Tina, olhando para Gabby e para Jesse de forma muito direta.

— Ah, não! — brinca Jesse. — Gabby, vamos sair de fininho. Talvez eles não nos vejam.

Gabby finge se afastar, mas Tina puxa a filha e Jesse de volta.

— Hannah e Henry parecem ter encontrado uma forma de terem um bebê — diz Tina. — E eu não estou ficando nem um pouco mais jovem. Vocês não morreriam se *tentassem*.

— Tina — começa Jesse —, eu te prometo que, no instante em que a sua filha e eu estivermos casados e felizes, esse vai ser o primeiro item da minha lista de coisas a fazer.

Ethan e Ella se juntam a nós. Os dois acabaram de chegar.

— Desculpem o atraso — diz Ella. — Fiquei presa no trabalho e vocês sabem como é! Feliz aniversário! — diz ela a Gabby. Ela a abraça então se vira para Ethan, que abraça Gabby e sorri. Ele aperta a mão de Henry, dá um tapinha nas costas de Jesse, então me abraça.

— Mas nós trouxemos um presente — diz Ethan —, pra compensar.

É uma caixa de bombons Godiva. No instante em que os vejo, sinto vontade de enfiar todos na boca. Imagino que Gabby possa me dar todos mais tarde se eu realmente os quiser. Ou comprar uns para mim. Eu sei que, se eu disser que quero, Henry vai parar em algum lugar no caminho de casa. Ele sempre compra tudo o que quero comer, a qualquer hora da noite. Diz que essa é a sua função. Que é o mínimo que pode fazer. "Você carrega o bebê. Eu compro a comida." Ele tem muito bafo quando acorda de manhã e é muito mão fechada, mas eu me sinto a mulher mais sortuda do mundo.

A festa continua, todos nós pulando de pessoa em pessoa, conversando e compartilhando histórias sobre Gabby. E quando a festa parece estar no auge, alguém pede a Jesse que conte como ele e Gabby se conheceram. Lenta, mas definitivamente, todos mergulham em silêncio para escutar. Jesse fica em pé na lareira para poder ser visto e ouvido por todos. Eu lhe perguntei sua altura, certa vez. Ele tem um metro e sessenta e oito.

— Foi no primeiro dia da aula de geometria. No primeiro ano do ensino médio. Eu olhei para a frente da sala de aula e dei de cara com a menina mais linda que já tinha visto. — Jesse já contou essa história umas nove mil vezes e todas as vezes começa a contá-la da mesma forma. — Embora a Gabby diga que essa não era a primeira coisa que eu deveria ter notado a seu respeito. — Ele olha para Gabby, e ela sorri. — Mas todos notam isso nela. Ela era maravilhosa. E, para o meu encanto, também era baixinha. Então eu achei que tinha chance.

Todo mundo ri.

— Mas eu não a chamei para sair porque era medroso. Três semanas depois do início das aulas, outra menina me convidou para sair, e eu disse sim porque tinha 15 anos e, quando se tem 15 anos e uma menina te chama pra sair, a gente diz sim.

Mais uma vez todos caem na risada.

— Jessica e eu namoramos durante todo o ensino médio e terminamos no último ano. Então o que foi que eu fiz? Imediatamente procurei a Gabby e a convidei para sair. E nosso encontro foi maravilhoso. Aí, na manhã seguinte, minha ex-namorada ligou dizendo que queria reatar o namoro. E... para encurtar a história, eu me casei com a Jessica. De qualquer forma, Jessica e eu nos separamos. Tínhamos que nos separar. Não éramos certos um para o outro. E depois que eu consegui enxergar isso, não tive mais como voltar atrás. Então, nós nos divorciamos. Aí, alguns anos depois, recebo um pedido de amizade da Gabby Hudson no Facebook. *A* Gabby Hudson.

Essa é a minha parte favorita. A parte na qual ele a chama de *a* Gabby Hudson.

— E eu me precipito e começo a *stalkear* a Gabby pelo Facebook, tentando descobrir se ela estava solteira e se algum dia aceitaria sair comigo e blá-blá-blá, e, quando dei por mim, nós estávamos almoçando na praia em Santa Monica. Ela não permitiu de jeito nenhum que eu pagasse e disse que dividir a conta era a coisa mais apropriada a fazer. Quando nós estávamos caminhando de volta para o meu carro, não falei nada porque sabia que ela ficaria apavorada, mas eu tive a sensação de finalmente compreender por que as pessoas voltam a se casar. A gente fica com o coração partido, fracassa num casamento e não tem certeza se vai querer tentar uma segunda vez. Então tudo se encaixa e você percebe que fracassou da primeira vez porque escolheu a pessoa errada. E agora a pessoa certa está bem ali, na sua frente. Então esperei o número apropriado de meses de namoro e contei a ela como eu me sentia. E ela disse que sentia a mesma coisa por mim, e agora nós vamos nos casar. E eu sou o sujeito mais sortudo do mundo.

Normalmente esse é o fim da história, mas ele continua.

— Recentemente, li um livro a respeito do cosmos — começa ele, para então olhar à sua volta e dizer: — Acreditem, isso tem a ver.

A plateia ri outra vez.

— E li sobre as diferentes teorias a respeito do universo. Fiquei muito impressionado com uma teoria na qual alguns físicos bastante renomados defendem a chamada teoria do multiverso. E o que ela diz é que tudo o que é possível acontece. Isso significa que, quando a gente joga uma moeda pra cima, ela dá cara *e* coroa, e não cara *ou* coroa. Todas as vezes que você atira uma moeda pra cima e ela cai com a cara virada pra cima, significa apenas que você está num universo onde a moeda caiu com a cara pra cima. Existe outra versão de você, em algum lugar, criada no segundo em que a moeda foi jogada pra cima e que vê a moeda cair com a coroa pra cima. A cada segundo do dia, o mundo vai se dividindo mais e mais vezes num número infinito de universos paralelos onde tudo o que poderia acontecer está acontecendo. Há milhões, trilhões ou quadrilhões, eu acho, de versões de nós mesmos vivendo as consequências das nossas escolhas. O que estou tentando dizer com isso é que eu sei que podem existir universos por aí onde fiz escolhas diferentes e que me levaram a outro lugar, que me levaram a outra *pessoa*. — Ele olha para Gabby. — E o meu coração se parte por cada versão de mim que não terminou ao seu lado.

Talvez seja o momento, talvez sejam os hormônios. O fato é que começo a chorar. O olhar de Gabby cruza com o meu, e eu percebo que os olhos dela também estão marejados. Todos o encaram arrebatados. Jesse parou de falar, mas ninguém consegue desviar o olhar. Eu sei que deveria fazer alguma coisa, mas não sei o que fazer exatamente.

— Valeu por deixar todo mundo mal na fita! — exclama Henry, bem alto.

Todos caem na gargalhada, e a multidão se dispersa. Eu olho para Henry, e ele seca as lágrimas dos meus olhos.

— Eu te amo tanto quanto aquele exibido ama a Gabby — brinca ele. — Eu só não assisti ao mesmo documentário sobre ciência.

— Eu sei. Eu sei — digo, porque sei de verdade. — Você acha que essa teoria é verdadeira? — pergunto a Henry. — Acha que existem versões de nós dois em algum lugar que nunca se conheceram?

— Uma na qual você não teve um acidente e acabou se casando com um chef que faz pãezinhos de canela? — indaga ele.

— Tudo o que é possível acontece...

— Você gostaria de ser casada com um chef que faz pãezinhos de canela?

— Eu certamente gostaria que você fosse melhor em fazer pãezinhos de canela — digo —, mas não, esse universo está bom pra mim.

— Tem certeza? Porque nós podemos desafiar o tempo e o espaço e encontrar outro pra você.

— Não — insisto. — Eu gosto desse aqui. Gosto de você. E dela. — Aponto para a minha barriga. — E da Gabby E do Jesse. E do Carl e da Tina. E estou animada por estar prestes a conseguir o meu diploma de enfermagem. E tudo bem que, quando chove, às vezes o meu quadril dói. É, acho que prefiro ficar por aqui.

— Muito bem — diz ele, me beijando. — Avise se mudar de ideia.

Ele foge para ir ao banheiro, e eu começo a caminhar em direção a Gabby e Tina, de pé ao lado dos minicheesecakes. Na verdade, estou mais interessada é nos minicheesecakes, mas fico parada atrás de um homem enorme como um *linebacker*. Eu peço a ele para me dar licença, mas ele não me ouve. Estou quase desistindo.

— Senhor — ouço alguém dizer atrás de mim. — Será que ela poderia passar?

O *linebacker* e eu nos viramos e nos deparamos com Ethan.

— Ah, me desculpe — diz o *linebacker*. — Eu adoro cheesecake. Quando dou de cara com um, tudo à minha volta desaparece.

Eu rio e passo por ele desajeitadamente. Ethan me acompanha.

— Já está no sexto mês? — pergunta, pegando uma fatia de torta com creme de banana.

— Sétimo — digo, pegando um cheesecake.

— Que história é essa? Nada de pãezinhos de canela pra você?

— É uma festa noturna — alego. — Então, tudo bem. Mas eu tenho comido esses pãezinhos praticamente o tempo todo ultimamente. Henry fala que dá pra sentir o cheiro da canela no meu cabelo.

Ethan acha graça.

— Eu acredito. Acho que já te contei que, depois que a gente terminou, eu não podia nem sentir o cheiro de pãozinho de canela sem ficar deprimido.

— Você nunca me contou isso — digo, rindo. — E quanto tempo durou isso? Até o feriado de Ação de Graças?

Nós dois rimos.

— É justo. Mas é verdade.

— Bem, então você não deveria ter terminado comigo — digo.

Ele dá uma gargalhada.

— Foi você quem terminou comigo, está bem?

— Ah, pelo amor de Deus. Vá tentar empurrar essa história pra outra pessoa.

— Tá — cede ele. — Independentemente de quem tiver terminado com quem, meu coração ficou partido.

— O meu também.

— Sério? — pergunta ele, como se tal informação o fizesse se sentir melhor.

— Está brincando? Eu não dormi com mais ninguém durante anos porque só pensava em você. Aposto que você não pode dizer o mesmo.

Ele ri.

— Não. Eu certamente dormi com algumas pessoas. Mas isso.... isso não significou nada.

— Eu sempre achei que a gente voltaria a namorar em algum momento — digo. — Engraçado como o cérebro de uma adolescente funciona.

Ele dá de ombros, comendo mais um pedaço da torta.

— Mais ou menos. Eu também achei. De vez em quando. Eu quase...

— O quê? — pergunto.

— Quando você voltou pra Los Angeles, um pouco antes do acidente, achei que talvez...

Penso naquela época. Foi um período difícil. Eu mantive uma expressão alegre durante aquilo tudo. Tentei, de todas as formas, aguentar firme, mas, olhando para trás hoje, penso no quão triste aquilo tudo foi. Penso no bebê que perdi e me pergunto se... me pergunto se tive de perder aquele bebê para chegar onde estou agora. Eu me pergunto se tive de perder aquele bebê para ter este.

— Acho que eu também achei isso — confesso.

— Mas não aconteceu assim — diz ele.

— É, eu acho que não. — Vejo Henry saindo do banheiro. Vejo-o parar para conversar com Carl. Ele adora o Carl. Se pudéssemos ter um busto de bronze de Carl na nossa sala de estar, ele o teria. — Quem sabe? — eu digo para Ethan. — Se a teoria de Jesse estiver correta, sobre os universos, talvez exista um por aí onde a gente encontrou uma maneira de fazer a coisa dar certo.

Ethan acha graça.

— É — concorda ele. — Talvez. — Ele ergue a torta como se estivesse fazendo um brinde. Eu levanto o meu cheesecake também. — Quem sabe em outra vida? — diz.

Sorrio para ele e o deixo ao lado da mesa de sobremesas.

Sinto falta do meu marido.

Ele agora se encontra numa roda com Gabby, Jesse, Carl e Tina. Eu me junto a eles.

— Estou vendo que você encontrou o cheesecake — comenta Gabby.

— A grávida sempre encontra o cheesecake — digo. — Você sabe muito bem disso.

Henry se aproxima mais de mim enquanto continua a falar com Carl. Passa o braço pelas minhas costas. Me dá um apertão. Abre bem a boca e eu sorrio para ele. Dou-lhe um pedaço de cheesecake.

E sujo o rosto dele todo.

— Eu te amo — diz ele, de boca cheia. Eu mal consigo compreender as palavras, mas não tenho dúvida do que ele disse.

Ele beija a minha testa e passa a mão na minha barriga.

Num sábado à noite quando eu tinha 20 e tantos anos, fui atropelada por um carro, e esse acidente me levou a me casar com o meu enfermeiro da noite. Se isso não é destino, não sei o que é.

Então só posso pensar que, embora eu talvez exista em outros universos, nenhum deles é tão doce quanto este.

Agradecimentos

Sou afortunada o bastante para ter mais de uma Gabby na minha vida, e sou grata por isso todos os dias. Obrigada a Erin Fricker, Julia Furlan, Sara Arrington, e Tamara Hunter, por serem pessoas tão fenomenais e amigas tão próximas. Este livro é dedicado a vocês, pois sua amizade me fez seguir em frente quando eu não tinha certeza se conseguiria dar mais um único passo. E para Bea Arthur, Andy Bauch, Katie Brydon, Emily Giorgio, Jesse Hill, Phillip Jordan, Tim Paulik, Ryan Powers, Jess Reynoso, Ashley e Colin Rodger, Jason Stamey, Kate Sullivan, e todos os meus outros amigos incrivelmente solidários e maravilhosos — eu tenho muita sorte em conhecê-los e em tê-los na minha vida.

Para Carly Watters, a agente mais maravilhosa do mundo, eu frequentemente agradeço ao destino (ou ao mero acaso) por ter me levado ao seu blog em 2012 e me incitado a contatá-la. O fato de eu ter tido tanta sorte em ser representada por alguém de quem eu *goste* tanto ou é a própria definição de destino ou uma coincidência maravilhosa. Sou igualmente grata a Brad Mendelsohn e Rich Green. Obrigada, Brad, por me compreender e por entender o meu trabalho como você entende, e Rich, saiba que estou muito animada com o que fizemos.

Greer Hendricks, é impossível imaginar um universo onde você consiga ser mais adorável. Obrigada. É um prazer enorme conversar com você. Você é incrível no que faz. Meu trabalho não poderia estar em melhores mãos. O mesmo se aplica a Sarah Cantin, Tory Lowy, e a todo o restante da equipe da Atria.

Para as famílias Hanes e Reid, obrigada. Para Rose e Warren, Sally e Bernie, Niko e Zach: quando digo aos meus amigos o quanto amo meus sogros, estou quase certa de que reviram os olhos como se eu fosse uma aluna lembrando à professora que ela esqueceu de passar dever de casa — mas eu vou continuar a dizer isso até perder o fôlego. Tenho sorte de ter sido unida por casamento a uma família tão maravilhosa. Eu amo todos vocês.

Para as famílias Jenkins e Morris, obrigada. Para minha mãe, Mindy, e meu irmão, Jake, eu amo vocês. Tenho muita sorte de tê-los ao meu lado. Obrigada por sempre acreditarem em mim e por sempre se disporem a discutir ideias sobre a vida e sobre a humanidade.

Para minha avó, Linda, palavras jamais expressarão o que você significa para mim. Eu me sinto honrada apenas por tê-la conhecido, mais ainda de ter tido a sorte de ser sua neta. Obrigada por cada momento do nosso tempo juntas. Eu sou quem sou porque cresci tentando fazê-la orgulhosa de mim. Considere isso a minha promessa solene de que sempre me lembrarei de parar para sentir o perfume das rosas.

E, por fim, Alex Reid: este livro não é sobre nós. Mas há uma frase que escrevi só para você. "Eu sei que podem existir universos por aí onde eu fiz escolhas diferentes e que me levaram a algum outro lugar, que me levaram a outra *pessoa*. E o meu coração se parte por cada versão de mim que não terminou ao seu lado."

Este livro foi composto na tipografia Palatino
LT Std, em corpo 11/16, e impresso em
papel off-white no Sistema Cameron da
Divisão Gráfica da Distribuidora Record.